BESTSELLER

Ignacio del Valle (Oviedo, 1971) vive en Madrid y hasta la fecha ha publicado siete novelas: *De donde vienen las olas*, 1999 (Premio Salvador García Aguilar); *El abrazo del boxeador*, 2001 (Premio Asturias Joven); la trilogía de Arturo Andrade –*El arte de matar dragones*, 2003 (Premio Felipe Trigo), *El tiempo de los emperadores extraños*, 2006 (Prix Violeta Negra del Toulouse Polars du Sud, 2011; Premio de la Crítica de Asturias, 2007; mención especial Premio Dashiell Hammett, 2007; Premio Libros con Huella, 2006), que ha sido llevada al cine por Gerardo Herrero bajo el título *Silencio en la nieve* (2012), y *Los demonios de Berlín*, 2009 (Premio de la Crítica de Asturias, 2010)–; *Cómo el amor no transformó el mundo*, 2005, y *Busca mi rostro*, 2012. Cuenta en su haber con más de cuarenta premios de relato a nivel nacional. Su obra ha sido traducida al portugués, italiano, francés y polaco. Mantiene una columna de opinión en el diario *El Comercio* de Gijón y colabora en diversos medios. También imparte conferencias, talleres, y dirige la sección cultural *Afinando los sentidos* en Onda Cero Radio.

IGNACIO DEL VALLE

Busca mi rostro

DEBOLS!LLO

Primera edición en Debolsillo: abril, 2013

© 2012, Ignacio del Valle
© 2012, Random House Mondadori, S. A.
  Travessera de Gràcia, 47-49. 08021 Barcelona

Printed in Spain – Impreso en España

ISBN: 978-84-9032-209-3
Depósito legal: B-3178-2013

Compuesto en Revertext, S. L.

Impreso en Novoprint
Sant Andreu de la Barca (Barcelona)

P 322093

Para Anne-Marie Vallat, savoir-faire

Mirad, no tengo rostro, lo que exhibo es la cara del instante.

EDMOND JABÈS

1

El principio

En las catástrofes siempre hay un antes y un después. Un intervalo entre el instante en que aún no ha sucedido nada, y nadie ha muerto, y todo respira una calma cotidiana, y la muerte y la liquidación posterior.

Erin todavía se hallaba en el antes. Estaba en la Cincuenta y tres con la Séptima resistiendo el frío cortante, envuelta en ligeros y erráticos remolinos de nieve. Llevaba una hora sacando fotos en aquella polifonía de luz y gente. Ésa era su profesión. Fotografiar. Mirar a través del tiempo para dar a las cosas una forma y un sentido. Ésa era la teoría. Algo que tenía que ver con la eternidad, con la voluntad de hacer algún acto que durase para siempre. Pero la fotografía era como la física cuántica, solo la ambición de sacar una buena foto bastaba para que ésta te eludiese; había que rastrearla, había que buscarla. Una foto que no sacase conclusiones, sino que resumiera la realidad. La sesión formaba parte de un reportaje para una revista donde se hablaba de cabellos hidratados y en la que las mujeres tendían a conjuntar su ropa interior porque ésta les servía para expresar su manera de ser. El ruidito de la cámara que imitaba una batería de arrastre tiraba de imágenes y más imágenes; Erin sacaba una foto, inspeccionaba la pantalla, corría las fotografías hacia delante y hacia atrás, encuadraba con el zoom éste o aquel rasgo, y volvía a encañonar la realidad con su objetivo. Alrededor la ciudad seguía desplegando su narcisismo y contradicción: viva y a la vez muerta, Nueva York no se detenía, no descansaba, no te miraba, no le importabas, no te concedía ni un minuto, porque solo quería tu adoración. Por eso Erin buscaba identidades, rostros que desafiaran al anonimato en que la ciudad te sumía, caras que fuesen alguien, con personalidad, con ideología. En aquel escaparate, en aquel tapete de existencia humana, todo estaba sucediendo, todo aguardaba en cualquier rincón, en cualquier minuto, en cualquier intención. Incluida tu felicidad. Incluida tu muerte.

El después. Erin comprobó que el después fue un azar sin piedad, un caos sembrado por un dios ebrio. Días después ni siquiera recordaba haber oído la explosión, solo vislumbró algo fulgurante que hizo que el cielo se viniese abajo. El violento estallido barrió parte de la calle, despidiendo una lluvia de cristales; un rugido que paralizó el tráfico y dejó en la acera algunos heridos, retorciéndose en su agonía. Erin sufría un intenso zumbido en los oídos, además de una abrasión en la piel, pero reaccionó con profesionalidad y despreció el acontecimiento, fue apasionadamente indiferente, la única manera de seguir tomando fotos, ajustando encuadres y diafragma, economizando cada gesto, no pensando en ella sino en los millones de personas que verían aquellas imágenes. Registró cómo el pánico se transformaba en histeria, y de nuevo flotó sobre Manhattan la pesadilla, dos fantasmas desplomándose entre kilométricas columnas de polvo. Gestos atónitos, llorosos, petrificados, aterrados, incrédulos, asombrados... El sonido de las alarmas de los coches se entreveró con los móviles que comenzaban a sonar; con los gritos, los llantos y las llamas como tentáculos que salían de un local. En un momento dado Erin dejó de hacer fotos y bajó la cámara a la altura del muslo; se mesó el cabello. Fue entonces cuando se permitió la tristeza —la misma que había sentido en las guerras cubiertas en el pasado— por aquella nueva línea de bajamar en la locura humana. A su alrededor, los espectadores comenzaban a censarlo todo a través de las cámaras de sus móviles, sacando rápidas fotos, grabando pequeños cortos, que en ese momento se enviaban a otros móviles, a la red, por toda la ciudad, por todo el país, por todo el mundo.

Domingo, diciembre, 12.23 h

La gente recuerda mejor las tareas o actividades que han sufrido algún tipo de brusca suspensión. Por eso la noche de la explosión quedaría asociada en la memoria de Daniel Isay con las imágenes de una campeona mundial de culturismo que tensaba sus músculos en la televisión, mientras él mordisqueaba un trozo de lasaña fría. Daniel dejó el trozo en equilibrio sobre el sofá donde estaba echado, se estiró y cogió el móvil que se hallaba detrás de la copa de vino blanco que acompañaba a su cena. Comprobó el número en la pantalla: aquellos dígitos siempre traían problemas. Descolgó.

—Daniel, tenemos un problema.

—¿Qué ha pasado?

—Una explosión. El Samovar.

—¿Ha habido víctimas?

—Unas cuantas, y un montón de heridos.

No preguntó más: la palabra Samovar era suficiente. Daniel respondió con un seco estoy ahí en cinco minutos. Acababan de joderle el sábado de sexo, vino y tiramisú, como se refería a sus planes intermitentes, así que la llamada siguiente fue para anular la cita que tenía con Agnes. Tras su divorcio, llevaba un par de años viviendo solo, y en la segunda parte de su treintena había llegado a la conclusión de que la convivencia exigía cosas en común y que se olvidara mucho, constantemente; lo primero era posible, mas por desgracia o por fortuna su memoria era excelente. No obstante, sus últimas citas con Agnes se habían convertido en algo placentero y no en una forma de heroísmo. Sin ser especialmente hermosa, tenía una especie de resplandor que hacía perdurar sus gestos cotidianos, y se llevaban bien, seguían los saltos y las opiniones uno del otro, y consideraban que era bueno no tener contratos ni promesas, apoyarse día tras día solo en el buen vivir, y si la duda soplaba… Aquella noche le hubiera apetecido cortejarla, pero se limitó a echar un par de paletadas de rutina sobre su romanticismo. Samovar, repitió mientras se vestía con la mirada puesta en el plasma de la televisión, donde las culturistas continuaban con su exhibición de cuerpos entrenados, tendones esplendentes y pieles bronceadas, provocando no exactamente un prurito sexual, sino una fascinación de mirón. Aquellos músculos no servían contra los puros hechos físicos que implicaba la palabra Samovar.

No.

Cogió su arma reglamentaria.

Desgraciadamente, no.

Sailesh Mathur sintió un estremecimiento al rememorar el día en que años atrás, la historia, que hasta ese momento se creía navegaba hacia un horizonte fijo, estable, varió su rumbo con la lentitud y contundencia de un superpetrolero. Recordaba la pesadilla de aquellos puntitos oscuros que caían desde las alturas, que podían haberse confundido con trozos del edificio si los trozos tuvieran brazos y piernas que agitar. Desde entonces, el país había esperado un nuevo golpe obsesionado con la seguridad y en estado de permanente ansiedad, aunque Sailesh sabía que aquella explosión no tenía nada que ver con grandes religiones nacidas en desiertos. Sin embargo, a juzgar por el dramatismo y cierta histeria que destilaba la realidad, todavía era de los pocos que estaban al tanto.

La policía había reaccionado con presteza y aislado el perímetro del Samovar —uno de los restaurantes rusos más conocidos por el FBI, y no precisamente por la excelencia de sus blinis— con un drástico dispositivo de seguridad. Aquel restaurante pertenecía a Ilya Mihailev, alias Chevengur, uno de los jefes del crimen organizado ruso, y a su alrededor giraba un carrusel frenético aunque ordenado de ambulancias, coches de policía y bomberos que se devolvían destellos giratorios y cromáticos, mientras los sanitarios se movían con sus camillas y los bomberos se empeñaban en sofocar las últimas lenguas de fuego que salían del restaurante. Sailesh respondió a un par de llamadas de teléfono y repartió algunas órdenes para generar una ilusión de control, antes de ver llegar el coche de Daniel. Entre los casi transparentes sellos de nieve que nacían, se dispersaban y se desleían en puros instantes, resultaba inconfundible su figura de espantapájaros y su cabeza rapada al uno, que endurecía unos rasgos amables, en aquel momento concentrados como en una disciplina de bushido. Daniel aún poseía esa fragilidad de quien ha pasado su adolescencia disculpándose por su altura o se ha mantenido medio encorvado para no destacar demasiado en los grupos. Hacía dos años que se había divorciado de una mujer de la que estaba enamorado, pero aunque otra gente quedaba tan destruida que no admitía la derrota, ni siquiera se veían como derrotados, el divorcio de Daniel le había hecho interiorizar sus límites. El mundo se divide entre los que miran la nevera con esperanza y los que saben perfectamente lo que hay, y él pertenecía a estos últimos. Tras una espiral inicial de acusaciones y contraacusaciones, habían llegado a un acuerdo sobre la hija de cinco años que tenían, visitas un par de días a la semana y vacaciones, y Sailesh notaba que, tras una época inhóspita y caótica, había un orden distinto en su vida, un nuevo horizonte. Se saludaron y Sailesh le puso al tanto de los escasos datos que tenía a su disposición. A su alrededor la gente que poco antes había enloquecido en masa, iba recobrando la cordura uno a uno, demostrando en los grupos de curiosos que iban amontonándose contra las barreras la capacidad que tienen los accidentes de unir a gente extraña que en otras circunstancias ni se hablaría. La televisión había hecho también acto de presencia.

—¿Ha llegado la gente?

—Casi todos.

—Las cámaras... —señaló un par de videocámaras de circuito cerrado reventadas pertenecientes a un banco y otras de una oficina de correos— quiero lo que hayan registrado. Y que comprueben si hay más en los alrededores. —Echó un vistazo a las personas que usaban las cámaras de sus móviles: él también estaba encuadrando, eligiendo, excluyendo—.

Y que no se marche nadie hasta que nos enseñen la foto en pelotas que le han sacado a su novia. Quiero que se interrogue a todos aquellos que hayan estado por aquí antes, durante y después del petardo.

—Ya estamos en ello. También tenemos a uno de los chicos grabando al público, por si alguien ha tenido la tentación de quedarse a contemplar la función.

—Vale.

Sailesh le vio torcer la boca en una sonrisa y alejarse en dirección al jefe de bomberos, un individuo fornido y con una mueca antipática, que dirigía las operaciones de extinción. Daniel utilizó una voz objetiva y tranquila, como si leyese un prospecto.

—Buenas noches —le saludó Daniel, mostrándole la identificación.

—Buenas noches.

—¿Cuánto calcula que puede durar? —Señaló las hilachas de las llamas.

—Ha sido potente, pero creo que en una hora lo tendremos frío. Esto no ha sido una tubería del gas… —apuntó con precaución.

—No, no lo ha sido —le confirmó Daniel—, pero de momento imagine que sí.

Daniel se metió la mano en los bolsillos de la cazadora, inclinó la cabeza y se empeñó en buscar a la mariposa y su efecto, aleteando aquí y allá, aplastándolo todo. No había nada indiferente, todo era causa. Y consideró que ya habían establecido una dialéctica con sus enemigos, unos mataban y otros debían impedirles que lo hicieran. ¿Qué relación más profunda que ésa podía caber?

Daniel observaba a Sailesh en el exterior del local mientras era entrevistado por una de las televisiones locales con serenidad y ese punto de gravedad profesional que tan bien sabía impostar. Desde que Daniel podía recordar —llevaban cuatro años como compañeros— aquel tipo robusto y no muy alto de rostro oscuro y resplandeciente, con las hojas de su vida al aire en América y las raíces profundamente hundidas en Bengala, era un buen contendiente político y un maestro en el sutil arte de la comunicación. Experto en cultivar relaciones tanto en los canales oficiosos como en los oficiales, en las palmaditas a la espalda, en los tratos, en los favores sopesados y dispensados, Sailesh era sencillamente muy bueno. Nunca se había planteado si eran realmente *yaar*, como él decía en su extraño idioma, colegas, amigos, pero se llevaban bien. En ese momento se ocupaba de ciertas preguntas que debían ser hechas y contestadas para que la sociedad más obsesionada con la seguridad de la historia no aspirase al absoluto y renunciase a más grados de libertad. No, con esto no habían tenido nada que ver los radicales islamistas, solo era un ajuste de cuentas entre la delincuencia organizada, la rusa, lo más probable. La ciudad, el país, el mundo podían respirar tranquilos, venía a transmitir su compañero con la conciencia no de mentir, sino de economizar la verdad. Sailesh permaneció unos veinte minutos atendiendo a los periodistas, colocando cortafuegos siempre con una pregunta tácita en el aire: ¿A quién beneficiaba aquello? La misma interrogante en la que comenzó a emplearse Daniel mientras pisaba con cuidado el interior devastado del Samovar, evitando los cadáveres, las islas de espuma creadas por los equipos de extinción, y a algunos bomberos que todavía comprobaban la seguridad de ciertas zonas. Aquí y allá había marcos chamuscados en los que se podía distinguir al dueño posando con algún famoso o con los clientes. Se detuvo a contemplarlos; se fijó en un actor de sonrisa alucinada, en la belleza madura de una cantante, en una modelo de díscola mueca… y entre los rostros anónimos una pareja que posaba con la expresión de quien se ha tomado ya un par de copas de vino, en especial en la mujer pelirroja, una cara de líneas clásicas, elegantes. Retomó sus pasos; el establecimiento dibujaba una ele alargada decorada con una barroca profusión de cortinajes que habían tenido un color burdeos, y Daniel recorrió el pasillo central con precaución, hasta el fondo, donde un equipo de fotógrafos, técnicos de laboratorio y agentes ya estaba trabajando a la luz de los equipos electrógenos. Había un intenso olor a goma chamuscada mezclado con el de crematorio. No sabía por qué, pero siempre que veía algo ardiendo no podía dejar de imaginarse dentro, quemándose también. Saludó a uno de sus compañeros.

—Buenas noches. ¿Tenéis algo?

—Hola. De momento poca cosa, acabamos de empezar. Lo único seguro es que hay ocho muertos, y uno de ellos creo que es Chevengur. Hay muchas probabilidades de que sea aquel. —Señaló un cuerpo enorme, desfigurado y chamuscado.

—Tiene toda la pinta —coincidió Daniel.

Había razones para coincidir: en uno de los gordezuelos dedos de la mano izquierda había descubierto, ennegrecido, el enorme anillo de oro que solía llevar. Alrededor, en diferentes posturas, yacían cinco cuerpos, y tras la barra, dos cadáveres más. Inevitablemente, sintió la inherente superioridad de quien aún está vivo.

—¿Y el resto?

—No es del todo seguro, pero los de la barra parecen camareros del local. Aquél y aquél —señaló dos cadáveres cubiertos por mantas de aluminio— podrían ser Anatoly Grossman y Vasili Artelev, lugartenientes de Chevengur, y el resto tienen toda la pinta de *Bykis*, guardaespaldas, aunque por el momento son conjeturas. Por cierto, todos fueron tiroteados antes de la explosión.

—¿Algún superviviente?

—Dos, un cocinero y otro guardaespaldas. El primero estaba escondido y pasó desapercibido. El otro sencillamente ha tenido mucha suerte.

—¿Dónde se encuentran?

—Los están atendiendo en una de las ambulancias.

—¿No había nadie más?

—El restaurante estaba cerrado, parece que era una reunión privada.

Daniel echó un último y rotundo vistazo al interior requemado del Samovar y decidió hacer una visita a la ambulancia.

—Tenme al tanto —se despidió.

Salió del restaurante procurando pasar inadvertido para los medios fascinados por el accidente —es decir, por lo imprevisto, por lo perturbador—, mantenidos todavía a raya por Sailesh. Presentó credenciales a un enfermero y se subió a la parte trasera de una ambulancia con su revuelto interior iluminado gélidamente. Allí, a pesar de la cuarentena en que la medicina había colocado a la muerte, ésta también había exigido sus diezmos. El tipo de cabeza rapada y cuello de toro no tenía pinta de saber preparar un buen *shashlik*, y además yacía en una camilla entubado y fuera de juego; el otro sí, vestía como un cocinero e incluso tenía pinta de cocinero, pero por su mirada ida parecía habérsele roto algo en la cabeza. Daniel intercambió unas palabras con los sanitarios y después procuró abrirse camino entre el shock del cocinero, de nombre Sergei, que logró contestar a algunas preguntas aunque con mucha dificultad. Daniel concluyó que las verdaderas heridas de aquel cocinero no estaban a la vista, y que haría mejor en esperar a que cicatrizasen. Se despidió con sinceros deseos de restablecimiento y se bajó de la ambulancia con todos sus sentidos implicados en establecer categorías, en ordenar los hechos con una tenue añoranza por una de esas cajas negras de los accidentes aéreos que pudiera resumirle lo sucedido allí. Sailesh terminó en ese momento de atender a los medios y se dirigió hacia él con media sonrisa.

—*Bhidu*, de momento los chacales nos dejarán tranquilos.

Daniel vigiló con cierta consternación el cerco de cámaras, focos y micrófonos.

—¿Por qué no se largarán ya a sus casas?

—Eso es complicado —respondió Sailesh con resignación—, hoy en día hasta los enanos quieren ser protagonistas.

Daniel arqueó las cejas en un gesto tolerante. A continuación sus ojos se entrecerraron como saeteras.

—¿Has hablado con el cocinero?

—No he tenido tiempo. Está en la ambulancia, ¿no?

—Junto con un sicario. Está ido y todavía no se le puede sacar mucho. Se llama Sergei, es de Tashkent, Uzbekistán. Éste era su día libre, pero al parecer lo llamaron con urgencia para preparar una cena privada.

—Eso quiere decir que esperaban a alguien.

—Y alguien importante, un pez muy, muy gordo. Pero él no sabe más, y aunque lo supiera…

—Ya…

Sailesh Mathur sonrió dejando ver una cuidada dentadura. Se sacó de debajo de la camisa un *taveez*, un talismán de plata, y lo acarició abstraído. Daniel consideró lo inane que aparentaba, no había nada que revelase su capaz reputación. Aunque quizá él lo cultivase.

—Lila —vocalizó Sailesh con parsimonia.

—¿Lila?

—Lila, *bhidu*, el universo como campo de juegos de Dios. Y en este momento ha comenzado el nuestro en particular. Justo ahora.

Martes, diciembre, 10.42 h

No habían pasado ni dos días desde la explosión en el Samovar y ya se estaba perdiendo paulatinamente el rastro de la tragedia entre la realidad desmemoriada de las televisiones. Erin había elegido un informativo entre la abundante oferta de canales de que disponía, cuyas imágenes creaban una falsa sensación de ubicuidad, y lo mantenía con el volumen bajo mientras repasaba en su portátil las fotografías que había sacado la noche de la explosión. Se hallaba sentada en un sofá color magenta de formas armónicas y mullidas, en la posición del loto, con el ordenador abierto en el hueco de sus muslos. A su alrededor el apartamento donde vivía, en Williamsburg, la amparaba con una combinación de escasos y funcionales muebles, tecnología de alta gama y una inexplicable e impersonal mezcla de cuadros. Los únicos libros que había en el apartamento eran suyos, pues las pasiones culturales de Alvin, su propietario, se decantaban por los cientos de cedés que forraban la pared este del salón. Vivía con él desde hacía un par de años, justo por la época en que había decidido abandonar sus corresponsalías y desengancharse de la adrenalina, los premios, el riesgo, las maletas siempre a medio deshacer y aquellos últimos vistazos. Sobre todo los vistazos, aquellos amaneceres tras preparar el equipaje, quieta en el umbral antes de cerrar la puerta, echando una última ojeada para comprobar que todo cuanto dejaba atrás se veía ordenado y limpio ignorando si volvería siquiera a verlo. Alvin había remediado eso, aquel diseñador gráfico con un chico de una relación fracasada había detenido una ruleta de incertidumbre y le había demostrado que ser realmente fuerte era querer y aceptar que te quieran; y que lo otro, protegerse, defender una independencia absurda, al final te llevaba a una soledad absoluta. Y aunque sabía que guardaba demasiadas trazas de esa soledad, también era consciente de que había encontrado lo que llevaba buscando tanto tiempo, ahora únicamente se trataba de apuntalar la solidez de aquella estructura. Ellos eran esa piedra miliar que según la tradición bastaba con retirar para que se derrumbasen las catedrales. Y estaba encantada de que así fuera.

Recorrió de arriba abajo la carpeta de fotos; primero repasó los rostros retratados en los minutos previos al siniestro, aquellas identidades a la deriva en un mundo abrumador, las expresiones privadas de la gente cuando no sabe que es observada. Las aumentaba y examinaba centímetro a centímetro, hacía zooms, jugaba con el contraste y la nitidez hasta escoger varias para la colección que preparaba. A continuación se centró en las fotos inmediatamente posteriores a la explosión; expresiones obstinadas, tensas, desencajadas, vacías, horrorizadas, valerosas… toda una variedad de formas de enfrentarse a lo inesperado. Eran soberbias. Eran sobrecogedoras. Erin no había aplicado una lente ni moralista ni deformante, únicamente curiosidad en estado puro. En una sociedad obsesionada con no vivir nunca privaciones, fracasos, angustias, dolor o pánico, y donde la muerte no se tenía por algo natural, sino cruel e inmerecido, allí estaba ella de nuevo, soberana, ubicua. En ese instante, la televisión, como si se hubiese infectado de aquel teatro de crueldad, comenzó a emitir un reportaje sobre la guerra de los Balcanes, una música insomne que trastocaba familias, destruía vidas y arruinaba destinos. Erin le echó una fugaz ojeada a la pantalla sin que sus ojos quedaran prendidos en un conflicto que se sabía de memoria: ella misma había estado en algunos de los escenarios que iban desfilando.

Se concentró en su portátil; uno de los primeros planos era de Daniel, un escorzo. Cuatro rostros más allá había captado a Sailesh. Siguió repasando algunas caras poco definidas o directamente borrosas. En la televisión el reportaje comenzaba a relatar las atrocidades de las limpiezas étnicas de serbios, bosnios y croatas por las que tan tristemente famoso se había hecho el conflicto. Entre las sangrientas estrellas que habían surgido de aquella guerra, Viktor, un sanguinario paramilitar *chetnik*, había tenido su cuota de brillo sembrando un terror absurdo en nombre del nacionalismo serbio. En la pantalla mostraban una de sus fotografías más famosas, en la que aparecía con un arma automática en una mano y un pequeño cachorro de lobo en la otra —más tarde se supo que lo había cogido del zoo de Belgrado—, apoyado contra un blindado al que se habían subido un montón de encapuchados armados hasta los dientes, sus sanguinarios camaradas de Los Lobos Blancos, un grupo de voluntarios serbios. El retrato había sido concebido cuidadosamente para inspirar admiración y fiebre belicista entre sus compatriotas, y terror entre los desgraciados que no entraban en sus parámetros étnicos. Erin le conocía, aunque no estaba al tanto pormenorizado de sus hazañas debido a la cantidad de monstruos que habían crecido en el manicomio balcánico por aquellas fechas.

La fotografía había seccionado ese momento, lo había congelado para atestiguar la despiadada violencia de aquel tiempo, y desde ella Viktor la miraba con la ironía e insolencia características y cierto punto de suave crueldad. Erin se removió inquieta; experimentó una incómoda y fría intimidad con la imagen, porque aquel rostro destilaba algo esencial, lo mismo que los artistas rupestres habían intentado capturar en sus pinturas de animales, comidas, mujeres ubérrimas o penes enhiestos. Es decir, una ideología, una identidad. Exactamente lo que ella buscaba.

El reportaje desgranó nuevos datos y nuevos paisajes, Srebrenica, Goražde, Žepa, Bihać, Višegrad, la violencia renovándose continuamente como las cascadas en los dibujos de Escher, y Erin se sorprendió de la tensión que había agarrotado su espalda, justo como si hubiera estado a punto de recibir un saque de tenis. Se estiró torciendo el cuello con una mueca molesta y se concentró en el portátil. Acechar. Espiar. Emboscar. Con una mezcla de azar, cálculo, experiencia e inspiración. Una pelirroja. Un perfil afroamericano. Un asiático. Elegir. Seleccionar. Apropiarse de la realidad a través de su imagen, capturar su concepción primitiva y mágica para una revista. En un momento dado Erin creyó haber cazado otro venado de catorce puntas, un perfil que semejaba el de un bailarín prófugo de algún país al otro lado del Telón de Acero, aunque un segundo examen reveló imperfecciones, como si hubiese descubierto manchas microscópicas en el diáfano interior de un diamante. Fue un distraído repaso a un semblante en segundo plano lo que provocó un inicial escepticismo en su ceja levantada. A continuación, un severo análisis utilizando las herramientas para tratar las imágenes fue haciendo poco a poco descender el arco de su ceja hasta transformar por completo su expresión. En la pantalla de la televisión aparecía de nuevo el rostro de Viktor con esa expresión firme e invulnerable de quien le resulta fácil matar porque cree que Dios está de su lado. Erin comparó la cara de la televisión con aquella otra de su ordenador; donde una era afilada la otra se redondeaba, donde había cráneos y mandíbulas rasurados ahora crecían espesos cabellos y barbas recortadas. No obstante, sus ojos, aquella mirada despreciativa, orgullosa, la mirada de quien ha infligido dolor a conciencia, era la misma. Idéntica, concisa, sí, exactamente la misma. Porque toda mirada, al igual que una huella, es única.

2

Máscaras

A lo largo de los años, Erin había aprendido a no hacer caso omiso de aquellos presentimientos que entraban a cuchillo en su conciencia. *El morro del cerdo*, como lo había bautizado un compañero en el hotel Al-Rashid de Bagdad un día antes de que venciese el ultimátum que los estadounidenses le habían dado a Saddam, en alusión al finísimo olfato de aquellos animales cuando rastreaban las trufas. Pero en aquel caso no iba de hongos subterráneos, sino de minas de cristal, francotiradores o un criminal de guerra que ocupaba un lugar estelar en la lista de los buscados por el TPIY, el Tribunal Penal Internacional para la antigua Yugoslavia, ubicado en La Haya, y a quien se había rastreado sin éxito. Aquel tipo se parecía a Viktor, pero había que confiar mucho en aquel razonamiento emocional para sospechar que una especie de *killer* balcánico andaba suelto por Manhattan basándose no solo en la rotunda amenaza de una mirada, sino obviando un detalle que la voz en *off* del documental se había molestado en recalcar equiparándolo a una especie de justicia poética: Viktor había sido tiroteado en un hotel de Belgrado en una gélida mañana de 2000. Es decir, el monstruo llevaba años criando malvas.

Las siguientes dos horas, Erin se dedicó a intentar pulir con la lógica aquello que parecía no tenerla, a base de revisar, sistematizar y evaluar toda la información que pudiese acopiar en un primer momento sobre Viktor. Su carácter perfeccionista le facilitaba aquel tipo de tareas, pero también era capaz de echarle la suficiente imaginación para meterse en la piel de la persona o hechos investigados y mirar desde ángulos completamente inesperados. Para ello había hecho uso de la fuente más solvente y a mano de que disponía: Google. La red mutando, las formas reticulares de la comunicación refrescándose a cada décima de segundo, le proporcionó a base de Wikipedias y reportajes sueltos de periódicos y blogs un esqueleto de biografía.

Érase una vez un hermoso y remoto lugar de Europa tras siete montañas y siete ríos llamado Yugoslavia. Allí habitaba gente de seis naciones distintas, tres religiones diferentes y tres lenguas oficiales, aunque todos convivían, trabajaban y se casaban en relativa armonía, así durante cuarenta y cinco años. Hasta que todo se desmoronó y hubo una sangrienta y terrible guerra que acabó con doscientas mil vidas, desplazó a dos millones de personas y produjo siete nuevos estados. Del fuego de aquel volcán surgieron entes sanguinarios, una lava de asesinos, psicópatas y pervertidos con todo un programa de odio perfectamente diseñado. Uno de los más destacados había sido Ratko Zuric, alias Viktor, nacido en Požarevac, Serbia. Un ambiente familiar violento y un temprano paso por correccionales de menores dieron el pistoletazo de salida para que en 1972, con veinte años, comenzase su carrera como delincuente. Arrestos por robo, asaltos y asesinatos en Bélgica, Países Bajos, Alemania, Austria, Suiza e Italia; huida de decenas de cárceles; tiroteos con la policía… A principios de los ochenta, Viktor, que había tomado su alias de uno de los nombres falsos que utilizaba en sus pasaportes, se encontraba entre los criminales más buscados por la Interpol. Uno de los múltiples trabajos que había realizado había sido el de agente encubierto para la UDBA, la policía secreta yugoslava, ejecutando encargos como el asesinato de refugiados políticos y opositores al régimen, por los que recibía a cambio cierta protección. También en ese tiempo había aprendido diferentes lenguas que le sirvieron para moverse con desenvoltura por Europa, hasta que regresó a Yugoslavia para continuar un historial delictivo que a esas alturas era tan amplio que habría bastado con que cruzase una calle sin mirar para ser detenido; sin embargo, en esta ocasión había una diferencia respecto a las anteriores: el servicio secreto yugoslavo le había blindado como recompensa por sus continuados servicios. En este punto Erin cogió uno de los cojines, lo golpeó con fuerza y lo colocó en la base de la espalda. Siguió leyendo.

A principios de los noventa Yugoslavia iba a la deriva, y en 1991 empezó a alzar su quilla para hundirse definitivamente. El águila serbia desplegó sus alas, y auspiciado por la plana mayor del ejército, Viktor creó un grupo de irregulares denominado Los Lobos Blancos, una unidad bien entrenada y equipada con moderno armamento. Al mismo tiempo que se celebraban los Juegos de Barcelona, y a unas horas de vuelo de la normalidad en cualquier dirección, Bosnia y Croacia se convertían en un tajo de carnicero forjando la fama de Viktor, siendo uno de los hierros de la casa su costumbre de quemar las plantas de los pies de los prisioneros durante los interrogatorios. Cuando se detuvo la guerra, y tras la firma de los Acuerdos de Dayton en el 95, Viktor se retiró a una casa del barrio de Dedinje, en Belgrado, para mover los hilos de sus negocios, legales e ilegales, e incluso se metió en la junta directiva de un equipo de fútbol. Eso hasta la guerra de Kosovo, en el 98. La atmósfera todavía recalentada de los Balcanes volvió a estallar cuando dicha provincia, al sur de Serbia, poblada por albaneses, también quiso la independencia. Milosevic golpeó con fuerza originando una catástrofe de libro: una marea de setecientos mil albaneses intentado huir del país. También en esa ocasión, en cuanto el caos le envolvió, saltó el barniz de hombre civilizado y Viktor volvió a ser el hijo de puta que siempre había sido, empleándose a fondo hasta que la OTAN decidió intervenir y bombardeó Belgrado —llevándose por delante tanto a justos como a pecadores, pero esa es otra historia—. En el transcurso de las hostilidades, el Tribunal de La Haya publicó una acusación contra él por genocidio y crímenes contra la Humanidad, además de la ruptura de la Convención de Ginebra. Los meses posteriores a la guerra, Viktor adoptó un perfil bajo, aunque continuó envuelto en una densa nube de rumores, especulaciones y controversias, especialmente dentro de Serbia. Hasta aquella gélida mañana de enero de 2000 en que estando sentado en el vestíbulo de un hotel junto con otros huéspedes, un miembro de la policía se le acercó por detrás y le descerrajó tres tiros en la cabeza. Entró en coma y se lo llevaron a un hospital donde intentaron reanimarlo durante una hora, sin resultados. Fue enterrado con honores militares y fin de la historia. Para las hemerotecas quedaba la figura controvertida: un bandido y un asesino para unos, un patriota para otros. Y ahora, contra toda ley natural, Viktor estaba en la ciudad.

Erin suspiró y creó una carpeta en su ordenador a la que asignó una solitaria «V», y a continuación se levantó hasta la ventana del salón, que daba directamente al *skyline* al otro lado del río. Aquella vista le proporcionaba una sensación de lujo, uno entendido como orden, calma y belleza. Se arrebujó en su chaqueta de lana, muy gastada, mientras el anquilosado exterior le recordaba noches de vino caliente especiado y chimeneas encendidas como en el vídeo de *Last Christmas*, donde un George Michael aún virtualmente hetero te miraba desde el otro extremo de la mesa. Las canciones más estúpidas son las que se te quedan grabadas, pensó con una sonrisa. Luego empezó a recorrer el salón arriba y abajo, lentamente, como si tuviera que llegar a alguna parte; terminó por ponerse al ordenador y entrar en su correo. Redactó una carta que sometió a mil variaciones antes de decidirse a enviarla junto con el archivo en el que había guardado la fotografía del supuesto Viktor, y otra bajada de internet durante la guerra de Kosovo. Repasó la carta por última vez e hizo clic en enviar. Apartó el portátil y se retrepó contra el sofá. En la televisión había ahora un programa de esos que pretendían convertir la vida en un eterno domingo, protagonizado por un individuo ansioso de hacer el ridículo únicamente por formar parte de algo superior: el coche más vendido, la religión de moda o un plus a fin de mes. Todos gritaban, iban apareciendo personajes irrelevantes, y nadie podía deshacerse de un aire a barracón de feria. El correo que acababa de enviar era un movimiento anómalo, una manera transversal de enfrentarse al problema, y dependiendo de la respuesta que recibiese, también ella podría arriesgarse o no a hacer el ridículo. Se hizo una señal de la cruz. No era religiosa, pero aún creía en ciertos principios básicos inculcados en su infancia, en determinados axiomas y motores que regían creación y decadencia, un sistema que funcionase con reglas potencialmente reconocibles. Un refugio contra el miedo.

Desde las ventanas de las oficinas del FBI, en Federal Plaza, se disfrutaba un paisaje de lingotes de plata y armatostes del gótico profundo americano. En uno de los despachos, Sailesh Mathur, pensativo, mordisqueaba un pastelillo escarchado de azúcar acompañado por un café. Consideraba la ansiedad, la tensa situación familiar que sufría en los últimos meses, los gritos y discusiones, las ácidas lágrimas, los atragantamientos en las gargantas. Cómo asimilar que Kavita y él vivían en la misma casa, dormían en la misma cama, pero que ahora su energía no se dedicaba a hacer cosas juntos, sino a concebir el modo de hacerlas cada vez más por separado, con los niños o sin ellos. Y lo peor era lo mucho que ansiaba esos momentos. Qué terrible que después de todo el trabajo que invertía uno en encontrar a otra persona con quien pasar la vida, tener familia, a pesar incluso de amarla, de echarla de menos, esa soledad era lo que más se ansiaba, lo único que en dosis fugaces permitía mantener la cordura.

—¿Queda alguno? —le interpeló Daniel desde su mesa.

Sailesh no contestó a la primera, y tuvo que reiterarle la pregunta. Reaccionó con una disculpa.

—Claro, ¿cómo lo quieres?, con chocolate, glaseado…

Daniel hizo un gesto indicando que le era indiferente, y Sailesh se quedó mirando los pastelillos, sopesándolos, considerando sus posibilidades, hasta elegir uno de colores radiactivos. El esmero con que ejecutó el encargo le recordó una frase de una película olvidada: el dinero no es tan importante para nuestra organización como saber en quién confiar. Le dio las gracias y se lo tomó con dos sorbos de su enorme taza de café, confiando en el efecto placebo de una cafeína que, si normalmente tardaba media hora en hacer efecto, en aquellas mezclas diluidas el tiempo se multiplicaba por dos, para centrarse luego en las anfractuosidades de los dossier que tenía abiertos sobre la mesa. Llevaban toda la mañana repasando las pilas de datos recabadas en el Samovar. Tratos secretos, chanchullos, sobornos, desfalcos, extorsiones, asesinatos... Ilya Mihailev, alias Chevengur, parecía todo un tratado deontológico sobre el buen criminal. Se había formado como tal en Moscú, en la organización Solsnetskaya, la más amplia y poderosa de la antigua Unión Soviética. Tras subir en el escalafón hasta ser un Pakham o jefe, había aterrizado en el aeropuerto Kennedy en los noventa con el encargo de crear una rama de la organización en Manhattan, al tiempo que debía organizar el ramillete de cuadrillas rusas funcionales pero desarticuladas que poblaban el Nueva York de la época. El FBI le había colocado un sambenito dentro del ROC —Russian Organized Crime—, y le había mantenido bajo vigilancia por supuestas implicaciones en extorsión, trata de blancas, tráfico de estupefacientes, juego, asesinatos, robos de tarjetas de crédito... Daniel pensó que Chevengur había sabido leer perfectamente que el gran pilar de Occidente, el ocio, era su principal motor de capitalización. De esta forma, Ilya Mihailev se había limitado a ser un proveedor de servicios, aunque fuesen ilegales, creando un mercado negro semejante al que se había forjado en su país de origen. Barajó fotos una y otra vez hasta llegar a los cadáveres confirmados de los dos *Brigadir* o lugartenientes de Chevengur, Anatoly Grossman y Vasili Artelev, y luego siguió con los cuerpos de los soldados y camareros. En la gestión de las apariencias, todo parecía indicar que habían aguardado a alguien, y no a cualquiera, sino a un *Laat-saab*, como decía Sailesh, un pez gordo.

—Pero ¿a quién esperaban? —se preguntó Daniel retóricamente.

—A alguien lo suficientemente importante como para que le sacasen la cubertería nueva.

—Entonces habrá que tener otra reunión con ese cocinero, y si el guardaespaldas sobrevive a lo mejor nos cuenta algo. —Se alisó el puente de la nariz—. ¿Se sabe cómo está?

—Haciendo aguas...

Daniel miró a Sailesh, pero éste evitó la mirada, lo que no presagiaba nada bueno.

—Hay algo que no entiendo: si los tirotearon a conciencia antes de quemar el local, debería haber guerra entre bandas, pero ya llevamos una buena temporada sin movimiento.

—Y por lo que me cuentan va a seguir así.

—No tiene sentido.

Rebuscó entre los informes que había desparramados por su mesa.

—¿Qué hay de las cámaras?

—Hasta el momento solo tenemos un par de denuncias y algunas fotografías digamos... interesantes. Las cámaras de seguridad llevarán más tiempo.

Daniel evitó hacer ningún comentario.

—El explosivo... Por los análisis han llegado a la conclusión de que se utilizó RDX, un compuesto granular mezclado con plástico. Ciclotri... —titubeó por la complejidad de la palabra, hasta que consiguió ordenar las sílabas—. Ciclotrimetilenetrinitramina —completó—, un explosivo militar...

—Uno de los más potentes —aseveró Sailesh.

—Se hallaron restos de un lápiz detonador, lo que implica que probablemente lo activasen a distancia, por lo tanto nuestro hombre no debía de andar muy lejos. Que sigan revisando todo ese material, en algún lado tiene que aparecer.

—Daniel, me da que ese tipo no saldrá en las cámaras de seguridad.

—¿Por qué?

—Parece minucioso.

—Puede haber sido puntilloso a la hora de planear, pero no puede controlar a toda la gente que había en la zona.

—Entonces tendremos que seguir encajando denuncias y mirando fotos de caniches...

Daniel le dio otro sorbo a su café. Sailesh engulló el último dulce y comenzó a repiquetear en la mesa con el índice.

—Se te olvida una cosa —comentó.

—¿Qué?

—¿Cómo han conseguido el RDX? Es un material que no se puede comprar en cualquier ferretería.

—No, no me había olvidado. De eso se deducen muchas cosas, igual que del detonador.

—Se deduce que ese tipo tiene formación militar, que sabe manejar explosivos, que posee los contactos para conseguir RDX...

—Y que va a cometer pocos errores.

—Y que va a cometer pocos errores, sí.

Sailesh interpretó de inmediato el tic característico de Daniel de lamerse los labios. Creía conocerle, y aquel era su particular himno a la impaciencia, su ansia de acción como antídoto para cierta angustia solo conocida por él.

—Bien, ya se verá. Primero hay que enterarse de por qué ha eliminado a Chevengur.

—Pues la mejor información viene siempre de los enemigos.

Daniel asintió y experimentó cierta confusión mezclada con el éxtasis frío, la intuición de un rival de peso.

—Necesitamos pegar algunas patadas al hormiguero, Sai.

—Saldré a la calle. ¿Y qué hacemos con la Interpol?

35

—Implicarlos, puede que sepan de dónde viene nuestro chico nuevo de los recados. Y de quién son los recados.

Durante unos segundos, la ciudad, bellamente difícil, como la habían definido en el *Times*, los absorbió con su frenesí de amasijo, su independencia, su autorreferencia, siempre conocida y siempre absolutamente extraña. Los tonos urgentes de un teléfono interrumpieron el silencio y Daniel le indicó a Sailesh que, por su cercanía, lo cogiera. Sailesh levantó el auricular y atendió la llamada con monosílabos y una mueca que se fue haciendo cada vez más enigmática. En un momento concreto abrió la boca para decir algo, pero el aire exhalado no llegó a dibujar nada; buscó algo por la mesa, bajo las hojas esparcidas, para luego hacer una firma en el aire en dirección a Daniel. Éste le lanzó un bolígrafo y observó cómo garabateaba algo sin mucha pulcritud. A continuación se despidió y colgó el teléfono con una expresión en sus rasgos cobrizos que era la quintaesencia de lo imprevisto.

—¿Qué? —dijo Daniel.

—No lo vas a creer —contestó Sailesh.

—Lo creo casi todo.

—¿Te suena Erin Sohr?

—Erin… Erin… hostia, la de la foto…

—La de la foto, sí.

—Creí que se había retirado.

—Dejó el periodismo después de todo el circo que se montó con aquella foto, pero no la profesión. Ahora se dedica a hacer cosas con menos riesgos, encargos para revistas.

—Ya. —Daniel dejó caer una sonrisa ambigua—. ¿Y qué quiere?

—Quiere decirnos quién hizo el estropicio.

—Decirnos quién… —afirmó Daniel, interrogativo.

—Eso parece. Estaba por la zona la noche de la explosión; asegura que sacó unas fotos.

—Lo que nos faltaba…

—¿No era lo que queríamos?

—No exactamente. Una semicelebridad en un caso que necesita discreción no es lo que más nos conviene.

—Es lo que hay. Y no me parece que sea una histérica cualquiera que vea a Elvis comprando mantequilla de cacahuete en cada deli.

—Eso es cierto. O no. ¿Qué hacemos?

—La podemos recibir ahora. Está fuera, esperando.

Daniel se repantigó contra el respaldo del asiento.

—Tendría que pensarlo…

—Piénsalo mientras digo que la dejen pasar.

Sailesh efectuó una corta llamada y se situó de pie, junto a la máquina de café. No tardaron en llamar a la puerta y éste puso los ojos en blanco en dirección a Daniel mientras se dirigía a recibirla, al tiempo que Daniel adoptó una actitud deliberadamente fría. No tenía muy claro que una antigua reportera de guerra, posiblemente algo trastornada por años de atrocidades y, sobre todo, por las circunstancias en las que se había retirado, hubiese descubierto aquel grial. Sailesh recibió a la periodista con su más persuasiva y acogedora sonrisa, y un apretón que ella devolvió de una manera floja y rápida. La acompañó hasta una silla frente a la mesa tras la cual también Daniel ejecutó todo el ritual de bienvenida; después de invitarla a sentarse, le ofreció un café que ella rechazó. Erin se quitó la parka y el gorro de lana que llevaba, colocó su bolso en el suelo, junto a la pata de la silla, y no miró inmediatamente a los ojos de Daniel, lo que le dio a éste unos segundos de libertad para estudiarla. A pesar de recordarla de alguna entrevista, lo primero que le sorprendió fue su aparente fragilidad; no parecía una persona capaz de hacer zig-zags bajo el Dragunov de algún francotirador o de sacar impertérrita fotos a hombres con neumáticos en llamas alrededor del cuello. Era de una estatura media, muy ósea, con el pelo negro no muy largo aunque lo suficiente para mantenerlo en un tenso recogido. Su piel pálida y un delineado de ojos que le había dejado unos parches de carbonilla bajo las pestañas inferiores le daban un aire a Sasha Gray, la nínfula californiana del porno, aunque sin su carga estática de sensualidad. Llevaba unos pantalones vaqueros y una blusa clara con un par de botones desabrochados que dejaban entrever la telaraña cruda de un sujetador. Solo unas ligeras patas de gallo indicaban que había pasado los cuarenta.

—Bienvenida, señora Sohr —repitió Daniel, poniendo las manos sobre la mesa.

—Muchas gracias por recibirme tan rápido, sé que no es lo habitual. —Su inflexión sonaba con cierta aspereza—. Ni siquiera que reciban.

—Tampoco es habitual que alguien como usted venga a vernos —la piropeó Sailesh.

Erin obvió la gentileza. Estudió las torres de carpetas, los post-it que crecían como hongos por todos lados y arrugó mínimamente la nariz ante un ligero olor a desinfectante. El café bullía en una burbuja de vidrio.

—He intentado concertar antes una cita, pero sus líneas han estado muy ocupadas, así que he optado por venir en persona. Espero no haberme tomado demasiadas libertades. No lo habría hecho si no estuviera segura de que tengo algo importante. —Mantuvo su voz en un tono bajo pero expeditivo.

Daniel y Sailesh se miraron confirmando que tampoco ellos estaban para sutilezas de pensamientos ociosos.

—Somos todo oído, señora Sohr.

Erin no los invitó a tutearla para mantener intacto su crédito a base de distancia, y se inclinó para rebuscar en su bolso hasta encontrar un lápiz de memoria color fucsia. Lo extrajo y lo colocó sobre la mesa, al lado de una taza de café con el logo de una serie de televisión. Seguidamente desgranó los acontecimientos de los que había sido testigo aquella malhadada noche y por último les habló de Ratko Zuric.

—Todo esto que les he contado no lo he sacado de ninguna Garganta Profunda, está en internet y en las hemerotecas —aclaró—. Por tener hasta tiene una página en Facebook hecha por algún admirador. Posiblemente ustedes podrán obtener información más fresca, pero sepan que este cabrón anda suelto por la ciudad —la palabra gruesa sorprendió un tanto a ambos—, y que tiene una orden de busca y captura de La Haya.

—Así que usted ha logrado sacarle una foto —intervino Sailesh.

—Sí… —presionó con la punta de su anular el lápiz de memoria—, ahora bien, les pediría una pizca de fe… —Les dirigió una rápida sonrisa.

—No comprendo —dijo Daniel con cierta aspereza.

—Enchufe el lápiz, por favor. Pinche en el archivo V.

Se produjo un silencio denso, incómodo. Daniel entornó los ojos hacia la memoria sin saber cómo tratar a Erin, mientras Sailesh intentó parecer familiar cuando le animó a hacerlo, colocándose a su espalda con una mano en su hombro. Daniel insertó el lápiz en un puerto de su ordenador e hizo algunos dibujos erráticos con el ratón hasta abrir un fichero con un abanico de fotos. Abrió la primera y un retrato de Viktor ocupó la mitad de la pantalla, para luego puntear el icono de pantalla completa y hacer crecer el soldado con uniforme y boina negra, más melancólico que tenebroso, seductoramente extraño, glacial, pero, sobre todo, ajeno. Un emblema. La cerró y pasó a las siguientes fotografías; de los píxeles brotó un mosaico de Viktors en diferentes épocas, hasta que, en las últimas instantáneas, aparecía con traje y ese aire fondón de ciertos depredadores que llevan demasiado tiempo midiendo su celda del zoológico. Volvió a cerrarlas y punteó la fotografía que restaba, tomada la noche de la explosión. Las facciones estaban redondeadas y el cabello y la barba enmarcaban de manera diferente el rostro, sin embargo la mirada expresaba el mismo poder. Daniel no comprendió el significado de aquella última figura hasta que Erin se lo explicó. Luego la miró sin hilaridad y se inclinó unos grados hacia delante, los suficientes para que ella oliese una colonia con aromas a gin-tonic.

—No le puedo negar que se parece.

—Sí —confirmó sin amilanarse; buscó en uno de sus bolsillos y sacó una hoja, desdoblándola—, y no soy la única persona que lo opina, el doctor Lima también dice que existen probabilidades.

Le entregó el correo impreso de aquel cirujano plástico que había conocido durante un reportaje. Le había pedido su opinión y éste le había devuelto un informe en que utilizando ciertas técnicas de biometría, y sin poder asegurarlo al cien por cien, dejaba clara la posibilidad de que aquel hombre fuese Ratko Zuric. Sailesh había atendido a Erin con una expresión servicial hasta que entrevió el tic en los labios de Daniel que denotaba impaciencia; se interpuso con una sonrisa conciliadora y un tono melifluo.

—Bien, señora Sohr, es una posibilidad, efectivamente. Y la tendremos en cuenta…

—Comprendo que lo vean como un tanto… inverosímil —se adelantó Erin—, pero es una intuición, seguro que ustedes saben lo que es, y llevo los suficientes años en la profesión como para no venir aquí a hacer el ridículo.

—Sí, sí, por supuesto, no quiero que se me interprete mal, señorita, solo quiero hacerle ver que no podemos dejarnos llevar únicamente por la intuición, hay unos protocolos que es necesario respetar. Sin embargo, le aseguro que su sugerencia no caerá en saco roto.

Erin apreció que hablaba con una seguridad que sus gestos desmentían. Daniel se encogió de hombros: él actuó sin sutilezas ni medias tintas.

—Muchas gracias por venir, señora Sohr, si nos permite hacer una copia del fichero estudiaremos esta posibilidad.

Lo dijo con los ojos fijos en los pendientes de filamentos plateados que golpeaban ligeramente el cuello de Erin. Ésta se dio cuenta de que la entrevista había terminado y se levantó con la certeza de que aquel capullo bostezaría de una manera impresionante y contagiosa en cuanto ella se hubiera marchado. No se sintió en absoluto incómoda ante su escepticismo, y dando por bueno el intento permitió la copia. Daniel no tardó más de un minuto en duplicar las fotos y extraer la memoria, devolviéndosela.

—Les agradezco mucho su tiempo. —Erin cogió el bolso, organizó su interior, lo cerró, se enfundó en su parka, se colocó el gorro y se levantó; le tendió la mano a Daniel—. Si me necesitan para cualquier cosa… —Sacó dos tarjetas de un bolsillo y las repartió, estrechando luego la mano de Sailesh.

Sailesh y ella se movieron al unísono, tropezando sorprendidos por su maniobra coordinada, que salvaron con una sonrisa. Daniel también se levantó, pero dejó que Sailesh la acompañase hasta la puerta. Acto seguido se volvió a sentar y se echó hacia atrás; si hubiera llevado corbata se la habría aflojado.

—¿Cómo lo ves? —preguntó con una sonrisa.

Sailesh Mathur no soltó prenda y se colocó frente al ordenador, estudiando los mosaicos de fotografías. Reflexionó sobre el curioso fenómeno de cómo el cerebro lograba ocultar que nuestro cuerpo cambiaba de un día para otro, de un año al siguiente, dándoles la sensación de continuidad que seguramente habría tenido Viktor ante el espejo. Daniel apoyó la mano sobre uno de los cercos húmedos que había dejado una taza de café; Sailesh le pasó una toallita perfumada de un paquete que había en un cajón. Se limpió con cara de pocos amigos.

—Pues qué quieres que te diga: se parece —dejó caer Sailesh.

—Ese tipo está más que muerto.

—Quién sabe.

—Sai, estoy seguro de que si hiciéramos caso de cada uno de los testimonios que aseguran haber visto a ese Viktor por el mundo, necesitaríamos unas cuantas vidas únicamente para ordenarlos.

—Esa Erin no es tonta, y lo cierto es que si ese tipo fuera Viktor explicaría muchas cosas…

Daniel suavizó su expresión y cerró los archivos con las fotografías.

—Sai, no me digas que esa Erin te pone…

La risa de Sailesh Mathur se desbordó y fingió un escalofrío por todo su cuerpo.

—*Bidhu, bidhu…* ciertas mujeres son como un imán, atraen muchas, muchas cosas, pero no todas buenas —respondió en forma de arcano.

Un teléfono móvil sonó por sorpresa con la melodía de un famoso musical. Sailesh sacó su viejo Nokia y respondió con rapidez. Mantuvo una conversación resuelta con monosílabos que terminó con un expeditivo «apunta» en dirección a Daniel. Éste se colocó ante el teclado de su ordenador y aguardó.

—Doscientos de Water Street.

Daniel tecleó con diligencia mientras Sailesh se despedía con un tono entre profesional y familiar.

—Eso está aquí al lado —despejó Daniel.

—Sí, es lo que me han dicho los científicos locos. Han logrado salvar los números de las dos últimas llamadas del teléfono frito de Chevengur. Se encuentran todavía intentando identificar uno de ellos, pero el otro está a nombre de Olena Vodianova, una modelo de la agencia Areté. Esa dirección es la de su apartamento.

—¿Tenemos algo sobre ella?

—No sería descabellado que fuese alguna amante.

Daniel usó de nuevo los poderes taumatúrgicos de Larry Paige y Sergei Brin y dejó que sus ecuaciones rastreasen la Red hasta llenar la pantalla de imágenes de una inmaculada virgen con cierto look prerrafaelita. Era indudable que aquella Olena poseía el sagrado don de la fotogenia; su osamenta, su barbilla, su cabello, todo absorbía la luz.

—Es una cría.

—Ya conoces la obsesión de los rusos por ponerle un diamante en la boca a las Natachas guapas.

—No hace falta ser ruso...

Daniel punteó imágenes con el ratón adentrándose en un universo fotoshop donde parecía que no existiera el odio, ni las traiciones, ni la vejez, solo la belleza y el amor correspondido. Aquella Olena tenía un poder, el totalitarismo de los rostros hermosos, el paso de la oca de la belleza, y el problema de ese poder era que acababas utilizándolo, ¿para qué servía si no? No obstante, las sensaciones que reverberaron en la mente de Daniel no eran tanto un picor sexual como un ideal de papel cuché nada erótico, irreal en todo caso.

—El hedonismo globalizado —comentó Sailesh—: mentirosos dirigiéndose a cretinos.

Daniel se echó hacia atrás con una compunción impostada.

—¿Sabes lo que me apetece ahora?

—No creo ni siquiera que sea legal que me lo digas, *bidhu*…

—Tomarme un café más fuerte… y de camino hacerle una visita a esa Olena Vodianova.

Sailesh hizo un remoto gesto de asentimiento y se puso en marcha con la gracia de un atleta inactivo, fuerte aún, pero que va cogiendo un peso que algún día será insalvable.

Durante el trayecto en el coche bajo un cielo cubierto, blanco, Daniel se tiró repetidas veces del labio inferior mientras consideraba lo cerca que estaba la Navidad. Íntimo, extraño en medio de un titánico y geométrico Manhattan, experimentaba un rechazo hacia todas esas reuniones donde la jovialidad era forzada, los críos estaban encargados de hacer un numerito anual y las conversaciones terminaban apagándose, porque el hecho de que estuvieran en esa precisa época del año no provocaba que tuvieran nuevas cosas en común. Siempre agradecía los ritmos ordenados del trabajo que le permitían obviar la época. También haber conocido a Agnes. Ella trabajaba como analista en Morgan Stanley, una profesión, como contaba con gracia, que ya no tenía el antiguo relumbre tras los últimos desfalcos. No era guapa, pero sí rotunda, exuberante, con la figura de una antigua participante de concursos de belleza, y resultaba claro que Daniel no podía resistirse a apoyar la mano en su piel. Llevaban acostándose cuatro meses, y empezaba a sentirse peligrosamente solo cuando no estaba; todavía no sufría anhelo, necesidad, pero se le antojaba inquietante. Acostumbraban a hablar mucho, ella podía ser crítica, irónica, obstinada, astuta, sincera, vulnerable, muchas veces ingeniosa, a veces despectiva; le agitaba, le hacía admirarla. Pero sus conversaciones trataban de cosas muy concretas, inmediatas, en las que ninguno de los dos se planteaba ningún futuro. Estaba seguro de que había otras personas en su vida, hombres, quizá también mujeres, pero nunca le preguntaba directamente y se suponía que no debía hacerlo, además ella se burlaba de ciertas clases de afecto, y de una emoción, el amor, que hacía tiempo había dejado de interesarle.

Sailesh abandonó sus reflexiones cuando empezó a hablarle de Erin Sohr, a desmenuzar su biografía. Había nacido en Belcourt, una pequeña ciudad en la frontera con Canadá, pero en realidad era fruto de los ímpetus y presiones que había tenido que soportar en los descensos a las profundidades de su vida anterior. Un ardiente cliché de reportera gráfica en Ruanda, Colombia, Kosovo, Afganistán, Palestina... haciendo fotos espeluznantes y contemplando veinticuatro horas al día cómo la gente mataba y moría. En su universo no había estatuas de la Libertad que prometiesen acoger a las masas oprimidas y abandonadas, sino que, en los países en que había trabajado, esas estatuas iluminaban a los miserables para que pudiesen ser capturados o asesinados. Una vida mordida por el óxido y los problemas personales, con la acumulación suficiente de experiencias trágicas como para colapsar las consultas de varios psicoanalistas. Hasta que llegó *el accidente*. Así se refería siempre Erin Sohr en las entrevistas al episodio de aquella malhadada fotografía...

Sailesh interrumpió su narración cuando descubrió un

parking con plazas disponibles. Daniel aprovechó su aparcamiento para ir a tomar un café en un Starbucks. Luego se dirigieron al número 200; en el hall del edificio tuvieron que enfrentarse a ese poder barato y sórdido del día a día ejercido por personas pequeñas, en aquel caso un tipo enorme vestido de mariscal de campo que ni siquiera cuando se identificaron les dio facilidades para acceder a los ascensores. Finalmente lograron subir hasta la planta dieciocho, donde un pasillo lujoso y enmoquetado los condujo hasta la puerta del apartamento de Olena. Daniel sintió un espasmo en un músculo de la espalda antes de llamar; el silencio que sobrevino fue espeso, incómodo. En el intercambio de miradas quedaron reflejados los intentos fallidos de contactar con la chica a través de la agencia y de los teléfonos que les habían proporcionado. Lo único que les habían podido confirmar era que no estaba de viaje, y la última persona que había hablado con ella les aseveró que había decidido descansar algunos días en la ciudad, después de una intensa agenda de trabajo en Macao. En cualquier película uno de ellos sacaría una tarjeta de crédito usada, la insertaría con destreza en la puerta y con un par de abracadabras ésta se abriría. En aquel pasillo enmoquetado, Sailesh volvió sobre sus pasos y bajó hasta el hall para obligar con un par de subterfugios legales a que el general les abriese con el juego de copias. Los reparos que continuaba barajando el conserje quedaron neutralizados cuando, una vez abierta la puerta, retiró su mano del pomo como si hubiera tocado una serpiente. El apartamento estaba patas arriba, cajones por el suelo, armarios vacíos, estanterías arrasadas, muebles desplazados y volcados… Su primer impulso fue entrar para recoger, enderezar y colocar, pero Daniel le detuvo con un gesto agresivo e indicó a Sailesh que hiciese las llamadas pertinentes. A continuación ordenó al conserje que se hiciese con las grabaciones de las cámaras del vestíbulo y mantuviese aquel pasillo despejado.

Entraron con las armas desenfundadas; el tumulto no lograba ocultar el esplendor de un salón en forma de arco con una hilera de ventanas que enmarcaban el *skyline*, amueblado con un mullido y atrayente despliegue de sofás y butacas tapizados en colores de piedras preciosas. En las paredes colgaban imitaciones de cuadros modernos, y en un pequeño comedor se alargaba una mesa de madera barnizada, con las molduras taraceadas de azabache. Se abrieron paso entre el desbarajuste hasta una cocina lustrosa, de metales relucientes, donde Daniel se quedó vigilando una hilera de cucharones en una de las paredes, colgados de ganchos de metal en tamaños escalonados, mientras Sailesh observaba la lavadora, detenida aunque llena de ropa. Abrió el tambor con la precaución de coger antes una servilleta de papel y comprobó que las prendas estaban totalmente empapadas. Luego continuaron cruzando la vivienda en dirección al dormitorio, a la derecha de un cuarto de baño color rosa. Curiosamente no era una pieza lujosa; se limitaba a un simple colchón doble sobre un soporte de madera bajo, sin cabecera. En la pared había un espejo alto, con una mesa enfrente cubierta por filas de cosméticos y un taburete negro. Olena Vodianova yacía tumbada de espaldas en el colchón, sin vida, con el cuerpo semicubierto por una sábana oscura, en una ligera deriva hacia las ventanas. El hada surgiendo de la fuente de la eterna juventud que había sido tenía ahora el rostro cubierto de desolladuras y ampollas oblongas, y sus labios estaban partidos. Algunas magulladuras violáceas repartidas por toda la espalda hablaban también de que ni la riqueza, ni la belleza, ni la gloria nos ampara, y del sufrimiento que penetra hasta el palacio del rey, recitó mentalmente Sailesh. Mientras Daniel manipulaba la escena con la delicadeza de un artificiero, Sailesh Mathur repasó el armario empotrado a lo largo de una pared en cuyo interior se apretaban hileras de vaqueros, vestidos, camisas, camisetas… en una lógica personal e incomprensible, y en las baldas inferiores, ordenados militarmente por parejas, zapatos, sandalias y zapatillas de deporte en una exuberante aglomeración que posiblemente serviría para pagar su sueldo de un año. Dispersas por el suelo, pilas de revistas de modas, braguitas y sujetadores.

—Era tan guapa como en las fotos —apreció Daniel en cuclillas a la altura de la cabeza de Olena—. La han machacado bien antes de…

Señaló el oscuro tentáculo que se enroscaba en el cuello, justo donde el alambre la había estrangulado.

—Y no nos hemos cruzado con el responsable o responsables por minutos —añadió Sailesh.

Daniel casi le apuntó con su mirada.

—La ropa de la lavadora —señaló Sailesh—, está totalmente mojada. La chica hizo la colada, entraron y ahí se acabó todo.

Olena Vodianova no había sido portada de revistas, pero formaba parte de ese batallón de semidiosas que, inalcanzables para la mayoría de los ciudadanos, adornaban las pasarelas de medio mundo invocando la adoración de su belleza a fin de aumentar la facturación de las empresas anunciantes. Con no más de veinte años tenía una agenda llena de trabajo, y habían encontrado una conexión más compleja entre la nínfula y Chevengur aparte de sus almas hipotecadas por la inmensidad del paisaje ruso. La agencia Areté estaba gestionada por miembros de la banda de Ilya Mihailev, que ejercían un fuerte control sobre ciertas modelos del Este debido a los contratos millonarios que significaban algunas. De hecho, hacía un par de años se había producido una ola de extrañas muertes en dicha agencia, como la de Irina Ivankova, una modelo que había sufrido un paro cardíaco no totalmente atribuible a una insuficiencia alimentaria, o Alesha Vutorin, que se había suicidado en el Sena tras dejar una serie de mensajes en una web social rusa acerca del «confuso rumbo que había tomado su vida». Con aquellos antecedentes, Ilya Mihailev bien podía haber hecho uso de las prerrogativas del *apparat* del crimen sobre la carne fresca que continuamente exportaban las tundras de su país.

Daniel descorrió parcialmente la sábana, mostrando un desnudo que ni siquiera tenía connotaciones sexuales. Había algo casi religioso en aquel cruce de muerte, erotismo y éxtasis que te hacía desear ser inundado por los destellos postreros de su perfección, sumiéndote en un estado provisional, viejo e inconsolable. No dijo nada, pero al mirar a Sailesh logró contagiarle cierto oscuro sentimiento de exclusión, y la conciencia de que el responsable o responsables procedían de una zona nebulosa, cruel y arbitraria. Comenzaron un registro sólido y detallado para buscar el guisante del que podría salir, como en los cuentos clásicos, una arborescencia de respuestas. Su bolso se hallaba en una esquina del colchón, pero en su interior solo encontraron lo habitual. También hallaron dinero y algunas joyas en el cajón de un tocador, junto a un talonario y algunos extractos bancarios; aquello descartaba el robo o cualquier otra circunstancia fortuita. Sencillamente había una intención de diezmar la vida y la dignidad en aras de un propósito perfectamente establecido. No obstante, la abundancia de sus cuentas provocó un ácido comentario de Daniel acerca de la munificencia de los rusos, que Sailesh remató con un «la generosidad puede ser la más sutil de todas las armas». Al cabo de un rato, el conserje regresó con los cedés de las cámaras. A veces las cosas, si no mejoran, parecen empeorar aunque sigan igual, ésa fue la impresión que compartieron y sobre la que Daniel caviló unos minutos, hasta que terminó por hacer una observación buscando las connotaciones y los matices adecuados.

—No hay una sola fotografía en toda la casa. Es raro siendo una modelo, ¿no crees?

—Tampoco hay ningún ordenador ni móviles —completó Sailesh.

Recomenzaron el registro, pero esta vez fijándose en las esquinas, en los márgenes, en los bordes de los muebles, las paredes y los cuadros, buscando en el esplendor frío e insolente del mobiliario compartimentos secretos, huecos vacíos, ausencia de solidez. Apartaron muebles, gatearon, barrieron con sus manos las esquinas más impracticables. En cierta ocasión sus rostros estuvieron tan cerca que Daniel descubrió algunos capilares rotos en las mejillas de Sailesh, señal inequívoca de una tensión por las nubes. Por último Daniel recordó el armario del dormitorio y con un vistazo a aquel cuerpo sin vida, abrió sus puertas y sacó la ropa lanzándola sobre la cama en un lujoso y carísimo collage de tonalidades. A medida que inspeccionaba su interior de madera se le iban quedando impregnados sus perfumes. Al cabo cargó su peso sobre la rodilla derecha, con la mirada fija en el desbarajuste de zapatos prácticos y resistentes para trabajar, de zapatillas para hacer deporte, de botas con gruesos cordones y de zapatos de tacón que iban volviéndose más delicados y peligrosos, con empeines y tiras más y más delgados, hasta volverse casi inmateriales. Cogió uno de tacón tan fino como una cuchilla, de color ámbar y una única tira diagonal, y lo observó con un rictus de cansancio. Los sentimientos, y no solo la razón, podían ayudarle a encontrar relaciones donde únicamente había diferencias. Fetiches. Todos aquellos fetiches con los cuales las mujeres mantenían una relación litúrgica, casi trascendente. Comenzó a ver un sentido a la ausencia de retratos cuando pensó en el carácter umbilical de todos aquellos zapatos, el mismo vínculo que posiblemente Olena tendría con su belleza, esta vez algo tortuoso, que no se soporta, tan perfeccionista en su narcisismo que es incapaz de contemplar su imagen. Ambos objetos debían ser protegidos, escondidos en la mente de Olena mediante un sortilegio de inviolabilidad, por eso inclinó la cabeza y en un arranque de intuición apartó los zapatos y agarró el suelo del estante donde habían estado expuestos. Tiró de él. Era firme. Empezó a deslizar las yemas de los dedos por las ranuras y las oquedades, lenta, cuidadosamente, con la nariz a dos centímetros de la madera hasta que encontró un par de depresiones que no tendrían que estar allí, un sutil ingenio de carpintería que necesitaba de la paciencia y la necesidad suficientes para ser descubiertas, algo de lo que acaso no hubieran dispuesto los asaltantes. Tiró hacia arriba, pero sin efecto. No cedió hasta que fue alternando la presión y una especie de pestillo se abrió en uno de los lados, un mecanismo que permitió desprender toda la tapa superior de la estantería. Daniel tuvo una sensación de calor en la nuca y en las manos, y se echó hacia atrás, avisando a Sailesh de que midiese con él la profundidad de los secretos de Olena.

—No hay mucho —dijo Sailesh.

En el nicho había tres álbumes negros de fotos, uno encima de otro. Sailesh cogió uno y lo abrió; en aquellas fotografías se transmitía con fidelidad la idea de una raza superior, de un físico ideal y dominante, dando como resultado la paradoja de que en una raza humana imperfecta en su inmensa mayoría, sin embargo solo se fotografiaba esa minoría de belleza, salud, esbeltez y juventud que representaba Olena.

Cada instantánea era una selección en la cual la imagen de la joven se iba depurando, estilizando en un conjunto de coherencia interna, una multitud de actitudes y expresiones que buscaban algo primordial, poderoso, verdadero. Las instantáneas estaban firmadas por un fotógrafo famoso, así que debían de haber sido un caro regalo, un capricho suntuoso. Probablemente aquellos eran originales que no se movían del cofre, aunque Daniel no encontró allí ningún motivo para que la belleza de Olena hubiera sido arrasada. La solución podría hallarse en el ordenador que posiblemente se habían llevado o en su móvil; era obvio que habría que entrar en su correo y en las cuentas de redes sociales que tuviera. Aún permaneció unos minutos pasando las páginas de los álbumes, hasta que comenzaron a predominar los huecos y llegó a una página en blanco.

—Daniel...

La voz de Sailesh hizo que se girara para encontrar su rostro como esculpido en piedra. Su mano derecha había descorrido por completo la sábana y se podía ver el cuerpo desnudo. Sus muslos relucían como un polvillo de polen, suave y transparente. Sailesh meneó la cabeza con tristeza. Daniel contempló lo que su compañero quería que viera. Lo irreparable. En las plantas de los pies de Olena Vodianova aparecía un archipiélago de puntos carbonizados aureolados de escarlata, fruto de una minuciosa y concienzuda labor de martirio con la punta incandescente de un cigarrillo.

Esa misma noche

Erin estaba en guerra. Los argumentos a favor y en contra de lo que estaba a punto de hacer se imponían y subordinaban, una disyuntiva de fuerzas enfrentadas en medio de la paz que habitaba, con sus protagonistas, Alvin y su hijo, deslizándose hacia una zona de la vida extraña, caprichosa e impredecible. A través de las ventanas el cielo helado se escalonaba en una luz de confitura de naranja; Alvin preparaba la cena de espaldas, enmarcado por un arco a través del cual se podía vislumbrar una cocina repleta de gélidos reflejos de aluminio. Con él se hallaba Alex, sentado y concentrado en una de sus pantallas líquidas mientras se movía por un mundo hipertecnificado, donde siempre había que enfrentarse a una letal civilización extraterrestre que buscaba cabelleras humanas. Llevaba días dándole vueltas. De repente, la idea de continuar un segundo más en una revista se le había antojado inverosímil. A la mierda, se había dicho, a la mierda con las mentiras cosméticas y el glamour y el insípido tedio del narcisismo. Obviamente era una argumentación falsa porque le pagaba las facturas, pero tenía que apropiarse de algún tipo de coartada al igual que en esos videojuegos en que te armas con objetos que te otorgan un poder, una fuerza para combatir los futuros peligros, en aquel caso todos los que afectaban a la autoestima y al afecto. Lo que sí planeaba era una temporada de excedencia para emplearse en la búsqueda de la genealogía de aquel Viktor, porque había sentido de nuevo una nostalgia que creía superada por esos momentos de hoteles en los infiernos, la tensión de la espera mientras revisaba el equipo antes de dirigirse a cualquier lugar eligiendo lo esencial.

Una detenida contemplación de los cuidadosos movimientos de Alvin preparándole la cena hizo tambalear otra vez su resolución, al igual que observar a Alex atrapado en el mismo círculo vicioso que le daba sensación de control, que era lo que ella había recuperado, ni siquiera algo real, sino un engaño eficaz, un entorno previsible, impune, que eliminase la sensación de vértigo que la había acorralado durante tantos años. Únicamente la detenía una culpa por lo que podía dilapidar, todo el esfuerzo empleado por Alvin en abrir una grieta en sus asténicos muros. Ya había arriesgado lo suficiente en la primera etapa de su vida a fin de esquivar algo que la aterraba: la mediocridad. Ahora el mayor riesgo radicaba en arriesgar demasiado. ¿No había sido suficiente la profunda y lacerante depresión en la que había caído tras *el accidente*? La gente no entendió aquella foto, sí sus compañeros, pero no las personas a las que estaba destinada. Ella había reaccionado con profesionalidad para hacer la mejor foto posible a fin de ampliar la sensibilidad de la gente que vivía en lugares lejanos, pero se suscitó una controversia, una tromba de chismorreos y palabrería cuyo dedo acusador apuntó directamente a Erin, como si tácitamente hubiese roto un contrato imaginario con los espectadores mostrándoles la muerte con demasiada rudeza. ¿Cómo pudiste hacerlo? Y aquella pregunta se convirtió en algo incómodo, agobiante, desagradable, un zurullo que flotaba en su conciencia a pesar de tirar repetidamente de la cadena. Entonces había comenzado a derrumbarse. La angustia moral retrospectiva, la depresión, su personalidad desordenada, el alanceamiento público con dilemas y acusaciones obtusas, las emociones reprimidas durante años estallaron, uniéndose a las relaciones fallidas, al consumo de mezclas mortíferas de drogas y barbitúricos, llevándola a replantearse el oficio, su propia concepción como ser humano. Una acumulación de facturas que casi fueron cobradas tras una borrachera atroz, cuando intentó suicidarse. Aquella fue la conclusión de un desastre profundo de la fe, de la piedad y de las relaciones. Había sido Alvin quien surgió de entre los escombros como esa mano salvífica que aparece en las cornisas de las películas. Sin embargo, cuántas veces le había sucedido, cuántas se había sentido mejor en montones de lugares para luego hundirse una vez más en el vacío de sí misma. Incluso durante una época había somatizado aquellos impulsos con una cleptomanía galopante, por la planificación de la tensión, por el alivio de la adrenalina a posteriori. Y la tarde anterior había vuelto a sisar una sombra de ojos…

Durante la cena halagó la buena mano de Alvin y jugó con Alex, siempre asombrada y atenta a velar su mundo de magos, princesas, duendes y casas de chocolate que ahora había sido sustituido por mangas japoneses y Transformers. Tras hacer sus particulares ofrendas a los dioses lares, recogieron la mesa y limpiaron los platos como una familia, hundiendo sus manos en líquidos que parecían sustancias radiactivas. Cuando mandaron a Alex a la cama, ellos se quedaron en el sofá con un par de vodkas, y en el tiempo que los cubitos de hielo duplicaban la insipidez de la bebida, Erin se decidió a hablar. Comenzó a explicarle qué era lo que estaba buscando y cómo creía haber dado con ese espacio ideológico, amoral e inquietante y en quién. Tras aplanarse las bolsas que le habían salido últimamente en los ojos, continuó enumerándole sus proyectos para la revista y el reportaje que planeaba realizar, su uso talismánico, el porqué de la necesidad de elaborar semejante documento en una época que tenía necesidad de sentido, de verdad. Cuando entró en una recta final acerca de la obligación de luchar contra el destino, aquella parte que no hemos elegido, y de controlar nuestra vida y maximizar lo que escogemos, Alvin la detuvo con un gesto suave pero firme.

—Piensa en algo terrorífico —le propuso—. Y luego dímelo.

—El mar detenido —respondió Erin sin titubeos.

—Muy bien, pues yo no quiero que te pares, quiero que seas feliz, ¿comprendes? Ahora bien...

—¿Sí?

—También quiero que tengas claro que no solo tú tienes el monopolio del sufrimiento...

—Lo sé. —Sonó como si le hubiera dolido buscar las palabras.

—Y también que seas consciente de que ya tienes tu sitio en los diccionarios —añadió jovial.

Erin se encogió de hombros y sonrió.

—¿Y tú cómo te sientes?

—Me sentiré mal si no me mandas un correo o me llamas desde donde quiera que estés, Erin. —La rodeó con sus brazos—. Aparte de eso has de hacer lo que tú creas conveniente, siempre considerando lo mal que has estado y que no quiero que vuelvas nunca más a aquello. No sé qué buscas en ese individuo, pero estoy seguro de que no es algo exclusivamente referido a él, quiero saber qué persigues realmente...

—Siempre busco cosas sobre mí, lo que sea, agradables o desagradables.

—¿No las encontraste ya hace dos años?

—No sé, Alvin... siempre es diferente... te quiero.

—¿Estás segura? ¿No será que solo me necesitas?

—Te quiero.

Alvin asintió.

—Eres muy bueno —le agradeció Erin.

—Ni bueno ni malo, Erin: realista.

—Realista...

Ella sonrió y se sentó a horcajadas sobre él, poniéndole los brazos alrededor. Acarició su pelo, algo quebradizo.

—Y recuerda... —añadió Alvin.

—¿Qué tengo que recordar, amor mío?

—Es importante que recuerdes que estamos de tu lado. Promételo.

—Lo prometo.

Se abrazaron, fuertemente estrechados durante un largo rato, compartiendo elementos de amor, sexo, lucha y cierta amargura. Erin amaba aquel encanto ligeramente áspero de Alvin, su manera de hablarle de frente y si era necesario con los guantes puestos. Sin embargo, se callaba que no estaba segura de haber caído en otra emboscada psíquica, esa tendencia suya a buscar el dolor, no tanto para sentirlo como a fin de procurarse una sensación intensa. Lo único cierto era que prefería un poco de sufrimiento a la carencia absoluta de emociones; el inconveniente era que la dureza terminaba por insensibilizar y exigir dosis cada vez menos escrupulosas, aumentando su tolerancia a lo terrible. Era algo que estaba en su interior y que no tenía nombre, y lo más escalofriante era que probablemente aquello fuese el núcleo de su ser.

¿Qué buscaba?

Una verdad.

Pero en aquel momento la única que podía vislumbrar era que en la vida tienes que ser objeto de deseo.

Esa era la única verdad.

La siguiente semana la ocupó en arreglar su situación para poder pasar sus particulares cuarenta días en el desierto. A Erin le gustaba pensar de aquella manera, en términos bíblicos, dramáticos, con esa forma visceral y enmarañada que tenía la religión de tratar cualquier tema. Incluso se había despedido de su madre, aquella mujer de cabellos gris plomo que había observado el chocolate envuelto en papel parafinado que

Erin le había llevado con un gesto ido. Desprendía el olor típico a azúcar quemado de los diabéticos, y aunque su mente fuese ahora como una casa vacía, con todas las luces prendidas —la cuidaba Martina, una enfermera—, le provocaba oleadas de ternura simple e inconsciente, era agradable volver a verla, fácil, incluso con todos sus inconvenientes. Sin ser ya ella misma, seguía dándole consejos que no se molestaba en cumplir porque aquel ritual era necesario para mantener su tranquilidad, la de ambas. Su madre era en parte la causa de su destino, de su obsesión por ser alguien. Había sido toda modestia y penumbra en una casa en la que se buscaba la sobriedad y se reutilizaba todo, y tanta gilipollez sobre la ética del trabajo la habían transformado en una matrona que daba cabezadas frente al televisor. Tenía grabada a fuego aquella infancia y adolescencia de camas impecablemente hechas, anclajes seguros y ausencia de horizontes que a veces la habían hecho llorar y otras desaparecer gradualmente en aquel lugar donde la gente vivía sin desórdenes internos y había una iglesia al lado de una estación de autobuses. Erin solo había querido huir de esa vida, de toda aquella irrelevancia y minucia que le hacía un nudo en la garganta. Y a veces, se repetía con la ferocidad de las personas quebradizas, era necesario clavar un cuchillo con frialdad, porque si no acababa triunfando la víctima. Recordaba especialmente los últimos tiempos, antes, mucho antes de la enfermedad, cuando iba de visita y ella le contaba largas anécdotas sosas sobre su infancia, la resignación, la paciencia y la conformidad. Al final Erin se había convertido en algo que su madre no comprendía. Y ahora, en sus visitas, a veces ella la reconocía y a veces no, a veces la confundía con la enfermera y a veces con alguna antigua amiga. Sin embargo, lo único seguro era que, cuando estaba allí, no deseaba estar con nadie más.

Erin se encontraba en la redacción de su revista atando los últimos cabos del papeleo cuando sonó el teléfono.

—Hola, ¿Erin Sohr? —preguntó una voz que no le era desconocida.

—Soy yo.

—¿Qué tal?, soy Daniel, del FBI, no sé si me recuerda —dijo retóricamente.

—Claro, ¿cómo está?, ¿en qué puedo ayudarle?

—Verá, después de la conversación que tuvimos el otro día, creo que es justo que le cuente lo que hemos descubierto últimamente.

Daniel la puso al tanto del martirio de Olena Vodianova; el tono de voz intentaba ser neutro, pero un ligero titubeo en la exposición indicó a Erin que había una mezcla de excusa y un algo defensivo. Por último, la felicitó por su clarividencia. Erin ya estaba informada de la muerte de la modelo, pero no habían trascendido todos los detalles y no la había relacionado ni remotamente con el Samovar. Experimentó cierto desaliento, la consternación al pensar que, al igual que el resto, aquella chica había creído que la juventud y la belleza y la inmortalidad eran para siempre y a salvo del mundo. No obstante, cuando pidió información acerca de la deriva del caso, Daniel se salió por la tangente alegando imperativos legales, lo que no impidió que ella le refiriese la futura investigación que planeaba sobre Viktor.

—¿Es un encargo?

—Es un proyecto personal.

—¿Cuándo empieza?

—En poco tiempo, lo que me lleve arreglar algunas cosas. Tengo pensado hacer un viaje a Europa.

—No estaría mal que nos mantuviésemos en contacto. Nunca se sabe.

—No, nunca se sabe.

—Le dejo mi móvil. —Le dictó el número y después, ante su requerimiento, volvió a repetirlo lentamente—. Espero que me tenga al tanto si descubre algo que nos pueda servir.

—¿Por qué debería hacerlo si no existe reciprocidad?

Hubo un instante embarazoso donde se prolongó el mutismo de Daniel, y en el que tuvo que respirar con profundidad y apretar los dedos en el auricular hasta que se relajó. Aclaró la garganta.

—A lo mejor porque si alguna vez aparca mal el coche yo podría hacer algo con la multa.

—No tengo coche.

—Ni yo podría hacer nada por sus multas.

Erin se percató de que debía abandonar la trinchera y avanzar por un campo de compromiso.

—Disculpe, no tengo un buen día.

—No se preocupe.

—Mire, francamente no creo que pueda conseguir información alguna a la que ustedes no tengan acceso, pero si así fuese, le llamaría.

—Hágalo, por favor. Nunca se sabe.

—Sí, nunca se sabe.

—Entonces lo dejamos así. Muchas gracias, Erin.

—A usted.

Dudó si llamarle por su nombre, pero al final consideró que no había la intimidad suficiente. Cortó la llamada. Sin embargo lo hizo con una sensación extraña, como si sus pensamientos diesen bandazos al igual que papeles en una ventolera.

Sailesh Mathur pasó la Nochebuena en familia. Para él era muy importante estar rodeado de aquella barahúnda de abuelos, tíos, sobrinos… Rumi, Igbal, Mirzap… críos y más críos con sus parloteos regocijados, enloquecidos, intercambiando besos, golpes y sonrisas aún no pulidas por las ganas de seducir o engañar. Veía su hogar como un templo consagrado a la felicidad, algo que había que proteger a toda costa, y él intentaba ser buen marido, buen amante y buen padre cuando raramente se daban las tres cosas a la vez. Las reuniones eran en su casa de Bedford, en Brooklyn, y aunque ya habían celebrado el *Diwali*, el año nuevo hindú, un mes antes, habían dejado las luminosas *diyas* y las cestas sobrantes de cohetes y petardos para aprovecharlos en aquella otra celebración del regreso de la bondad y la victoria de la virtud sobre la muerte. Vio pasar el sari color cereza de su mujer sirviendo *narangi*, tortas rellenas de arroz y lentejas, y albóndigas de cordero, con el talco rojo marcando la raya de su melena en un homenaje a su matrimonio. Kavita era rolliza, vehemente, alegre, industriosa; la pequeña franquicia de moda que regentaba con otra socia iba bien, y aunque le ponían de los nervios aquellos análisis interminables e infructuosos que hacía de algunas cosas —por otra parte tan profundamente femeninos—, se sintió orgulloso, un orgullo del balance existencial que habían logrado tras los primeros años de dificultades y que a veces lo pillaba por sorpresa. Ella hacía que todo encajase. ¿Por qué entonces el futuro de lo que amaba era tan oscuro y sus vidas se habían llenado de errores, casi sin darse cuenta?, ¿por qué esa niebla, esa confusión, ese dolor? Ya no eran los forjadores de su propia felicidad…

Daniel estuvo invitado a los festivales de la familia Mathur, llegando a la conclusión de que si el máximo baremo de felicidad era el tiempo que uno pasaba comiendo con la familia y los amigos, los hindúes debían de ser uno de los pueblos más venturosos de la tierra. Había algo agradable en la comida casera, difícil de explicar, como si las esposas y cuñadas y abuelas pudiesen transmitir todo su cariño en las oleadas de calor con que se preparaban aquellas montañas de arroz cubiertas por oscuras salsas picantes. No obstante, había sorprendido en Sailesh una mirada extraviada; no era algo empírico, sino emocional, algo disonante, una sobrecarga de color en aquel cuadro amable que le hizo sospechar que no todo era armonía. Aunque, ¿quién vivía en un nirvana absoluto? Le gustaría preguntar, una inquisición que no sería curiosidad malsana, sino porque sinceramente creía que podría hacer algún bien. No obstante, en algún lugar había leído que los chinos afirmaban que había que dar tres vueltas a la casa propia antes de salir a cambiar el mundo.

Más tarde también aceptó la invitación de su ex y su nueva pareja —un médico que se apellidaba Jiménez y trabajaba en el Monte Sinaí— a fin de pasar un tiempo con su hija; la visitaba un par de veces a la semana y veraneaban juntos. Ella le hablaba de los novietes que se había echado —para escándalo y asombro de Daniel, que todavía pensaba en términos de Barbies—, y se iban de compras a emporios y grandes almacenes, desconcertado y excitado, al tiempo que algo apretaba su garganta, algo que le hacía comprender que ascendía un nuevo mundo que dentro de poco no entendería, una insinuación de que ya estaba anticuado, de que el fin cada vez se hallaba más cerca, aunque no era desagradable ni amargo, porque era un camino —todavía poseían uno— que su hija podría recorrer hasta el final. Todas estas impresiones se las comentaba a Agnes, que le repetía su filosofía: hoy estamos vivos, mañana igual no. El resto es una negociación de distancias.

Erin decidió pasar las fiestas con su madre. Era una búsqueda inconsciente, el recordatorio temporal de los viejos términos de referencia, siendo a cambio testigo de cómo la enfermedad la transformaba en algo magnífico, viejo y magnífico, como un castillo que se desmoronase. Fechas, nombres, lugares… todo se iba desleyendo en su cabeza, pero a cambio manipulaba el pasado y creaba una nueva historia familiar. Y a veces, solo a veces, acompañado con ciertos tics que tironeaban su rostro, mostraba una faceta oracular en su discurso, una iluminación en el error que a veces asombraba a Erin, y otras la petrificaba. No obstante, experimentaba la obligación de estar allí, ser testigo de su transformación, pensar en su muerte, considerándola como una parte del argumento incomprensible y complejo de la vida, pero no de forma intelectual ni trágica, sino como un sosiego. Un dulce descanso.

3

Los cielos del pasado

Miércoles, enero, 12.10 h

La primera impresión de Serbia siempre era la horizontalidad. A medida que el avión descendía en una suave curva hacia el aeropuerto de Surčin, Erin contemplaba una planicie parcelada en una suave modulación de colores como esas mantas hechas de retales, e irrigada por un culebreante y majestuoso Danubio, aquel río que ya era casi más literario que líquido.

La segunda impresión, mientras el taxi se acercaba a Belgrado, era la verticalidad. Un cinturón de paralelepípedos grises que retrotraía a la arquitectura comunista, a unas ínfulas ministeriales e intimidantes que ahora no producían más que una sensación de tristeza.

La tercera impresión, una vez dentro del cogollo de la ciudad, era de zigzagueo. Una inesperada vitalidad insuflada por sus bulevares arbolados, terrazas concurridas, tiendas de moda, cafeterías, centros comerciales, galerías de arte… todo confirmando la buena salud de una ciudad que, tras salir del oprobioso centelleo de la guerra, había comprendido perfectamente que la mejor manera de ser reconocida como europea era… consumir.

Erin había decidido hospedarse en el Intercontinental, el hotel en que habían liquidado a Viktor. Dejó sus maletas, se duchó y se cambió de ropa. Decidió darse un paseo por el centro, pero antes tomó unas precauciones mecánicas: si los romanos colocaban ocas alrededor de sus campamentos porque eran muy asustadizas y por ello las mejores vigilantes, ella utilizó una elemental arte geométrica que ocupaba toda la superficie del apartamento, la colocación aleatoria de los objetos con una cualidad de apariencia y la interacción de ejes ideales en una malla infranqueable que detectase toda nueva presencia. Quien cogiese algo al azar, nunca más podría volver a colocarlo ocupando el mismo lugar en la retícula. No era paranoia, simplemente hábitos, rutinas, costumbres adquiridas en años, la misma lógica funcional que le hacía ver lugares de ocultación en medio de un supermercado, o ángulos muertos o adecuados en las calles tanto para protegerse como para hacer fotos.

Con una pequeña cámara en bandolera recorrió las arterias alrededor de Knez Mihailova y se empleó en contemplar las fachadas —la mayoría todavía chamuscadas, pero que ya habían comenzado a limpiar—, aquel extraño sincretismo entre sus edificios, racionalismo, art noveau, orientalismo, Austria-Hungría, el comunismo *soft* de Tito… Terminó en uno de sus lugares favoritos, la fortaleza de Kalemegdan, el vértice más occidental de la muralla. Allí, bajo la columna al Vencedor de Belgrado, podía vislumbrar la espectacular desembocadura del río Sava en la anchura, lentitud y grandeza del Danubio. Aquella experiencia —a pesar de aquel día con una luz como agua de fregar y de los verdugazos de viento—, no tenía nada que ver con palabras, sino que se basaba más en el inconsciente, en la certeza, por unos instantes, de que la belleza podría cambiar el mundo.

Una vez satisfechos sus pruritos de turista, volvió a ponerse el uniforme de reportera. Había estado en Belgrado en el 91, justo cuando Croacia y Eslovenia declararon su independencia, y había regresado en el 93 para desplazarse seguidamente a Sarajevo y después volver a Belgrado; el mismo año que había sucedido *el accidente*, la policía política de Milosevic la había detenido con una absurda acusación de espionaje. Sin más explicaciones la habían metido en una furgoneta y después en lo que parecía el gimnasio de una escuela, donde la sometieron a un duro interrogatorio durante toda la noche, unas veces ofreciéndole galletas y otras apuntándole con armas cargadas. En realidad lo único que buscaban era lo que ella se había encargado de borrar horas antes, es decir, las anotaciones en sus cuadernillos de los nombres y teléfonos de los oficiales bosnios y croatas que había entrevistado —lo cual les facilitaría mucho el trabajo a la hora de saber quién era quién entre el enemigo—, además de anticiparse y mandar por correo aéreo los carretes con las fotografías. Era una técnica ya antigua en los checkpoints y aeropuertos israelíes cuando los serbios decidieron aplicarla. A la mañana siguiente resolvieron que la soltarían, pero que aún les rendiría un servicio como estrella de una pequeña operación de agit-prop en la más añeja tradición comunista, al obligarla a leer un comunicado patriotero ante una cámara sobre las bondades del régimen de Milosevic y lo injusto del acoso a que estaba siendo sometido por el resto de las naciones. Aun así, no sentía ningún rencor por el país; es más, le encantaba callejear por la ciudad, sobre todo por sus empinadas y pintorescas calles, de antiguo adoquinado, cuya animación indicaba que, en cierta manera, los habitantes se estaban ocupando otra vez del arte de vivir. Era en uno de los locales de Skadarlija donde había quedado para comer con Ivo Jergovic.

Una de las primeras cosas que debía hacer un reportero cuando llegaba a una zona de guerra era procurarse un traductor o un conductor, y si era las dos cosas mejor que mejor. En la mayoría de las ocasiones la clave del éxito o el fracaso se hallaba en ese nativo que estaba al tanto de los diarios locales, conocía la psicología de la gente, sabía trillar el caudal de información, y tenía el valor de arriesgarse en las zonas más calientes, lugares donde no se acercaría si no fuese llevando a periodistas extranjeros. Obviamente, uno nunca podía fiarse del todo de ellos, podían ser informadores, o dejarle colgado cuando menos se esperaba, pero Erin sabía que había tenido suerte con Ivo. De hecho, ahora le consideraba su amigo. Era un periodista que actualmente trabajaba en una emisora de radio, y que durante el conflicto le había servido como guía acompañándola a diversos frentes de aquella guerra parcial, en segmentos, en la que todos se habían agredido y todos habían trabajado juntos, mezclándose, fundiéndose, vertiéndose unos en los otros, mientras se negociaban fronteras extrañas donde el sentido común terminaba siempre por extraviarse. Ivo la aguardaba sentado a una de las mesas más al fondo del bar, fumando y rodeado por el humo de los cigarrillos que se consumían en todas las mesas. Erin siempre pensaba en la revolución que se formaría cuando llegasen las medidas de represión de la Unión Europea en un país donde hasta las viejas estaban nicotinadas. Saludó a Ivo con la mano y éste dejó su pitillo al lado del té que estaba tomando para recibirla. Iba vestido totalmente de negro, con un jersey de cuello de cisne; era un cincuentón grande, sólido y cuadrado como el bloque de madera de un carnicero, con una barba rubia, ojos claros de perro esquimal y unos rasgos que hablaban de sus antecedentes checos, lo que provocó que durante la guerra los relojes de su vida se hallasen en diferentes hemisferios —también ayudó que hablase varios idiomas—, declarándose contrario al conflicto, aunque en cierta manera se sintiese victimizado por haber sido incluido en el bando de los malos. Los serbios atacan..., repetía, ¿por qué no especifican?, yo soy serbio y nunca he atacado a nadie. En los primeros minutos se saludaron en serbio, una lengua en la que Erin había aprendido algunas frases, para luego pasar al inglés, él con un acento apenas desenfocado.

—Bienvenida, Erin, siempre puntualmente con retraso. Casi no podía creer que fueses tú cuando me llamaste.

—Sí, he estado un tiempo a mi aire. Siento no haberte llamado más.

—Todos hemos andado a nuestro aire. ¿Qué te apetece tomar?

—Lo que tú. Dime, ¿en qué andas ahora?

Ivo echó una calada, expulsó el humo hacia abajo e hizo una seña al camarero para que le trajera lo mismo.

—Pues lo único que posiblemente no sepas es que escribo guiones para la televisión local.

—¿En qué idioma?

—Hum... ya sabes que en serbio suelo ser más sincero, en inglés más preciso y en italiano más brillante. —Ivo resucitó una broma común entre ambos.

—¿Y el resto?

—El resto continúa igual, me sigue gustando la literatura yugoslava, escribir cuentos, el cine, las adolescentes cuando llega la primavera, la buena mesa, un poco de Corelli...

—¿No hay ninguna chica?

—Me he vuelto un impar, como dicen ahora, ya no hay repuestos para la gente como yo.

Erin sonrió cuando le trajeron el té, y mientras sumergía una y otra vez la bolsita en el agua casi hirviendo, también le puso al día de su vida. Ivo le miraba en ocasiones con una cara extraña, seguramente recordando escenas de su pasado que no casaban con la persona sentada enfrente. Al final le sonrió con malicia.

—Siempre te ha gustado Belgrado, pero por teléfono estuviste muy misteriosa. ¿Para qué has venido?

—Tenía unos días libres y necesitaba unas vacaciones.

—Hum… ¿y te vienes aquí? —preguntó con escepticismo.

Erin decidió que ya era hora de arrancar la costra seca de la herida, aunque aquel caparazón pegajoso hiciese brotar de nuevo la sangre.

—Necesito tu ayuda —se sinceró.

—Ajá, eso está mejor. Nunca fuiste de las que se andaban con rodeos. ¿Y qué quieres?

—Digamos que hay deudas impagadas.

—Hay tantas que tendrás que ser más concreta.

—Viktor.

Cuando Erin pronunció el nombre, Ivo se revolvió inquieto y echó un sesgado vistazo alrededor.

—Aquí hay palabras tan peligrosas como precipicios, Erin.

—Creí que con los años todo pierde poder, incluso lo que nos atemoriza.

Ivo negó con la cabeza.

—Esto son los Balcanes, aquí todavía se cree que las peonías son rojas debido a la sangre serbia derramada en una batalla que ocurrió hace siete siglos.

—Lo sé, lo sé —murmuró Erin.

—Viktor está muerto, Erin, y no tengo ni idea de lo que te propone, pero a no ser que quieras abrir una página web como tributo o hacerte miembro de alguno de los numerosos clubes de fans que tiene, te recomiendo que ni pronuncies su nombre.

Erin asintió, pero por su expresión Ivo supo que aquel amenazador guante ya estaba lanzado. Mientras ella le ponía al tanto de sus intenciones la contempló como si sospechase que se burlaba de él, pero guardó silencio en todo momento, porque era una de esas personas que podía mantenerlo en cualquier situación, por embarazosa o delicada que fuese. Por aquel silencio y por la calma que le acompañaba le había elegido en su momento Erin. No obstante, a medida que avanzaba en su explicación, su gesto fue tornándose desventurado. Cuando acabó, Ivo se encorvó y apoyó su mentón en el puño.

—¿Qué opinas? —se interesó Erin.

—Me habías dicho que habías dejado las drogas. —Fingió un ánimo bromista y desenvuelto.

—En serio.

—No hay nada más serio que Viktor. Nada. Aunque esté muerto —recalcó.

—De acuerdo, pero yo estoy convencida de que ese individuo no es un espectro y en estos momentos a lo mejor está en mi ciudad. Quiero que me ayudes.

—¿Quieres que te ayude a que te peguen un tiro? Erin, ahora tienes una familia, tienes una vida…

—Ivo…

El periodista se movió con un celo exagerado, como un gato atado a unas latas cuyo movimiento más insignificante pudiese provocar un estrépito.

—Erin —la cortó—, creo que no te das cuenta de cómo está la situación aquí, o sí te das cuenta y te es indiferente. La enfermedad nacional es la amnesia, y que hayan entregado a Karadzic solo quiere decir que les ha convenido temporalmente olvidarse de él debido a la presión política. Nada más.

—Se van los dictadores y llegan los organizadores del olvido.

—Exactamente. El mayor logro de nuestros políticos es haber sido reelegidos, y la única y poderosa verdad es que aquí las víctimas siguen siendo culpables. Nadie ha asumido responsabilidades, pero no solo los serbios: ni un bosnio, ni un croata, ni un montenegrino, ni nadie que haya cometido una atrocidad considera que ha hecho nada malo. Y eso sin hablar de todos los que los apoyaron en el extranjero, todos aquellos que estaban interesados en la descomposición de Yugoslavia en estados más pequeños y por tanto más manejables, ya sea Alemania, Estados Unidos, Rusia, quien sea. Así que, ¿qué esperas?, ¿una zarza ardiente que te ilumine?

—Únicamente deseo pegar algo en mi interior. Es como una figurilla, se cae y podría comprar otra, pero quiero reconstruir esta.

Ivo dejó el cigarrillo, la cogió por las muñecas, remangó su jersey y le dio la vuelta, dejando a la vista las líneas blancas de sendas cicatrices.

—¿Recuerdas? Lo hiciste con un cúter. Por culpa de una foto. Si has vuelto por aquello, mira, de eso hace ya mucho, tú no tuviste la culpa de estar allí, era tu trabajo. Recuerda, no eres su causa, sino su testigo, sería peor que no hubieras estado para dar testimonio.

—Pero ese testimonio tiene como fin evitar la impunidad de los carniceros. Es una obligación moral para con las víctimas.

—Efectivamente, estoy de acuerdo contigo, pero ahora mismo yo creo que lo haces por ti, no por las víctimas.

Erin se escurrió de las enormes manos de Ivo y volvió a cubrirse las muñecas. Luego frunció los labios y los apuntó hacia delante, un gesto que indicaba irritación hacia los alardes de perspicacia de su amigo.

—Y además todo tiene que hacerse en su momento —añadió Ivo—. Mírate, mírate un momento, llevas ropa cara, pashminas… Nosotros hemos pasado hambre juntos, frío, sufrido las arbitrariedades de los soldados, los atropellos, la enfermedad, el riesgo de muerte, la suciedad, la censura, los controles… Ya está, Erin —le puso la mano en el hombro—, ya hemos hecho lo nuestro, hemos estado allí y sobrevivimos. Doscientos reporteros muertos en los últimos diez años, pero no nosotros. Ahora es el turno de los siguientes.

—¿Y tus noches? ¿Qué haces cuando te acuestas y cierras los ojos y recuerdas quién eres y qué haces aquí? Cuando llegan las sombras y entran a cuchillo.

Ivo se encogió de hombros. Permaneció un tiempo contemplando a una pareja adolescente dándose besos, envidiando la belleza natural, sin esfuerzo de la juventud, aunque sintiendo cierta piedad por las emociones inmanejables que poseían. Erin también siguió su mirada por unos instantes suponiendo que Ivo dragaba recuerdos, los mismos que cada uno construía de la manera más apropiada y favorable a su ego.

—Cuanto más viejo me hago más miedo tengo de todo, Erin —le confesó en voz baja.

—Te comprendo.

—Y ahora deseo vivir en uno de esos lugares impersonales donde la gente solo se interesa por el tiempo que va a hacer… Además ya no me miento, porque solo me hago preguntas de las que ya sé la respuesta. ¿Ahora también me comprendes?

—Sí, también.

—Pues entonces entenderás que no crea en fantasmas. Es una manera de no volarme los sesos.

Erin sintió una mezcla de pena y ternura hacia él, la misma que experimentaba a veces por sí misma. Bebió un poco de té, haciendo presión para despegar una taza que se había quedado adherida a la mesa. Luego clavó sus ojos en Ivo. Fue a decir una cosa, hizo una pausa, lo pensó mejor y empezó de nuevo.

—Pero ¿y qué pasa si son los fantasmas los que creen en ti?

Aquello ya no era vida, sino otra cosa apagada e inconsciente. Sailesh Mathur vigilaba la máquina que mantenía las constantes vitales del sicario, preguntándose dónde se hallaba exactamente su hálito, en qué tramo del oscuro reino que todos temían. Tenía unos rasgos suavizados, uniformados por el sueño, con una expresión incluso beatífica. Los tatuajes en tinta azul de cabezas de tigre, gladiadores y manos con cuchillos que le identificaban como un miembro de la Organizatsja se enroscaban por todo su cuerpo, oscuros y afilados, como una extraña y deletérea planta que se alimentase de su vitalidad. Se le ocurrió que definitivamente hubiera sido un buen reality, verle adentrarse en las últimas sensaciones de la muerte con un chip incrustado en sus agónicas neuronas, y el logotipo del canal de turno adornando una esquina de la pantalla. De cuando en cuando una enfermera negra y esbelta, con un pronunciado flequillo y unos enormes ojos de caricatura manga, entraba para vigilar las pequeñas chispas de electricidad que le mantenían a este lado. En la puerta de la habitación se hallaba el retén que habían colocado por si a alguien se le había ocurrido rematar el trabajo; Daniel estaba sentado junto a la cama de Sergei, el cocinero de Uzbekistán, que de vez en cuando echaba rápidas ojeadas a un aparato de televisión sin sonido en el cual se estaba jugando un partido de baloncesto. Desde el principio de los tiempos los ejércitos se habían enfrentado por intereses comunes, no opuestos, así que debían desentrañar qué se escondía bajo los escombros carbonizados del Samovar. Lo primero que había que hacer era comprobar a quién beneficiaba el miedo que implicaba la ejecución de Chevengur. En cuanto a la primera llamada a Olena Vodianova, su tortura y el registro de su apartamento, de momento solo podían jugar a las adivinanzas y ya habían dispuesto a agentes para entrevistar a su círculo de amigos y habían avisado al FSB para que investigasen a su familia en Rusia; la segunda llamada había sido por fin descifrada y tenía como destinatario a uno de los encargados del puerto de Newark, en New Jersey, sobre quien tendrían que colocar una lupa. El contenido de las cámaras de seguridad, tanto en el perímetro del Samovar como en el edificio Water, estaba siendo clasificado. Y ya se había empezado a remover el fango de los confidentes y enviado informes a la sede de la Interpol en Lyon. No obstante, aún les quedaban por gestionar un montón de prejuicios, medias verdades y clichés. Volvió a observar al cocinero: de tan atento, apenas parpadeaba.

—Antes de que empieces a contestar a mis preguntas —oyó decir a Daniel—, te advierto que no quiero especulaciones. Si quisiera especulaciones miraría el horóscopo del periódico. Solo quiero hechos. O sea, prefiero que no me respondas a que inventes, ¿estamos?

Sergei asintió, y en los siguientes minutos el cocinero desgranó con una sorprendente voz soberana una biografía que Sailesh Mathur conocía muy bien por los relatos de sus padres, una lucha contra los estereotipos de quien se encuentra en tierra extraña y debe nadar entre dos aguas, ofrecer lo mejor de uno mismo, tragar las humillaciones, sortear los prejuicios y la mezquindad, enfrentarse a la cosificación, trabajar duro, cuestionar las antiguas certidumbres para merecer el estatuto de ciudadano de pleno derecho. Era la creación de la máscara, la obsesión por fabricarse como alguien que confía en sí mismo, cuando en realidad aquel cocinero no era más que la demostración de que cuando un sistema fracasa, lo único que queda es el botín.

—¿Y qué me dices de Olena Vodianova?

—Era la novia del jefe.

—¿Hay algo que debamos saber de ella?

—Era muy guapa.

Daniel devolvió la mirada a Sailesh, que pareció decirle que había gente que podía no entender aquel sentido del humor a la primera. Suspiró.

—¿Sabes cuánto llevaba con ella?

—Yo hacía un par de años que trabajaba para el señor Mihailev, y la chica ya estaba con él.

—La conoció muy joven.

—Sí.

—Y Mihailev, ¿iba mucho por el local?

—Algunas veces. Ciertos días se cerraba el restaurante para comidas o cenas privadas del jefe con sus amigos o para negocios.

—¿Podrías decirnos nombres?

—Yo solo cocino.

—También podrías hacerlo en tu país. Según tengo entendido tus papeles no están del todo en regla y mis colegas de la UCE tienen el gatillo fácil.

Su nerviosismo fue ostensible. De nuevo sus ojos se escaparon hacia el televisor. Volvió a recapacitar, cabizbajo, con la indecisión de quien tiene que escoger entre el abanico de una baraja, hasta que su resolución se trabó firmemente y enarboló un pabellón de conveniencia.

—Aunque no me crea, en la cocina solo se está atento a los pucheros. Las reuniones se llevaban con mucha discreción, y nadie me comentaba nada. Puedo hablarle de sus gustos, y como mucho del caviar.

—¿Te gusta el caviar? —bromeó Daniel dirigiéndose a Sailesh.

—No mucho.

—No, me refiero a…

La interlocución de Sergei se vio interrumpida por la entrada de un enfermero que requería una firma para un informe sobre el sicario en coma. Somos víctimas de la burocracia desde que nacemos hasta que morimos, pensó Sailesh, que se ocupó del asunto.

—¿A qué te referías? —rehiló Daniel.

—Al caviar. Por las despensas del restaurante pasaban ríos de caviar.

Daniel sintió una inquietud parecida al estado previo a esnifar coca.

—Es un producto caro.

—Seis o siete mil dólares el kilo, pero en el restaurante lo teníamos a manos llenas.

Daniel silbó.

—Ya no hay manera de conseguir caviar fácilmente —aseveró Sailesh.

—No, no la hay… —ratificó Daniel, pensando en el desbarajuste de las riberas del Caspio—. ¿Y es un caviar de buena calidad?

—El mejor.

—¿Llega fresco?

—En óptimas condiciones.

—Entonces parece que nuestro Chevengur tenía un proveedor internacional. Sin embargo, no me parece que lo haya eliminado ningún contrabandista de huevas de esturión. ¿Cómo lo ves, Sai?

—Tampoco me parece.

—¿Y adónde nos puede llevar esto?

—Veamos —reflexionó Sailesh en voz alta—, vienen a ser tres las rutas primordiales que se utilizan para el contrabando: Moscú, Estambul y Dubai. Esa segunda llamada que realizó Chevengur era para un jefe de los muelles. A lo mejor es una circunstancia trivial, pero convendría echarle un vistazo a las hojas de embarque de ese señor.

—Circunstancias triviales… hace mucho tiempo que no veo tantas circunstancias triviales juntas…

Daniel se echó para atrás en el asiento y cruzó sus larguísimas piernas; su expresión fue desenfadada, casi cariñosa. Pensó que cuando le pides a un pez que describa su vida en el mar, lo más seguro es que se olvide de decirte que es húmedo.

—¿Y cuál es tu especialidad, Sergei?

El cocinero no pudo ocultar su sorpresa.

—No entiendo…

—En la cocina, ¿qué es lo que se te da mejor?

—Me sale bien el plov. Es lo que suelo preparar.

—¿Y cómo se hace?

—Lleva carne asada, cebolla, zanahoria y arroz. Yo también le añado pasas para mejorar el sabor.

—Suena muy sabroso. ¿Es lo que serviste esa noche?

—Es lo que iba a hacer, pero a última hora uno de los hombres del señor Mihailev me avisó para que preparase un menú distinto.

—¿Y de qué delicatessen se trataba?

—Podvarak.

—¿Qué es eso?

—Estofado. Una especialidad serbia.

En los rasgos de Sailesh se dibujó la sorpresa que produce lo familiar.

La ceniza del tercer cigarrillo de Ivo había alcanzado una longitud imposible. Después de la última pregunta de Erin se había levantado para ir al baño y ahora regresaba sentándose con pesadez en la silla. La miró a los ojos, le cogió la mano durante un momento en el que Erin se quedó rígida, la apretó ligeramente y la soltó.

—¿Has cenado? —le preguntó él.

—No.

—Tenemos un sitio aquí al lado, un par de locales más allá. Hacen unas albóndigas de ciervo que te chuparás los dedos.

—Hay ofertas que no se pueden rechazar.

—Pues vamos entonces.

Pagaron, salieron y fueron descendiendo por el adoquinado de Skandarlija entregados a una charla intrascendente, pero con un fantasma muy vivo flotando entre ellos.

—Por cierto, ¿qué fue de aquella free lance… Marie Quignard? —dijo de pronto Erin.

—Hum… la francesita pirada… acabó de portavoz de ACNUR para los Balcanes después de una provechosa escalada, como buena trepa que era.

—Sí, y además de trepa era una cínica, una morbosa y una sensacionalista, pero tenía las ideas claras. ¿Y de aquel canadiense, Morthengau?

Ivo resbaló en el canto de una piedra, pero logró mantener la vertical.

—Alias el 3D —respondió mientras Erin fingía escandalizarse—, desequilibrado, divorciado y dipsómano…

—¿Y quién no lo era en aquella época?

—Tienes razón. Creo que acabó en un monasterio de Albania, redimiéndose.

—Había también un español, Miguel, que nos hacía de chófer y nos metía en Sarajevo por el Igmen. ¿Te acuerdas?

—Ah… Miguel, ¿cómo no me voy a acordar?, aquél era un tipo decente en tiempos indecentes… Lo mataron en Sierra Leona.

—Sí.

—Era muy religioso —reflexionó Ivo—, a pesar de toda aquella mierda creía en Dios. Igual que tú.

Si Erin percibió cierto sarcasmo, no lo quiso devolver.

—¿Y por qué no creer?

—Si Dios existiese no podría mirarnos a los ojos.

—Yo creo porque no es más absurdo que cualquier otra cosa. Y tú también crees aunque no quieras reconocerlo, también rezas.

—¿A quién rezo yo, Erin?

—A otros dioses, y cualquier plegaria sincera es hermosa, independientemente de la divinidad a quien se eleve.

Ivo tropezó con la claridad de aquella afirmación como una mosca con la transparencia de una ventana. Suspiró, la miró como si le fuera a poner una multa, hizo un gesto exagerado de desaliento y le señaló la entrada de un recóndito restaurante.

De uno de los locales adyacentes brotaba una música en sordina de guitarras eléctricas y baterías.

Una vez dentro, tanto para Erin como para Ivo quedó claro que aquello no tenía nada que ver con el modo insustancial de saciarse de la comida basura, sino que las albóndigas y los dados de tomate y la cebolla y el queso blanco espolvoreado y el sarma y los rollos de cerdo asado y los baklava y el café servido en fildăni les devolvían al sentido primitivo de las cosas, la percepción tribal, una comida y una bebida que adquirían proporciones sagradas.

—Es decir —interpretó Ivo entre bocado y bocado—, que sigues queriendo morder el fruto prohibidísimo del árbol…

Erin dejó los cubiertos en el plato y le miró con rotundidad.

—Sin ninguna duda.

—Por supuesto que ahora sabes que ya no se trata del bien o del mal, del sí o del no…

—¿Y de qué trata ahora?

—A día de hoy es el fruto del quizá, del a lo mejor, del puede, del tal vez…

—Sigo queriendo darle un mordisco.

—Hum… Entonces tienes que saber un par de cosas.

De vez en cuando, entre cien miradas indiferentes surgía una viva, encendida, de pasión o de odio, y era aquello lo que mantenía a Daniel imanado a Nueva York. En aquella ciudad en la que eras prescindible y no había convenciones y nadie se molestaba por ti, aquellas miradas eran como desafíos a la rutina diaria, como superhéroes protegidos por sus identidades medianas y ficticias, pero siempre a punto para enfrentarse a su fátum trágico. Porque los héroes, eso sí lo sabía Daniel, siempre protagonizaban tragedias.

—Hace frío.

Sailesh confirmó el dictamen mientras entraban en el parque Bryant, en el patio trasero de la Biblioteca Pública. La climatología bipolar de la ciudad había alternado una mañana luminosa y caldeada con los dedos fríos que comenzaban a hurgar bajo sus ropas, arrastrando incluso un amago de nieve. Tenían la costumbre de tomarse un café en el parque y caminaron entre violinistas, gente comiendo sus sándwiches sentados en las sillas de hierro, negros tocando con ritmo y dureza unos bongos, un *homeless* con cara de pocos amigos, un par de bailarines de tango que desarrollaban sus nudos corporales con una soltura envidiable, las estatuas de héroes o literatos de bronce, y los patinadores de hielo, cuyas figuras y piruetas pasaban una y otra vez frente al letrero que incitaba a «liberar a tu patinador interior». Llegaron hasta los jugadores de ajedrez, hombres, mujeres, niños, viejos, todos abriéndose paso, graves y litúrgicos, entre piezas y escaques. En sus manos llevaban un par de vasos de cartón humeantes; se sentaron en un banco mientras observaban a dos jugadores enfrascados en una defensa francesa. Estrategia, tiempo, movimiento, sentido, espacio, reflexión, decisión, enumeró mentalmente Sailesh, aquel juego contenía los componentes esenciales de la vida.

—¿Sabes que hay más variantes en una partida de ajedrez que átomos en el universo, *bidhu*? Se necesitaría una partida por minuto sin repetir ninguna durante 216 billones de años para hacer los diez primeros movimientos.

Daniel asintió con un gruñido. Bebieron en silencio.

—Los rusos juegan bien al ajedrez —terminó por comentar Daniel.

—Tiene que ver con el sentido del espacio, de eso tienen de sobra allá. Los arquitectos también suelen ser buenos jugadores.

—A los indios tampoco se os da mal.

—Yo no soy especialmente bueno.

—¿Cómo era aquello del universo y los juegos de Dios? —preguntó Daniel de improviso.

—Lila —repitió Sailesh.

—Lila… Sería un buen nombre para un perfume. Podría lanzarlo Madonna o Beyoncé.

—¿Quién es Beyoncé?

La cara de Daniel fue un poema.

—Es broma —despejó Sailesh—. Mi mujer dice que quiere invitarte más a comer, te ve muy delgado.

—Tu mujer es un encanto. Dile que nunca podré resistirme a su arroz.

—De tu parte. Y también comenta que deberías empezar a pensar en alguien estable, por ti y por Lis.

Daniel se limpió con la punta de una servilleta una línea de café que le caía por la comisura derecha, mientras Sailesh se encorvaba sobre su vaso como Gollum sobre su anillo.

—Es muy amable, pero ya he pasado por ello.

—La experiencia puede servirte para que esta vez funcione.

—La experiencia es cojonuda, la putada es que cada día es diferente.

—El amor no es un cuento de hadas, Daniel, es algo prosaico.

—Prosaico, ¿qué significa prosaico?

—Significa…

—Estaba bromeando —le devolvió Daniel.

—Vale —encajó Sailesh—, quiero decir que ya no hay zapatos de cristal, ni príncipes ni nada, los últimos se apellidaban Romanov y los mataron en un sótano, hace mucho. Partiendo de esto, nunca viene mal un poco de cariño y algo de comida casera.

—Sai, lo único casero que me interesan son los vídeos porno.

—Hablo en serio.

Daniel le dio el último sorbo a su café. Se quedó mirando a lo lejos, a un punto alrededor del cual había gente, como si estuvieran rifando algo.

—Es curiosa la cantidad de matices que es capaz de registrar el oído humano, Sai —comenzó sin venir a cuento—, curioso que puedas llegar a reconocer la manera de andar de una persona, su forma de abrir una puerta, su manera de respirar, sus estados de ánimo por menudencias... Y, poco a poco, llega un día en que estás con tu mujer, acostado, acurrucado a su lado, durmiendo o no, y puedes sentirlo, que después de todas esas viejas certezas algo ha cambiado, hay algo nuevo entre vosotros dos, algo no familiar, y pueden pasar minutos, horas, hasta que os dirigís la palabra, y os miráis, y veis algo brutal, que uno de los dos ya no quiere al otro, Sai, y los dos estáis igual de conmocionados porque ambos sabéis lo que ha ocurrido, y por unos momentos, horas o días intentáis continuar con la rutina, seguís diciéndoos que os queréis, esperando quizá que vuelva el sentimiento, a veces alguna noche alguno de los dos llora y llora mientras el otro no puede hacer nada para consolarlo, y os abrazáis, y os apretáis todavía más pero no sirve de nada, nunca más volveréis a tener esas viejas certezas, y ya no hay nada...

Sailesh se frotó los ojos como si llevase lentillas nuevas.

—Es decir, que necesitas tiempo —se recuperó.

—Digamos que todavía estoy conociendo a mi tostadora.

—No son complicadas, pero ten cuidado, hay cierta soledad que termina por convertirse en pereza, en una rutina del encerramiento cómodo.

De repente, sonó su móvil. Sailesh lo cogió y se levantó para atender la llamada, dando cortos paseos a izquierda y derecha mientras Daniel intuía que los ajedrecistas se hallaban igual de empantanados en su tablero que ellos en su conversación. Si bien nadie había llegado todavía al Zugzwang, ese dilema ajedrecístico donde un contrincante pierde al estar obligado a realizar una jugada fatal porque no puede quedarse de brazos cruzados. Cuando se guardó el teléfono, Sailesh se metió las manos en los bolsillos y se sentó a su lado.

—Las direcciones de correo y las cuentas sociales de Olena Vodianova han sido saqueadas —le informó.

—¿Qué cojones están buscando? Tenemos que escarbar alrededor de esa chica.

—Y hay un par de cosas más.

—Dime. —Hizo una arrugada bola con el vaso de cartón.

—Respecto a los confidentes, continúan apretándoles, pero de momento solo hay rumores, nada serio. En cuanto a la Interpol, han sido los primeros sorprendidos cuando les hemos comunicado nuestras sospechas. De momento por ahí no hay camino, aunque parece que nuestros chicos han dado con más imágenes del sospechoso en las cámaras de seguridad de unos aparcamientos subterráneos, cerca del Samovar.

—Algo es algo. ¿Qué hay sobre el tipo de los muelles?

—Ah, sí. Se llama Dwight Hemon, es uno de los encargados del puerto de Newark. Casado, tres hijos, en principio está limpio.

Daniel se levantó y se remetió bien los faldones de la camisa. Buscó una papelera para deshacerse de la bola de papel parafinado. Reflexionó unos momentos.

—Creo que yo me quedo con ese aparcamiento —decidió—. Tú podrías ir hasta New Jersey y hablar con ese tipo. No estaría mal que te llevases algo del juez. Y que expriman de una vez todo lo que haya alrededor de Olena Vodianova. Después quedamos con Dimitri.

Dimitri era su confidente más importante.

—Muy bien.

Las masas de nubes grises parecían muy pesadas, como preñadas de metal. Por encima y entre los árboles se divisaban las inmensas formas arquitectónicas de la ciudad: ojivas, bolas de piedra, gárgolas de imaginería gótica; esa ciudad cuyo sentido primitivo era proporcionar seguridad frente al exterior, y que había devenido inútil: el enemigo ya se encontraba dentro.

Cuando Ivo pidió dos rakijas para rematar la deliciosa cena, el rostro de Erin sufrió una llamativa transformación: en su interior el rugido de sus años de liquidación se hizo insoportable, asociaba el alcohol con una clase de pecado deprimente.

—Ya no bebo —se oyó decir.

—Disculpa.

Ivo hizo un gesto reconfortante y cuando llegó el alcohol se quedó con los dos vasitos. Cogió uno de ellos entre sus formidables manos, de forma que parecía un dedal, lo acercó a su nariz, lo olió con una ligera negación de su cabeza y lo bebió a sorbitos.

—Pues me parece que si quieres sacar algo del país tendrás que volver a tomar algunos tragos. La gente habla más y mejor si la invitan.

—Seguro que hay otras formas. *Insallah*…

—Si Dios quiere, sí…

Cogió el segundo vaso y ejecutó las mismas maniobras, culminando los tragos con un estremecimiento y un rostro arrugado por la potencia del alcohol.

—Por última vez, ¿sabes que a veces es peor el reino que el caballo, la penitencia que el pecado, el remedio que la enfermedad y el cielo que el infierno tan temido?

Se sostuvieron la mirada.

—Se nota que eres un cuentista —zanjó Erin.

—De los pies a la cabeza. Muy bien entonces. Te vas a enfrentar a un mito, con todos los elementos del drama, el melodrama y la afectación... —su voz se tornó apenas audible— y también con todo el peligro que conlleva. Aquí todos son culpables, y si no les encuentras la culpa es que no has rascado lo suficiente. Viktor es la manera que tiene la gente de enfrentarse a esa culpa, su particular política del avestruz. Para ellos es un santo, Erin, el símbolo de su resistencia al invasor, aunque fuesen ellos quienes empezaron a invadir; es su manera de mantener vivo el rencor hacia una Europa que cuando intervino lo hizo con doble y triple rasero y que ni siquiera tuvo los redaños de hacerlo ella, sino que se vio obligada a llamar de nuevo al matón del barrio...

Se detuvo dándose cuenta de que su verbosidad se había vuelto casi amenazante, y su gesto fue el mismo de quien no recuerda lo que ha dicho segundos antes. Por momentos a Erin le pareció un hombre muy atractivo y muy solo, uno de esos individuos condenados por la eternidad a ser devorados por buitres o a empujar rocas.

—... como te decía —prosiguió Ivo—, ahora las imágenes de la historia son borrosas, y tampoco hay voluntad de atinar, con el peligro que implica que la próxima generación crezca sin hechos contrastados y puedan volver a ser manipulados para lanzarlos de nuevo a otra guerra. Incluso el Tribunal de La Haya se interpreta como una maniobra para humillar y castigar al país: siempre es más fácil vivir con una mentira que enfrentarse a la verdad, a la posibilidad de la culpa individual y la responsabilidad colectiva. Sin embargo... —apretó los labios— hay intersticios en los que se puede mirar; el problema es que tendrías que tratar con los malos.

—No sería la primera vez.

—No, claro. —Levantó las manos en un gesto eclesiástico—. Te lo digo porque lo único que sé a ciencia cierta sobre Viktor es que en los últimos tiempos su situación no era nada boyante.

—¿Te refieres a los negocios?

—No, no, me refiero a que la competencia llegó a hacerse realmente dura en los negocios ilegales. Se encargaban asesinatos como quien encarga una barra de pan, y te aseguro que existen ciertos personajes que hasta Darth Vader lo pensaría dos veces antes de toserles.

Erin se sentó con la espalda más recta.

—Entonces, ¿qué me aconsejas?

Ivo carraspeó y apoyó los codos sobre la mesa, entrecruzando los dedos.

—Hay un individuo que, por la cantidad adecuada, quizá pueda contarte unas cuantas cosas sobre los últimos días de Viktor. Eso sí, tienes que ser consciente de que cuando abras esa puerta será como abrirse las venas en una piscina llena de tiburones: todo el mundo sabrá que estás buscando algo.

—Correré el riesgo.

—¿Y tienes dinero?

—Tengo dinero.

—Está bien. Puedo concertar una entrevista con él. Se trata de un antiguo agente del KOS, el contraespionaje yugoslavo.

—¿Y hablará?

—No podrás decir a nadie que has tenido esa entrevista, porque si le identifican probablemente no tardarían en liquidarlo. Y a ti también.

—¿Por qué hablar entonces?

—*Pecunia non olet*. Por dinero. Y porque fue un antiguo

socio de Viktor y éste no le trató demasiado bien. Así que cualquier acción que implique joderle, contará con su bendición.

—Si hubo amor entre ellos, le odiará doblemente y podrá llegar a servirnos como nadie más lo haría. Me suena. ¿Cómo se llama?

—Da igual como se llame.

—¿Y tiene bigote?

—¿Bigote?

—Sí, bigote. Los malos siempre tienen bigote, ¿no?

Ivo sonrió. Recordó a la pareja que habían dejado en el anterior local, cuando se levantaron apenas parpadeaban, ofreciéndose seguramente sus respectivos holocaustos si el otro dejaba de amarle. Qué poco valoraban la vida los jóvenes, pensó; ellos, tan repletos de la misma, qué poco han visto la muerte, nunca ven la caída, la irrevocabilidad de su desvanecimiento. Se lo contó a Erin. Ella también se rió. Con algo de tristeza.

Tras confirmar los números del móvil y del hotel, Ivo se ofreció a acompañarla, pero ella se negó, aduciendo que prefería caminar. Se despidieron con un beso y un abrazo. Paseando de vuelta al hotel, un motorista vestido de negro se detuvo en un paso de cebra —aunque el semáforo estaba en verde—, a pocos metros de ella. Carecía de rostro debido a la suave curva de plexiglás reluciente del casco. La escena tenía algo de cliché, aunque Erin se inquietó a medida que el motorista daba gas con secos giros de muñeca, pero manteniendo su máquina inmovilizada. No fueron más que unos segundos, pero hubo un tiempo interior que transcurrió al margen y que se volvió tan elástico, que para cuando el motorista liberó su máquina, Erin se sentía unas horas más vieja.

Lo primero que hizo en su habitación fue buscar las hipotéticas pruebas de que había tenido visita. Uno tras otro los cepos seguían intactos; aun así continuó verificándolo todo en una búsqueda detallista. La ausencia de indicios le permitió abrir las compuertas a la fatiga y tras tomarse un comprimido —le gustaba el sonido de la pastilla deshaciéndose con un siseo mientras descendía por el vaso de agua— con el cual se quitó un principio de dolor de cabeza como quien se quita un yelmo, llamó para que la despertasen a la mañana siguiente y reguló de nuevo la temperatura de la habitación. A continuación se quitó los zapatos pisándose los tacones, se desvistió, se duchó, se metió en la cama, y arrancó el ordenador con un ruidito feliz. La siguiente hora la pasó enviando correos y chateando con Alvin. Pequeñas reparaciones en la casa, una reprimenda al crío, una discusión en el trabajo… Era agradable aquella normalidad, sentirse no solo deseada, sino querida, esa sensación de poder hablar con alguien y pertenecer a alguien y que la gente lo supiera. Alvin también le mandó un vídeo en el que incitaba a Alex a mostrarle cómo hacía el tigre, y el crío miraba a la cámara y rugía y Erin se desternilló de risa. Cuando cerró el portátil, aún se entretuvo mirando fotos de ellos. Pensó que era absurdo coleccionar imágenes sin ton ni son, absurdo y estúpido, como si captando cada gesto insignificante pudiéramos salvarlos dotándoles de lo más parecido a la inmortalidad. Sin embargo, aquella era la única manera de tener algún tipo de control sobre una vida imprevisible, la forma de engañarnos con eficacia acerca de una relativa impunidad. De ese pensamiento y de contemplar el techo blanco de la habitación, pasó directamente a Sarajevo. Se hallaba en aquella sexta planta, en el apartamento desde el cual se dominaba toda la avenida. Había pagado a un francotirador serbio para que le dejase acompañarle mientras disparaba a la gente que intentaba cruzar la avenida Radomira Putnika. Conversaron y fumaron juntos mientras a intervalos el tirador echaba un atento vistazo a través de la potente mira telescópica, encajado en una estrecha tronera abierta en el muro. Y allí estaba ella, en la misma ciudad en que habían asesinado al archiduque Franz Ferdinand, hablando de distancias, campo de visión, influencia del viento y la temperatura en el disparo... El serbio no representaba ningún misterio, las dosis justas de fanatismo, rencor o avaricia eran suficientes para que matase indiscriminadamente hombres, mujeres y niños, como le había confirmado sin ningún prejuicio moral; se limitaba a elegir al azar a través de la Zeiss telescópica de su rifle una vida que allí no costaba más de cien marcos alemanes. Allí abajo, en la avenida, Erin vislumbraba unos perros lamiendo algo. Al tiempo calculaba luz, texturas, la cámara le servía a ella lo mismo que al *spez*, suprimía los escrúpulos morales o sensoriales, aumentaba su tolerancia a lo terrible. A lo aterrador, a lo vergonzoso, a lo vergonzante. Y lo más peligroso: dejaba al descubierto los tabúes erigidos por la sociedad. Aquella cámara y aquella arma eran licencias, pasaportes que aniquilaban fronteras morales e inhibiciones sociales. Eximían de la responsabilidad. Los convertía en turistas del horror. En medio de su charla se había encendido un piloto rojo en el subconsciente del serbio y sus facciones se tensaron mientras se inclinaba sobre su arma, ajustaba la culata a su hombro, pegaba el ojo derecho al visor y colocaba su dedo con suavidad sobre el gatillo. Un lento movimiento del cañón hacia la derecha fue de inmediato seguido por la cámara de Erin hasta que pudo encuadrar una cría que intentaba cruzar la calle con un bidón de plástico blanco traslúcido.

Algo inexplicable.

Algo inverosímil.

No obstante, Erin empezó a tirar fotos inquietantes de aquella cría con planos bien definidos y puntos de fuga perfectos.

Fue entonces cuando el serbio, con voz fría, inflexible, le dijo aquella frase.

En los días lluviosos los coches pitaban más que de costumbre y la gente se suicidaba menos. Florence, la mujer negra que empujaba su carrito de la compra, vestida con oscuros harapos y unas enormes zapatillas blancas de deporte, de caña alta, rumiaba y rumiaba sin descanso aquella idea. El silencio, ella añoraba el silencio, era una sensación extraña ver todo aquel caos y no poder conseguir que se hiciera el silencio, era incluso amoral. Palabras y más palabras, todas aquellas almas por las calles, con sus rostros distantes o concentrados, de tonos y proporciones diferentes, chinos, andinos, eslavos, africanos... igual que un calendario de UNICEF que había tenido de pequeña y que refulgía en su mente como una Atlantis, formando parte de su infancia tanto como la muerte de sus padres o aquella Barbie enfermera que la seguía acompañando, metida ahora en su carrito entre los numerosos objetos recogidos de todos los muladares y vertederos de la ciudad, coronados por una banderita de barras y estrellas. Aquel carrito era su casa, su país, su nacionalidad, su ángel munificente. Y con él se movía como una gran señora entre gente supersticiosa y poco civilizada, pero, sobre todo, gente ruidosa.

Aparcó el carrito frente a uno de los contenedores lleno hasta el borde de restos empapados y flácidos, sobre los que repiqueteaba la lluvia que en ese momento hacía también pequeños cráteres en el polvo acumulado en unas ventanas bajas. En aquel callejón aparcó su reino y se puso a rebuscar entre los residuos; mientras escarbaba, una corriente de críos latinos pasó corriendo, envueltos en chubasqueros, en medio de un ondulante rastro de español que acabó por salpicarla con lacerantes insultos; uno de ellos incluso la empujó, viéndose obligada a sujetarse contra el borde del contenedor. Malditos, malditos demonios. Se mordió los labios de impotencia, pero continuó removiendo los detritos en medio de un hedor que ella ya no percibía, cuando repentinamente entró en el callejón un enorme vehículo oscuro con las lunas tintadas, seguido de un cuatro por cuatro también oscuro. Parecían vehículos impenetrables, santuarios que avanzaban lentamente sorteando algún obstáculo con la contundencia y seguridad que les daba su tamaño. Se hallaban ya a punto de embocar la salida cuando un camión la bloqueó al tiempo que una furgoneta entraba con velocidad por el extremo contrario, bloqueando toda escapatoria. La furgoneta chocó con violencia contra el parachoques trasero del cuatro por cuatro, mientras sus puertas se abrieron vomitando hombres con armas automáticas y los rostros cubiertos por pasamontañas. Las balas hicieron explotar las ruedas traseras de los dos vehículos y destriparon a los guardaespaldas del todoterreno, que no estaba blindado, al contrario que el primer coche, que resistió el fuego retumbante cubriéndose de una red de abolladuras, chispas y descascarillados.

Florence, escondida tras el contenedor, fue testigo de cómo la acción se detenía en el escenario como si un regidor secreto hubiese decretado un súbito cese de la acción; los encapuchados mantenían encañonados con sus AK-103 y R-15 a los hombres en el interior del mastodonte, que habían sacado las pistolas a fin de proteger al individuo que se hallaba en el asiento trasero haciendo llamadas enloquecidamente con una Blackberry. Para protegerle tendrían que bajar las ventanas a prueba de balas, lo que permitiría a los fusiles de asalto penetrar en el interior. El statu quo se rompió cuando uno de los encapuchados se acercó a las ventanillas traseras y acercó su nariz al cristal. Levantó su arma moviéndola en círculo en una señal acordada sin dejar de escudriñar el interior. Dos hombres se subieron encima del portaequipajes. Llevaban pesados mazos. Los balancearon y comenzaron a golpear la ventana trasera, que a pesar de su refuerzo quedó marcada y, paulatinamente, fue abollándose. En el interior, el hombre, presa de un ataque de pánico, marcaba otro número de teléfono. La ventana se aplastaba en un enorme bulto hacia dentro, aunque no acababa de ceder, hasta que se abrió un pequeño agujero bajo los mazos, un orificio del tamaño de una moneda. Suficiente para que pasase la boca de un AK. Vaciaron todo un cargador dentro del coche. Dos de los guardaespaldas abrieron las puertas y salieron, tirándose directamente en el suelo. Otro quedó muerto en el interior. Y en el asiento trasero lo único visible fueron unos cristales manchados de una gelatina oscura. Florence lo seguía todo con la boca abierta, pensando estúpidamente para quién habría sido la última llamada de aquel hombre. Uno de los enmascarados la descubrió fortuitamente y avisó al hombre que se empeñaba en estudiar la carne reventada y agujereada. Éste elevó un poco el mentón y engarfió los dedos de su mano derecha en el borde del pasamontañas, deslizándolo hacia arriba con lentitud, hasta dejar su cara al aire, un rostro barbado y con una cabellera larga suavizando el duro contorno de sus facciones. En el movimiento el puño de su chaquetón se corrió hacia el codo descubriendo un complejo entramado de cruces y bayonetas que se deslizaban sobre los músculos y tendones hechizándola como un baile de llamas. Las mentiras comenzaron a temblar en los labios de Florence. La lluvia caía con fuerza. En la mirada del hombre no había violencia, solo una mezcla de ironía y curiosidad. Aparte de eso, Florence no podía leerle, no podía leerle en absoluto, únicamente sacó en limpio que parpadeaba con una frecuencia anormal. En ese momento estaba anocheciendo en Europa.

4

La materia oscura

Jueves, enero, 8.07 h

Al póquer no se juega con tus cartas, sino con las de enfrente. Ésa era una verdad que Erin se sabía al dedillo. Y su trabajo a partir de ese momento consistía en contarlas y descubrirlas. Por la mañana estuvo hasta bien entrado el mediodía repasando la información que almacenaba con la sistematicidad de un arqueólogo. Luego consultó periódicos y correo electrónico, y acabó echando una partida en línea de World of Warcraft con su hijastro; su avatar, un mago de la Alianza que combatía hombro con hombro con un guerrero, Alex, le permitía quitarse la armadura de la personalidad y volver a la infancia: ya no eran lo que producían, sino lo que jugaban. Estuvo cerca de una hora liquidando orcos, trolls, elfos de sangre y muertos vivientes, hasta que abandonaron aquellos metaversos. Antes de cerrar el ordenador aún echó un último vistazo a la foto de Viktor. Nada nos atrae más, nada es más seductor que los objetos puros, pensó, aquello que no nos necesita, aquello que no sufrirá por nosotros.

Dedicó una hora a pasear por la ciudad, a familiarizarse de nuevo con esa tónica singular en la que se mezclaba lo bello y lo terrible, lo renovado y lo abandonado, lo nombrable y lo innombrable. Finalmente llegó al bulevar Kralja Aleksandra. Allí había una hermosa iglesia dedicada a san Marcos; era un edificio de tonos rojos y ocres, en bronce, ladrillo y madera. Erin se sentía inmediatamente protegida en el interior de los templos; entendía que era subjetivo, también había quien se sentía protegido bajo un paraguas en medio de un fuego de artillería, pero el aroma del incienso le recordaba que entre creer y no creer, ella había elegido creer. Erin se sentó en uno de los bancos para ser testigo de las evoluciones de uno de los sacerdotes. Fastuoso como un huevo Fabergé, llevaba una enjoyada casulla azul brillante con un corazón rojo bordado y esparcía humo con su incensario, kirieleisón, salmodiaba, kirieleisón, abriendo profundos surcos azules en el aire. A medida que las celebraciones se sucedían, sintió el vacío que había detrás de cada símbolo, pero también que la realidad mítica no era menos real que la histórica. A la postre, ¿qué era más fuerte, el ritual o la indiferencia?, ¿qué era más tangible?

—Usted es Erin Sohr.

El susurro brotó en su hombro izquierdo como una de las numerosas preces que en ese momento musitaban los devotos. No fue una pregunta, sino una afirmación. Erin se tensó y quiso darse la vuelta.

—No, no se dé la vuelta, señora. Siga rezando. Me ha llamado Ivo, usted sabe quién soy. Nos veremos en media hora en el Kalemegdan, yo me acercaré a usted.

—De acuerdo —contestó Erin.

A sus espaldas oyó el crujido de la madera y después unos pasos que se fueron alejando. Transcurrieron todavía unos minutos antes de que decidiera levantarse y salir de la iglesia. Un cielo azul y naranja, en retirada, la acompañó hasta el parque de tilos y castaños de hojas rosadas; bordeó las murallas que lo delimitaban mientras se mezclaba con patinadores, vendedores de todo lo imaginable, jugadores de baloncesto, corales cantando, y viandantes de toda condición, hasta llegar a su entrada donde se alineaba una fila interminable de vehículos blindados y piezas de artillería de todas las épocas. Se sentó en un banco y aguardó atenta a la corriente de gente que iba barajando cuerpos y rostros en el gran guiñol del mundo. De ella se apartó un individuo desgarbado y tan delgado como si hubiera crecido siempre a la sombra. Su pelo era gris y fino, y su mirada, un tanto estrábica. Se sentó en el banco a su lado, apoyando los codos sobre sus rodillas, y comenzó a hablarle como se hace en los regateos, interesándose por algo distinto de lo que quería conseguir.

—Parece que dentro de poco volverá a funcionar el tren a Sarajevo.

Erin estudió al recién llegado. Su ropa era neutra, casual. Lo que más le llamó la atención fueron las puntas de sus dedos, como de marfil quemado debido al tabaco.

—Facilita muchas cosas —respondió.

Erin se imaginó que el desconocido sacaría un cigarrillo y haría tiempo, pero éste se limitó a permanecer inmóvil y repetir tres o cuatro notas musicales.

—Espero que no haya traído grabadora —recalcó.

—No creo que tenga que registrarme.

—Hum, no, no hará falta… —Titubeó—. Bien, y ahora está usted aquí…

—Sí.

—Y dice que él sigue vivo.

—Eso creo.

—Eeeeso cree —repitió alargando la primera palabra—. Bueno, ¿quién sabe?, no sería extraño, ha sobrevivido otras veces, es su estilo. Ahora lo que deberíamos hacer es asegurarnos de que no habrá más veces.

Erin permaneció en silencio.

—Bueno, entonces, ¿qué desea? —preguntó.

—Primero dígame su nombre.

—¡Mi nombre! —Pareció hacerle gracia—. Mmm…, llámeme Shrek.

Erin no movió un músculo.

—Bien, Shrek, lo que deseo es la historia de Viktor.

—Su historia ya está en los libros.

—No me interesan exactamente los hechos, sino cómo los ha visto usted.

El hombre pareció seguir la rutina del bebedor, los rasgos se le crisparon en ira, para luego mostrar sensiblería, cierta tristeza y por último rencor. La miró; definitivamente tenía algo raro en el rostro, como si se hubiera operado de miopía y no se acostumbrase a no llevar lentes.

—Yo conocí a Ratko cuando no era nadie. Un chico de la calle, pero que ya desde pequeño quiso llamar la atención, quizá porque en su casa no contaba demasiado. Sufría una furia de vanidad, no podía resignarse a una vida mediocre, pero curiosamente no tenía ni la fuerza ni la capacidad para cambiarla. Penaba por ello, por ese deseo irresistible de ser lo que no era, lo que fuera pero distinto, o al menos que pareciera distinto. Sí, buscaba que la mirada de la gente no resbalase fría por él, provocar asombro, eso era lo que quería.

Tosió un poco, el esfuerzo repercutió en todos y cada uno de sus rasgos flacos y puntiagudos.

—Desde siempre quiso desconcertar, provocar, ya fuese con extravagancias en el vestir, con su conducta o en el habla.

—La edad del pavo...

—No, era más que eso, había algo desdeñoso, un vacío que había que llenar. Y mentía constantemente, presumía de vicios que no había logrado tener y de virtudes que nunca alcanzaría. Llegó un momento en que no había en él un rasgo sincero, auténtico o constante. Bueno, quizá sí uno, el fútbol, le gustaba, mucho, tal vez fue su único resto de realidad.

—Creo que más adelante fue incluso directivo del Partizán.

—Duró poco, pero sí. El problema fue que todas esas mentiras y extravagancias inagotables no engañaban a nadie y lo convirtieron en un payaso. Acabó odiándose a sí mismo por todas las máscaras baratas con las que había intentado destacar, fue consciente de que todo ese carnaval no había hecho más que degradarle. Muchas veces se le veía febril, desamparado. Débil.

Erin sintió intensificarse su deseo de ahondar en aquella vida.

—¿Y qué pasó?

—Se cansó, abandonó poco a poco sus actuaciones y máscaras. Esa búsqueda febril para obtener la aprobación o atraer el asombro o la risa o la admiración o el respeto, se transformó en otra cosa. Durante una época no pareció él, andaba solo, días y días, encorvado, con la mirada huidiza. En aquella época todos éramos unos raterillos, siempre andábamos metidos en líos. Ratko empezó a beber como un condenado, tuvo más enfrentamientos con la familia, hasta que sin decir nada desapareció, se marchó a Occidente.

El hombre la miró serio, pero detrás de la primera mirada había una segunda que intentaba esconder. Erin reconoció ese momento en que algo se rompe en el interior de una persona, algo que normalmente separa fantasía de realidad.

—Todos sabemos lo que hizo en Europa.

—Pero no todos saben lo que sucedió cuando regresó...

La terminal marítima de Newark, a unos ocho kilómetros al oeste de Manhattan, era la de mayor tamaño en su clase de la costa Este, y una de las más importantes del mundo en cuanto a tráfico de contenedores. Al contemplar aquella extensión infinita de paralelepípedos multicolores, las grúas ciclópeas —parecidas a los AT-AT Walkers, los dinosaurios metálicos de *El Imperio Contraataca*—, los profundos muelles, el primer pensamiento de Sailesh fue que ojalá no tuviesen que buscar nada en aquel pajar. Y lo deseó porque su intuición y la orden que llevaba en el bolsillo le indicaron que sería lo más probable. Traspasaron los controles del puerto y se encaminaron a las oficinas. Pudo entrever a Dwight Hemon con cierta anticipación; su gruesa figura se perfilaba a través de los cristales dobles de su despacho. Llevaba una imposible camisa color aguacate y se movía de una manera furibunda, casi demente, mientras hablaba por teléfono. Cuando uno de sus ayudantes le introdujo en la habitación —un pequeño oasis de mal gusto en cualquier dirección—, Hemon aparcó el móvil y sonrió como si estuviera en un anuncio de felicidad. Sailesh se presentó severo y oficial, pero aquel tipo habló y habló por los codos, a pleno pulmón sobre el pasado y el futuro y el béisbol y las hipotecas y cualquier cosa que hubiese bajo el sol hasta que Sailesh perdió el hilo y las palabras se transformaron en sonidos sin forma. Se sorprendió de que aquella cotorra ni siquiera le hubiese preguntado el motivo de su presencia.

—Chevengur —le contuvo finalmente.

Hemon hizo una pausa larga.

—¿Le apetece un café? —inquirió como si no le hubiese oído.

—Chevengur, ¿le suena ese nombre? Es ruso.

—Por aquí hay mucha gente del Este. ¿Trabaja en los muelles?, ¿se ha metido en problemas?

Sailesh fingió estar ofendido para provocar incomodidad en su interlocutor, pero aun así condescendió a hacerle una breve sinopsis. Finalmente, Hemon explicó, prometió, halagó y rogó para convencerle de que él no tenía ninguna relación con tamaño leviatán comunista, como lo llamó de una forma inesperadamente barroca.

—Y entonces, ¿por qué su última llamada fue a su móvil?

Hemon sonrió histéricamente.

—Eso es imposible.

—Bien, si tuviéramos tiempo podríamos discutir ese concepto, pero desafortunadamente no lo tenemos. El hecho es que el señor Ilya Mihailev le llamó y habló con usted unos quince minutos. Si a eso le sumamos que en sus muelles recalan barcos provenientes del Caspio, y que el señor Mihailev tiene negocios en esas áreas, no sería desventurado presumir algún tipo de relación.

—Aquí todo es legal.

—Por supuesto, por supuesto, en América se roba siempre al estilo americano, con abogados, firma y rubricados —bromeó.

—Usted no parece muy americano.

En el mismo instante en que se le escaparon esas palabras, Hemon supo que había cometido un error irreparable. Sailesh sonrió, mostrando la sonrisa de la civilización, esa mueca mezclada con ironía y respeto, salvo que este último había desaparecido. En ese momento el móvil de Hemon comenzó a sonar en modo vibrador y a deslizarse sobre la mesa.

—Si es su mujer posiblemente hoy no vaya a comer —puntualizó Sailesh—, porque tenemos aquí una orden que nos permite echar un vistazo a su patio trasero. —Indicó con un gesto los contenedores que se perdían en el horizonte de la oficina—. No obstante, nos ahorraría mucho trabajo comprobar primero la documentación de los mismos para establecer los puertos desde donde han zarpado.

Hemon hizo caso omiso del móvil y se negó por varias razones, que era mucho peor que si lo hubiese hecho por una sola. Resultaba más endeble, infinitamente más sospechoso.

—Déjeme ver esos papeles —cedió finalmente.

Sailesh hizo un gesto a su hombre, que se acercó a Dwight Hemon con los documentos pertinentes. Cuando terminó de comprobarlos, llamó a uno de sus ayudantes y le indicó que les imprimiera un listado con todos los contenedores que provenían de las antiguas repúblicas soviéticas; daba igual las escalas que tuviesen programadas. La lista no andaba lejos de los decimales de Pi, y Sailesh pudo comprobar en la sonrisa de Hemon lo que ambos pensaban. No obstante, la sal del cinismo que cubría aquel gesto no hizo más que reforzar su impresión de que si aquel tipo había cedido ante Chevengur, éste no había tenido que presionarle mucho para aceptar sus óbolos. Consideró que su buena obra de aquel día consistiría en jodérselo a Hemon.

—En fin, si su matrimonio va bien, me alegro, aunque, si he de serle sincero, el mío ha entrado en una etapa de monotonía, ya me entiende, cuanto más tiempo pase fuera de casa mejor. No tengo prisa. Ninguna prisa…

Justo en el momento en que Shrek iba a continuar, un frisbi de color naranja fue a aterrizar a sus pies. Lo recogió y lo sostuvo ante él con las dos manos, como si fuera un periódico. Una adolescente de rostro bronceado a pesar de la gelidez del aire se acercó con una sonrisa y una disculpa. El hombre se quedó observándola con unos ojos de pez, inmóviles; Erin aventuró lo chocante que podía resultarle moverse entre dos realidades, guerra y normalidad —mientras en una podría violar impunemente a aquella chica, en otra debía devolverle educadamente su juguete—, porque ninguna de las dos acababa de resultarle convincente. No obstante, la única muestra de violencia interna consistió en tardar un poco más de lo debido en devolver el platillo. Lo hizo con una sonrisa.

—¿Qué ocurrió cuando Viktor regresó? —rehiló Erin, limpiándose un poco de agüilla que caía de su nariz.

—Era una voluntad ordenada, energía sin duda ni crítica. Una especie de fiebre —explicó crípticamente.

—Una fiebre… He oído definir a un hombre de muchas formas, pero nunca como una fiebre.

El hombre elevó las manos casi en comunión.

—Así era. Intensidad. Volvió de Occidente con una visión completa, testigo de cómo las prósperas, bienpensantes y legales democracias tenían necesidades ilegales que cubrir, y él se aprovecharía de esas debilidades. Los buenos burgueses también tienen derecho a acostarse con prostitutas, esnifar coca con billetes de cincuenta euros, fumar tabaco de contrabando, tener servicio doméstico contratado por salarios de hambre, e incluso a una prerrogativa sobre los riñones y corazones de ese servicio doméstico para sus trasplantes… Tras la Caída del Muro lo organizó todo, a pequeña escala todavía, pero para cuando comenzó la guerra y el bloqueo en el 92 ya había creado una densa red de contactos y amistades. Y entonces…

Erin percibió una mezcla de inferioridad, celos, resentimiento, admiración.

—… entonces empezamos a moldear la realidad. Eso era lo que él nos repetía. ¿Sabe lo que significa?

Aquel había sido un momento de honradez absoluta, sin premeditar. Shrek respiró con voracidad, como si hubiera echado una calada, y Erin abrió y cerró la boca: había aprendido a no tener respuesta para todo.

—Empezamos a ganar dinero, señorita —se respondió árido, expeditivo—. Y el dinero es una energía poderosa, tiene vida, como la electricidad, todo aparece y desaparece si pagas lo suficiente, y al igual que ella hay que pensar cómo conducirlo, hacia dónde canalizarlo. En realidad, la gran estupidez de Occidente fue la resolución 752…

—Las sanciones económicas.

—Aquello convirtió los Balcanes en una gigantesca máquina de contrabando y delincuencia. Y a alguno de los mandos se puso Viktor. Mientras los nacionalistas se mataban entre ellos, quienes los azuzaban eran los mismos que en privado colaboraban como buenos socios comerciales. Las cuatro Ces de Serbia, la lila de Bosnia, el águila de Albania, el pabellón cuadriculado de Croacia… el patriotismo extremo era la bandera con la que cubrir los buenos negocios, y la policía, las mafias, los financieros, todos estaban cubiertos de mierda. Unos necesitaban armas; otros, combustible, y solo era cuestión de tiempo que por los mismos canales que circulaban estos productos lo hiciera el resto: drogas, coches de lujo, cigarrillos, mujeres… La violación de las sanciones era continua y con la connivencia de todos, y en medio se hallaba el UDBA y el KOS, siempre con el visto bueno de Milosevic, y junto a todos ellos, Viktor. —El hombre hizo un inciso—. Usted creo que estuvo en Sarajevo…

Erin se puso en guardia.

—Sí.

—Durante el asedio los señores de la guerra bosnios que controlaban la economía de la ciudad, comerciaban con sus homólogos serbios que la sitiaban a fin de subir el precio de los alimentos básicos y poder pagar toda la orgía de guerra y excesos. Es solo un ejemplo.

Erin se relajó, pero rememoró incómoda la gigantesca ola oscura que había sumergido a la antigua Yugoslavia, y que en su retirada la había devastado por partida doble.

—¿Y cómo sirvió Viktor al demonio en esos días? —inquirió dramáticamente.

—¿Al demonio? —Shrek sonrió por primera vez con sinceridad, aunque luego se corrigió como quien pide disculpas—, en realidad ni siquiera le sirve a él, solo a sí mismo. Viktor hizo lo que hizo, en la guerra y en los negocios, y ya está —resumió.

En la mente de Erin apareció una famosa escena de Viktor mirando a la cámara, mientras a sus espaldas sus hombres alineaban muertos en filas desiguales. ¿Por qué?, se preguntó, ¿por qué se alineaban siempre los cadáveres? ¿Por qué no ponerlos en círculo?, ¿o formando una uve?, ¿o de cualquier manera, aquí y allá?

—Y entonces, ¿qué ocurrió para que él tuviese que fingir su muerte?

La mirada del hombre se volvió torva, desconfiada. Y esta vez sí, encajó dentro del cliché de fumador que Erin había conformado y sacó un paquete de Stuyvesants. Con la primera calada experimentó una satisfacción completa, incontrolada, sin repliegues.

—Ocurrieron muchas cosas, señorita, pero la más sustancial fue la competencia. Como en todo negocio de éxito, siempre hay gente que intenta colarse. A partir de la guerra del tabaco con Montenegro, y luego durante la guerra de Kosovo, los grupos se multiplicaron, y los asesinatos tanto políticos como económicos devinieron en una peste. Y después de la derrota de Serbia, y especialmente tras la caída de Milosevic, la situación se volvió muy complicada para él. Ya había sufrido algunos intentos de asesinato, no era nada nuevo que trataran de liquidarle, pero durante la primavera sangrienta de 2000 pasó algo, algo de lo que nunca antes había sido testigo…

Los halos lívidos de las bombillas daban a la piel de aquel guardia de seguridad una apariencia apergaminada, espectral, aunque Daniel estuvo seguro de que no tendría mucho mejor aspecto a la luz del día. Se parecía mucho a Benny Hill, y no pudo evitar imaginárselo persiguiendo a cámara rápida a un viejito mientras le palmeaba aceleradamente la calva. Se hallaban en una habitación de control, llena de monitores, que olía a esa mezcla de piel sintética y polvo quemado de las cortinas de aire caliente de las entradas comerciales. Aquí y allá, una radio, termos, bocadillos a medio comer, un calendario de fútbol americano… En las pantallas había imágenes de tiendas de ropa con los cierres echados, hamburgueserías y locales de comida rápida de colores chillones y plastificados con enormes salchichas clavadas en montañas de puré, fuentes y palmeras en un atrio central, escaleras mecánicas detenidas, un parking gélido y vacío, pasillos intestinos, grises, llenos de puertas cerradas.

—¿Sabes? A veces, cuando llevo muchas horas mirándolos, creo que son secuencias rotativas, que nunca cambiarán…

La confesión espontánea pilló por sorpresa a Daniel, que observaba los monitores mientras cambiaban las tomas y veinticuatro nuevas imágenes parpadeantes aparecían en pantalla. En una de ellas el compañero de Ian, el verdadero nombre de Benny Hill, caminaba brevemente haciendo su ronda.

—Otras veces se ven cosas, ¿sabes? Cosas que no deberían estar ahí.

Daniel estudió ahora sus ojos turbios, inflamados por el insomnio y una alimentación repleta de almidón modificado y grasas hidrogenadas.

—En ocasiones creo que la vida se me está escapando, que debería dejar este trabajo —completó.

Eran las cuatro de la mañana, y Daniel se preguntó qué cojones hacía escuchando las confesiones de un guardia de seguridad que le seguía contando que las dos horas entre las seis y las ocho eran las mejores para él, porque adoraba las tímidas incursiones de los primeros trabajadores, los limpiadores eliminando los rastros de la noche anterior, abrillantando, puliendo, barriendo, el olor a productos desinfectantes, el hilo musical que sonaba etéreo, ingrávido, ese despertar del centro que le aliviaba y le calmaba antes de irse a dormir. Todavía le dejó explayarse algunos minutos más antes de preguntarle de nuevo por Viktor.

—Querría seguir el trayecto que hizo el sospechoso, Ian.

El guardia pareció despertar de su desdicha sonámbula y carraspeó. En el material requisado de las cámaras de seguridad habían reconocido al supuesto Viktor y reconstruido el itinerario que había seguido gracias a una concienzuda labor de montaje entre los diversos ojos electrónicos. Por supuesto, por supuesto, contestó. Con el crepitar de su talkie avisó a su compañero de que empezaba una ronda con su invitado, y volvió a mirar a Daniel como si fuese un habitante de otro mundo. Luego su expresión se volvió seria, decidida.

—Sígueme.

Comenzaron una ronda por el centro comercial, por toda la belleza, el deseo y los descuentos de la epifanía mercadotécnica en la que se basaba el sueño americano. El aire ozonado, la ausencia de ventanas para que las familias no controlasen el tiempo, la amplitud, el lujo en ciertas zonas, las majestuosas fuentes, todo invitaba a la liviandad, a la velocidad, a comprar como un indicativo de felicidad. Acompañados por el ruido estático del talkie, Daniel recordó que su última ruptura había sucedido en un centro comercial. Llegaron a una de las puertas de servicio y el paisaje cambió tajantemente. Largos corredores de hormigón, grises, larguísimos, con una ventilación deficiente. Era un universo oculto y paralelo, kilómetros y kilómetros de tuberías, cables, conductos de ventilación, cajas de fusibles, mangueras contra incendios… Pasillos angostos que inesperadamente mutaban en cavernosos muelles de carga y descarga, mientras otros más amplios no llevaban a ninguna parte. Todo irradiaba una luz sucia, todo olía a polvo reseco. El guardia le contó que solía deambular por los pasillos durante horas comprobando picaportes y puertas, y algunas veces se perdía, aunque aseguró que le gustaba estar perdido.

—Pero algunos compañeros creen que por aquí hay fantasmas. Oyen golpes, susurros, notan cambios de temperatura…

—¿Y tú qué piensas? —se interesó Daniel con educación.

—Hum… —se detuvo, como si no pudiese pensar y andar a la vez—, yo creo que son cuentos de viejas. Lo que sí es verdad es que a veces sientes cierto… nerviosismo. En ocasiones te extravías, crees que conoces el camino pero acabas en un pasillo sin salida, al final hay un muro de ladrillos, y notas como algo en el estómago, no sé, y te da reparo girarte, como si fueras a encontrar a alguien detrás, cerrándote el camino, y entonces retrocedes sin apartar los ojos del muro. Esto no lo cuento habitualmente, de hecho no sé por qué te lo cuento, y aunque tengo miedo de que haya alguien detrás, le tengo más miedo al muro, prefiero no perderlo de vista…

Los ojos bovinos de Ian escrutaron a Daniel mientras se recolocaba el pesado cinturón cargado como un árbol de navidad con todo tipo de gadgets. Daniel asintió, colocó los brazos en jarras y echó un vistazo alrededor.

—¿Crees que vamos bien? —preguntó.

Ian pareció despertar de su narcolepsia.

—Sí, vamos bien.

Continuaron recorriendo los pasillos bajo el débil zumbido de los fluorescentes y el sonido opaco de los motores de ventilación. Las veinticuatro pantallas y los ocho ángulos de cámara diferentes del centro de control, podían mostrar su avance errático de ciento noventa y dos formas distintas. En ningún lado había rastro de vida. Daniel se preguntaba qué hacía allí Viktor, qué había venido a hacer vestido con un mono desteñido y una gorra un día antes de la explosión. Habían investigado el logo de su manga derecha y pertenecía a una de las tiendas de artículos para jardinería; un local que todavía no se había inaugurado y que habían investigado sin resultados concretos. Al parecer el local había sido comprado por una firma de abogados como testaferro. Ian volvió a requerir su atención señalándole aquí y allá el recorrido que habían grabado los ojos electrónicos, hasta que se plantó en un nudo de corredores.

—Aquí se pierde la pista.

Lo dijo *sotto voce*, como sorprendido de su propia voz. La intersección de pasillos se prolongaba en varias direcciones, difuminándose gradualmente en la penumbra. Hay una oscuridad para los vivos y otra oscuridad para los muertos, recordó Daniel de algún sermón adolescente, y no hay que mezclarlos. Titubeó como un político entre la conciencia privada de la imposibilidad de continuar y la defensa pública de la posibilidad.

—¿Y las cámaras?

—Las pocas que hay a partir de aquí han dejado de funcionar y no se han sustituido.

—¿Qué hay por ahí? —preguntó señalando las sombras.

—Hum… —el vigilante se rascó la nariz—, hay una zona que va directamente al metro, es ese pasillo. En ese intervalo no hay cámaras. El resto son depósitos que hace tiempo que no se utilizan, es una zona fantasma.

—¿Cómo una zona fantasma? Creía que estaba todo vigilado.

—Este centro comercial tiene unos cuantos cientos de miles de metros cuadrados y kilómetros de pasillos. Además se construyó sobre un antiguo complejo industrial de principios de siglo; quedan por ahí un montón de galerías y almacenes en los que nadie ha entrado nunca, se necesitaría una copia de los planos originales.

Telarañas de pasillos. Cómodas entradas al metro. Facilidad para justificar cualquier presencia uniformada. Una situación estratégica en el interior de Gotham. Lo más factible era que su particular murciélago serbio tuviera su cueva meticulosamente proyectada. Daniel intentó penetrar las sombras con sus ojos, aquello era Nueva York antes de cubrirla con cien años de rutilante riqueza, una Nueva York llena hasta los bordes de mitos precoloniales. Su instinto le decía que allí todavía no había una solución, pero sí una corriente, asociaciones, correlaciones, un ritmo. Lo sentía en los huesos, solo era cuestión de aguardar a que los detalles le hablasen una lengua que él pudiese entender.

Los acontecimientos siempre conducen al conflicto, sin engaño, sin clemencia, murmuró Shrek entre calada y calada, Viktor también lo sabía, lo aceptaba sin odio, sin enfado, era capaz de matar sin ningún atisbo de odio. De lo más curioso...

Echó una calada al Stuyvesant por la comisura de sus labios; le pareció dulce. Todo su cuerpo transmitía desconfianza, sinuosidad. Prosiguió.

—Viktor siempre estuvo dispuesto a luchar, formaba parte de ese pequeño grupo de hombres que es capaz de tomar decisiones y en cuyas manos el resto es barro moldeable. No estaba hecho para ser pequeño, así que estudió a las bandas que le amenazaban, gastó mucho dinero, pero no solo eso, aprovechó los rencores, esos insultos que pueden vivir dentro de un hombre mucho tiempo, escarbando como una lombriz hasta ponerse gorda —como tú, pensó Erin, igual que tú—. Al final tenía una agenda con nombres y lugares para encontrar grietas y lanzar ataques y fragmentar al enemigo en trozos que se pudiesen devorar.

Erin parpadeó frenéticamente. Le animó a seguir.

—Pero un día sufrimos una emboscada, también el enemigo nos tenía vigilados, a Viktor le dispararon en el hombro, escapó de milagro. Recuerdo que vomitó y le temblaban los brazos, por raro que pudiera parecer nunca había recibido un tiro. Pero no fue el dolor lo que más daño le hizo, sino el enojo contra sí mismo, contra su estupidez, porque no puedes espiar a la gente sin cambiar su mundo, si están alerta notarán los cambios. Ellos también habían escogido un lugar, un momento y un método para declarar la guerra, y casi le habían reducido a la nada. La guerra continuó, hubo asechanzas mutuas, ellos nos mataban y nosotros los matábamos, pero en el cómputo general nos estábamos desvaneciendo, no teníamos la profundidad de banquillo de otras bandas.

El hombre se detuvo otra vez, como examinando la conexión de los eslabones, las cadenas de causas, hacia delante y hacia atrás, que pudieran revelarle un comienzo.

—Hasta que se dio cuenta de que estaba luchando para perder, no para ganar la guerra. Revisó su agenda, todos los esquemas de la organización… revisaba tanto aquella dichosa agenda negra… era la misma obsesión con la que consultaba los resultados de fútbol. Para comprender la mecánica que nos aplastaba, para desmontar el engranaje. Y como en un partido comprendió que había que neutralizar a la cabeza, cortarla, a quien fuese su Cruyff o su Garrincha. Hasta que encontró un nombre en aquella agenda, Zhivkov, Artyom Zhivkov, que no coordinaba nada, ni contrabando, ni drogas, ni mujeres, ni tratos con constructores… nada. Ni siquiera se le había visto especialmente cerca del jefe oficial. Nadie sabía dónde vivía, ni si estaba casado, o tenía hijos, o le gustaba el fútbol. Y sin embargo cuando iba a su casa subía directamente al apartamento del jefe, sin hacer cola, daba igual con quién estuviese reunido. Él era el verdadero general, él era el hombre que nos diezmaba, nos engañaba. Le mantenían aislado, protegido, y solo lo traían cuando había problemas. Lo que sobre todo parecía obsesionar a Viktor era que no conocíamos su aspecto, no teníamos fotos, eso se arrastraba por debajo de su piel, le devoraba… —Echó una última calada a su cigarrillo—. Dicen que solo conocemos el cuatro por ciento de la materia del universo; el resto lo desconocemos, es la materia oscura, y sin embargo en esa materia consiste el universo…

Erin se sobresaltó por la inesperada digresión y le observó; su mirada era como una pared.

—¿Y cómo lo cazaron? —Erin formuló la pregunta con prudencia; rectificó—. Si lo cazaron…

—Siempre hay un eslabón débil en toda persona, lo difícil es encontrarlo, pero una vez que lo hallas, que sabes la necesidad de tu enemigo, todo es más fácil. Zhivkov esnifaba una mezcla de *brown sugar*, el muy estúpido. Era de una calidad excelente, y en aquella época solo la suministraba una persona, únicamente tuvimos que hacerle saber a esa persona que si quería seguir con su negocio debía contarnos algunas cosas. Dimos con Zhivkov. Y entonces ocurrió…

La profunda perplejidad del pasado había dejado huellas en la actual incertidumbre del hombre. Fue a sacar otro Stuyvesant, pero lo pensó mejor y de un bolsillo sacó un kiwi y comenzó a pelar su rugosa piel de color gris pantanoso. Mitad curioso mitad cínico le ofreció a Erin, que rehusó.

—Siempre me deja a medias —le reconvino con amabilidad.

Shrek sonrió.

—Entonces ocurrió… entró en la habitación donde le habían detenido. Artyom Zhivkov aún estaba medio amodorrado por la droga, parecía adormilado, como si no se diera cuenta del todo de lo que estaba sucediendo. Viktor le cogió de las manos atadas con un alambre celeste y le agitó con violencia, le dio un golpe en el hombro, para que todos nos riéramos de aquella marioneta, para que nos diéramos cuenta de que a la persona temida se le dota de ese miedo, es la veneración y no la persona la que tiene el poder. Se burló de él y lo celebró con nosotros, pero después de un rato pidió que lo dejásemos solo. Salimos y aguardamos todavía felicitándonos, haciendo apuestas sobre lo que le estaría haciendo el jefe. Pero el tiempo pasaba, y no oíamos nada, hasta que decidí llamarle, pero tampoco contestaba. Terminé por entrar en la habitación —le dio un mordisco al kiwi; se limpió una hebra verde esmeralda del labio—, y allí estaba Viktor, con una expresión concentrada, estudiando cada uno de los rasgos de Zhivkov, cada uno de los reflejos en sus ojos vidriosos. También le había quitado la camisa y había dejado al descubierto un torso tatuado, pasaba las yemas de sus dedos por aquellos laberintos sudorosos, un mapa de vida y muerte repleto de crucifijos, arañas, alambres de púas, manos cortadas...

Erin sabía de la afición del crimen organizado ruso por los tatuajes.

—¿Rusos?

—Ah, sí, los rusos... —comentó sin garantizar ni rechazar—. Entonces le pregunté qué le ocurría, si se sentía bien, pero él levantó una mano en silencio y la agitó para indicar que no ocurría nada. Sin embargo me miró con una expresión enajenada y me dijo: soy yo, qué significa eso, apuntando a Zhivkov. Cerré la puerta a mis espaldas para que el resto de los hombres no le viese en aquel estado y pregunté de nuevo si se sentía mal. Pero continuaba mirando a aquel desgraciado con la boca abierta, como si con ella quisiera abarcar lo insólito de la situación, lo que fuera que estuviera pasando por su cabeza. Al final, como si hubiera acabado de exorcizar algo, ordenó que entrasen todos los hombres y luego que sujetasen a Artyom Zhivkov formando una cruz, igual que ese grabado de Leonardo, ese del tío en pelotas con las piernas abiertas. Después susurró algo al oído de uno de sus hombres, que salió con rapidez para volver con un enorme machete en la mano, entregándoselo. Zhivkov apenas podía reaccionar por la droga, y no se dio cuenta de cómo Viktor caminaba a su alrededor hasta quedar justo a la altura de su cabeza. Se afirmó sobre sus piernas, sopesó el machete, lo cogió con las dos manos, lo alzó y golpeó con fuerza el brazo derecho de Zhivkov, justo por debajo del hombro. De inmediato surgió un chorro de sangre negra que nos salpicó a todos, pero Viktor no había logrado separar del todo el brazo, aunque lo logró en su segundo machetazo. Zhivkov movía su rostro de un lado para otro, soltaba un revoltijo de palabras. Viktor le pasó el machete a otro y no hizo falta que especificara lo que había que hacer. Le cercenaron el brazo izquierdo de un único golpe de machete, recuerdo cómo el metal rebotó contra el suelo y saltaron chispas blancas. Después otro atacó su muslo izquierdo, y otro el derecho, y por último la cabeza. Para entonces hacía rato que estaba muerto. Cuando concluyeron, Viktor mandó que metieran los pedazos en una bolsa y se los devolvieran a sus camaradas. Luego se fue a dormir.

El corazón de Erin se había detenido para luego volver a galopar con fuerza, como si quisiera recuperar no solo ese segundo, sino el resto de su vida.

—Ganaron la guerra —resumió.

—Se equivoca, señorita, fue entonces cuando empezamos a perderla…

Sailesh tarareaba una melodía e incluso había encargado algo de comida que devoraba con las puntas de los dedos, echando esporádicos tragos a un bote templado de Aquarius. Dwight Hemon no había dejado de trabajar, pero Sailesh adivinaba que estaba nervioso, no por su actitud, sino por sus nudillos blancos de apretar la taza de café. También estaba al tanto de que el tono de papel aceitado de su piel le provocaba urticaria a aquel *chutiya*, una flaqueza que explotaría a su debido tiempo. Entretanto, en un bloc iba reuniendo, cribando, conectando y analizando puertos de salida, cargamentos, escalas, destinos, y de vez en cuando le lanzaba una mirada entre seria e irónica a Hemon, como dándole a entender que estaba contando las cartas de su baraja. Un naipe marcado era casualidad; dos, coincidencia; tres, imagínate, parecía decirle. Finalmente, tras un rastreo que les llevó varios botes más de bebidas energéticas y una llamada de su ayudante para comunicar a su pareja que no llegaría a tiempo para absolutamente nada, lograron discernir un propósito, una intención, una pauta en el tráfico de contenedores cuyas fuentes se remontaban al Mar Negro. Odessa. Sailesh intercambió una significativa mirada con su hombre y le comunicó a Hemon su intención de registrar el área donde se hallaban. Escrutó su reacción; la mayoría de la gente se enfada si ha hecho algo malo, porque la culpabilidad se expresa por indignación, y luego existe una aristocracia a quienes si se los acusa de algo se muestran divertidos, casi se felicitan porque sospeches y únicamente les irrita que los acuses de algo que no han hecho, como si pensaran, Dios, podría haberlo hecho ya que de todas formas sospechan de mí, o por lo menos haberlo intentado: lo que los cabrea es haber perdido la oportunidad. Su hombre pertenecía a la parte democrática de la clasificación, y se empeñó en poner unos cuantos inconvenientes más al registro, pero la serena pero tenaz coerción de Sailesh le obligó a retomar su incansable monólogo.

Se abrigaron y salieron a un exterior gélido, acompañados por sus respectivos ayudantes; a pesar del frío, un cálido río de luz crepuscular caía sobre el mosaico multicromático: anaranjados, rosados, bergamotas… Durante todo el trayecto Hemon habló, habló y habló sobre el presidente, los dolores de estómago de un hermano, lo poco que le gustaban los aviones, los problemas diarios del puerto, y por supuesto recurrió al cliché del críquet y los indios para intentar limpiar su imagen. Odio el críquet, le respondió Sailesh en uno de los raros silencios, provocando en Dwight Hemon un calor en el pecho inducido por otro tipo de odio. No obstante, éste siguió saltando de un tema al siguiente de una manera que tenía perfecto sentido cuando lo escuchabas, pero que se volvía locamente incoherente e imposible de contar cinco minutos después. A medida que se internaban entre los contenedores, les asaltó un olor yodado mezclado con hierbas marinas que se pudren, salitre, aceites pesados, combustible e indescriptibles texturas entre lo sólido y lo líquido. Caviar, rumió Sailesh, cientos de millones de bolitas de un azul oscuro casi negro durmiendo en la cavernosidad de algún contenedor. Caviar… o lo que fuese. Sabía que aquello era una lotería, había miles de bloques de un Tetris gigante apilados ordenadamente. Le recordó la famosa escena final de *Indiana Jones*, con el cajón que contenía el arca perdiéndose en la inmensidad burocrática del Estado. Bastaba con que alguien un poco sagaz hubiese cambiado las etiquetas para que resultase imposible de ubicar. E indiscutiblemente resultaba una empresa quimérica abrir todos los contenedores. Pese a ello, Sailesh razonó que había dos cosas que jugaban a su favor; por un lado, lo inesperado de su visita, que podía contar con que no se hubieran tomado unas precauciones demasiado severas, y por otro, que si tuvieran que descargar cualquier tipo de contrabando lo situarían en una franja accesible, cómoda. Y, por supuesto, siempre tenía en cuenta a un poderoso aliado, culpable entre otras muchas cosas del descubrimiento de la Viagra, el LSD, los rayos X, la penicilina, el brandy, la vulcanización o el edulcorante, así que por qué no del caviar: el factor suerte.

Observó el gesto arisco y tenso de aquel *lodu*, aquel gilipollas, y aparentando saber más de lo que sabía se dirigió por inercia a un grupo de contenedores; tras hacer que comprobasen su procedencia, ordenó que los abrieran de forma aleatoria. Oficialmente contenían maquinaria industrial. Mientras verificaban los elegidos, Sailesh conservó siempre aquella sonrisa en apariencia negligente mientras acariciaba su colgante. Uno tras otro, los robustos portones eran abiertos y, en apariencia, los continentes se correspondían con los papeles que informaban de sus contenidos. No obstante, Sailesh estaba convencido de que Hemon estaba sucio, lo único que no podía tasar eran las cantidades de aquiescencia, interés o cobardía que le habían empujado a ello, las medidas que podrían concederle cierta disculpa. Mientras su ayudante se empleaba en abrir los contenedores auxiliado por algunos de los destajistas de los muelles, Sailesh empezó a trazar un salón de pasos perdidos entre los enormes paralelogramos de metal contrastando, verificando, buscando más que nada la intención de los acontecimientos. Un destello en sus sentidos le hizo detenerse en un ángulo para comprobar que Hemon le seguía de manera furtiva. Sailesh utilizó por primera vez una máscara fría y distante, y lo miró como a un objeto que alguien se hubiera olvidado de poner en su sitio. El encargado se detuvo con una nota entre sorprendida y quejumbrosa en su cara, y masculló una disculpa bravucona dejándole solo. Sailesh volvió a deambular entre aquellos formidables depósitos que desprendían un olor mezcla de herrumbre, salitre, hierro y productos químicos inclasificables. Ante la uniformidad de su horizonte llegó a crear en su cabeza pasillos odoríferos por los que se movió buscando no sabía qué. En uno de los contenedores pudo respirar un fuerte olor a algún tipo de abono, y en otro adivinó un cargamento de aceite. Se detuvo en una encrucijada y descansó unos momentos contra la helada superficie de uno de los bloques. Un par de gaviotas de gran tamaño y plumaje blanco y sucio le observaron desde un bidón oxidado, soltando de vez en cuando chillidos desacompasados. Sus pensamientos se entorpecían como bestias devorando una presa; estaba desubicado y ya se planteaba regresar cuando le llegó un desagradable hedor de heces y orina. Sin motivo aparente, se arrancó a seguir aquel rastro cada vez más intenso hasta llegar a un contenedor que era su origen indudable. Lo rodeó un par de veces y no encontró restos escatológicos por ningún lado. El tufo provenía de su interior. Pegó la oreja al metal, pero no oyó nada aparte del fondo de gaviotas y el pesado y oleaginoso vaivén del mar. Regresó para buscar al grupo y lo condujo hasta el contenedor. Tras una comprobación por talkie de uno de los operarios para confirmar su contenido, Sailesh buscó la reacción de Dwight Hemon. Éste se limitó a dar su anuencia al operario que retiró los sellos y corrió las barras que rechinaron con un sonido mineral. Abrió el portalón y dejó a la luz, efectivamente, un cargamento de aceite de girasol. Pero el olor se había vuelto un poco más nauseabundo.

—Habrá alguna rata muerta —apuntó el operario—. Hace nada un loco envenenó a todos los gatos de la zona y tenemos una plaga.

Sailesh no encontró el suficiente entusiasmo para responder y entró en el interior con precaución, deslizándose de lado en algunos tramos en que los depósitos entorpecían el paso. Casi al final sacó una linterna de bolígrafo y punteó con su luz los ángulos más alejados, extrayendo y devolviendo detalles a la oscuridad, sin encontrar nada que justificase el repulsivo olor. Aunque no era solo el olor, sino algo más, una fetidez animal que hablaba de la supervivencia y el deterioro. En un instante su cuerpo se tensó: creyó oír un ruido.

Aguantó la respiración y se quedó quieto, pero no volvió a oír nada. Su ayudante le preguntó desde el exterior si todo iba bien. Sailesh aguardó unos infructuosos segundos hasta que confirmó que las cosas iban, sencillamente. Salió.

—Creo que ya es hora de que se vayan —le sugirió Hemon, recalcitrante.

Sailesh tuvo un conato maquinal de resistencia y buscó la manera de prolongar su presencia, pero no encontró más pretextos. Aun así quiso seguir molestando un poco más. Se pinzó un pliegue de su vientre e hizo oídos sordos al encargado.

—Me temo que tengo que hacer más deporte.

A continuación siguió husmeando, aunque menos de lo que su conciencia le dictaba. Llegó un momento en que sintió como si recorriera una escalera mecánica al revés y decidió abandonar. Justo entonces escuchó otro golpe, tenue, casi imperceptible que provenía de nuevo del contenedor, que habían vuelto a cerrar. Sailesh experimentó algo parecido a una esperanza, que no estaba ligada a su razón, sino a su instinto. Pegó su oído al frío metal. Se le congeló la oreja sin oír nada. Tras separarse del contenedor para tener perspectiva, y tras unos segundos de reflexión, golpeó el hierro. Lo hizo repetidas veces, sin eco alguno. La realidad, discurrió, la realidad es aquello que no se ve a simple vista.

—¿Cuántos metros tiene cada contenedor? —preguntó al operario.

—Doce metros.

Midió a ojo el paralelogramo y situándose en una esquina, comenzó a andar a grandes zancadas mientras contaba mentalmente. De seguido ordenó abrirlo otra vez y efectuó la misma operación en su interior, restando los pertinentes zigzagueos. Tocó el fondo y volvió a salir.

—A este contenedor le faltan unos tres metros.

—¿Cómo que le faltan? —se sorprendió el operario.

—Dentro no hay los mismos pasos. ¿Tiene algo de peso, una palanca o algo?

—Podría ir a buscarlo.

—Vaya.

Sailesh sintió la emoción en la garganta, empezaba a vislumbrar otra realidad solapada y sucia. El operario no tardó en regresar y, sin atisbos de diplomacia, mandó a su ayudante que no se alejase de Hemon. Acompáñeme, apuntó al operario. Penetraron en el contenedor hasta el fondo, guiados por la linterna, y Sailesh sacó su Smith & Wesson MP cogiéndola por el cañón; golpeó la pared en una red de puntos equidistantes obteniendo un eco sordo, compacto. Hasta que el eco devolvió una nota discordante. Se alejó un poco, pero no vislumbró diferencias entre aquel panel y el resto. Sailesh montó el arma, levantó la barbilla y le indicó al hombre que hiciese lo que fuera necesario para pasar al otro lado. El panel no resistió más que un par de embites y se hundió hacia dentro, cayendo con un estrépito de cacharrería. El olor a miedo, a la humedad pegajosa del miedo, a los vómitos, a la lucha diaria contra la agresión de los hombres, se recrudeció. Sailesh apercibió el arma y con la linterna iluminó el habitáculo oculto. La sensación fue de haberse metido en una pesadilla ajena. La pena, la tristeza, la rabia. Aquello era el pavor atávico de la carne, la sumisión ciega, la mínima expresión de la supervivencia. Siete chicas muertas de frío, muy jóvenes, le vigilaban con expresiones aterradas, pasivas o directamente idas. Con todos los cientos de posibilidades que llevaban dentro malogradas, con todos los sueños corrompidos. Y aquello no era el mal, era algo peor, era la ruindad, porque esta admite conciencia por ser de rango inferior al mal, que es absoluto. Por eso Sailesh rechinó los dientes y las calmó con el hechizo de algunas palabras. Una de ellas alcanzó a responderle con esa ligera torpeza de quien piensa en otro idioma. Dejó la linterna al operario y le dijo que se quedase allí un momento. Cuando salió se fue directamente a su compañero, le explicó la calamidad a la que se tenían que enfrentar, estableció un perímetro de seguridad y pidió una ambulancia. Seguidamente se acercó a Dwight Hemon esbozando su sonrisa más afectuosa; no solía demostrar sus emociones, pero cuando habló lo hizo con el entusiasmo de un cachorro tras cazar su primera rata.

—Mmm… —alargó las consonantes— acabas de cagarla.

Erin clavó la mirada en una papelera hasta arriba de desperdicios, como si aquello simbolizara lo que Shrek acababa de revelarle. Luego estudió sus labios, extrañamente femeninos en una mandíbula varonil; y después lo estudió a él, flaco, con algún colmillo amarillento entrevisto y un ligero olor a húmedo que no era exactamente sudor, sino olor a cerrado. Hizo un gesto universal de sorpresa.

—¿Cómo pudo ser?, ¿cómo es posible que comenzasen a perder la guerra?

—Al principio creíamos que era debido a ineptitudes, errores o sencillamente las circunstancias. Pero las emboscadas se sucedían, se volvía a repetir la dinámica de la derrota y nos íbamos desvaneciendo. Finalmente fuimos diezmados y absorbidos por otras bandas. Y en el transcurso de todo ello, hubo un momento, un momento distinto de todos los que habíamos vivido…

Erin se apercibió de que algo sucedía en su perfil caballuno.

Su gran nuez subió y bajó, y en sus ojos sin sorpresa ni esperanza brilló algo inaudito: melancolía.

—… un momento en que despiertas y comprendes cosas que nunca antes te habías planteado. Como por ejemplo que sea tu propio líder quien te esté traicionando.

—¿Qué sentido tiene eso?

—Habría que preguntárselo a él.

—Es usted a quien tengo cerca.

Erin dejó que el hombre se concentrase en el azul del cielo, que paulatinamente iba pasando a berenjena y de ahí al púrpura profundo y al negro.

—Hay muchas causas para la traición: la supervivencia, el idealismo, el placer, la crueldad, la avaricia… o una compleja combinación de varias de ellas. Viktor encontró la suya el día que se enfrentó con Zhivkov.

—Pero ¿qué tenía de especial?

—Usted es la periodista.

—¿Y los rusos? ¿Qué me puede decir de ellos?

—Ah, los rusos… son gente difícil, igual que máquinas expendedoras de bebidas estropeadas. Metes una moneda por la ranura pero no te da nada, puedes mover la máquina, pero sabes que no te valdrá de nada, no te contestará, nada…

Erin sonrió ante lo más parecido a una broma que había sido capaz de pergeñar. El hombre se levantó pausadamente, finalizando su digresión con un «los rusos siempre aparecen cuando hay un botín», y Erin supo por el tono que su mano a mano había finalizado, sin explicaciones, abruptamente. Aquel individuo no le ayudaría más en la persecución de su particular ballena blanca. No obstante, aunque supo que iba a abusar de su paciencia, se obligó a hacer una última pregunta.

—¿Se va ya?

—Hemos hablado demasiado.

—Dijo que me iba a ayudar.

—Ya lo he hecho.

—Si quiere que capturen a Viktor, necesitaría más pistas.

Shrek hizo los gestos necesarios para teatralizar su rechazo a continuar, para seguidamente escenificar una virtual reconciliación.

—Se lo he puesto muy fácil, señorita, le he dicho que Viktor traicionó a mucha gente, y eso implica enemigos, y la mejor información siempre viene de los enemigos.

La contempló con la benevolencia de quien ha perdido interés por una afición y observa a otro para el que sigue siendo mágica. Erin interpretó que aquellos gestos elípticos eran los de quien está acostumbrado a llevar una doble vida. De algún modo estaba enamorado de su propia inercia. Su tono fue cohibido y desafiante a la vez.

—Necesito algo más.

Esta vez el hombre la miró entre huraño y beligerante. Habló como si todo le produjera una gran desolación.

—Está bien. Atenta, porque solo se lo repetiré una vez. Entre el 23 y el 27 de mayo del 99, Viktor desapareció. Poco después de eliminar a Artyom Zhivkov fue como si se hubiera tomado unas vacaciones. Nadie supo dónde había ido, y cuando le preguntaban solo decía que se había ido a visitar a su familia, pero nos consta que no apareció por Požarevac. Más tarde investigamos y supimos que le habían visto coger un taxi el 27 a la salida del aeropuerto de Surčin. Échele un vistazo a ese cuarto oscuro, quizá no le guste lo que hay dentro, pero algo encontrará.

Ahí estaba, un hueco más, otro arcano en su biografía proclive a la hipérbole, a la fabulación, a la pleitesía o al análisis más enfermizo. Cuatro días daban para mucho, podía haber llegado a cualquier lugar, podía haber incluso dado la vuelta al mundo. En ese momento empezó a llover, la gente corrió por todo el parque buscando aleros donde refugiarse y los vendedores se apresuraron a colocar plásticos sobre sus mercancías. Aquello le recordó a Erin que hay cosas que se dan por supuestas y que en cualquier momento se pueden perder, privilegios que se dan por sentado y que son meros espejismos. No había que dar nada por supuesto. Curiosamente, ni ella ni Shrek buscaron un cobijo inmediato y mantuvieron la cabeza erguida, con una dignidad clásica.

5

Todas las posibilidades que brillan

Viernes, enero, 2.30 h

¿No duermes?

Daniel se estiró como un gato.

—Lo hago como un bebé, duermo dos horas, me despierto, lloro un poco, y luego duermo otras dos.

Agnes sonrió en la penumbra del dormitorio y encendió la luz.

—Creo que ninguno conciliamos el sueño. Te has movido mucho en la última hora, como si estuvieses en un sitio que no te gustaba.

Daniel no le habló de ciertas noches en que permanecía despierto, tan terriblemente despierto que oía cada crujido de viga al asentarse, cada tic del segundero en el reloj, pero fingió que estaba herido, aunque no mucho, lo justo para hacerse irresistible y que ella le deseara y le consolara.

—Voy un momento al cuarto de baño —le informó Agnes tras un bostezo.

Le encantaba andar sobre la alfombra sólida y gruesa de la habitación. Cruzó el apartamento de Daniel, un lugar que él no se había esforzado en reformar atendiendo a un ideal de orden y belleza, sino que, como una proyección de su personalidad, mantenía la impronta de sus antiguos inquilinos porque él se adaptaba al ambiente que encontrase para subrayar su soltería, el estado de transición, de arriendo. El único cambio significativo era una calabaza tallada con una diabólica expresión que le había regalado su hija Lis, y una talla de madera que ella misma le había comprado durante unas vacaciones en Costa Rica, su último intento de maquillar su vivienda porque, aunque lo tolerase, le había sentado mal al interpretarlo como una intromisión en su independencia. Tras un rato sentada en la taza, Agnes arrancó un trozo de papel higiénico; su color rosa le recordó la capacidad del hombre para maquillar la piel cruda de la realidad. Volvió a la cama.

—Pareces cansado —le susurró.

—Trabajo mucho.

—Últimamente demasiado —le pasó la mano por su cráneo de lija—, y ya sabes que encariñarse demasiado de tu lugar de trabajo es un síntoma seguro de infelicidad. Necesitas menos tensión. —Ejecutó un teatral y flexible movimiento de taichi.

—No, no es eso…

Daniel no quiso seguir internándose más en los territorios vedados de la intimidad; de continuar por ahí llegarían a alguna confidencia que ninguno de los dos deseaba. Teniendo en cuenta dónde se habían conocido, uno de esos clubes para follar cerca del Carnegie Hall, en los que te dabas una ducha antes de entrar en habitaciones oscuras y alguien te escogía para hacerlo sobre un tatami, normalmente alguien que tampoco buscaba segundas citas, era lo lógico. Por un albur habían seguido viéndose —quizá debido a que hablaron más que follaron—, y una vez aceptado que en las relaciones la contingencia era la norma, llevaban una temporada navegando entre la soledad y el compromiso. La miró; durante unos segundos tuvo una sospecha de futuro, del intangible proceso en que iría cambiando y volviéndose blanda y mórbida. Fueron unos instantes. No le disgustó.

—Tengo frío —dijo Agnes, subiendo un poco el edredón.

—El frío es bueno, los pezones de las mujeres se ponen duros.

Agnes le pegó un pescozón afectuoso.

—No seas guarro…

Daniel levantó un poco la sábana y contempló su desnudez.

—Para hacer verdaderas guarradas tengo entendido que la gente se viste, no se desnuda…

Ella se rió. De momento ya no iban a dormir. Tampoco les apetecía hacer el amor. Salió de la cama entre pequeños aguijonazos de frío y puso algo de música. Era un compás de otro siglo, se oponía al vértigo contemporáneo. La ciudad refulgía con luces de ceniza brillante. Estuvo un rato contemplando el Empire, que se elevaba como en las extrañas películas en súper ocho de Andy Warhol, donde el edificio evolucionaba a lo largo de horas y horas.

—Me gusta verlo en compañía —dijo.

Daniel no buscó motivos para aquella frase, las respuestas eran muy viejas. La soledad, ése era el gran tema. Y siempre era más sencillo hablar con quienes no te importan, confiar en ellos sin sentido de consecuencia, como quien le cuenta su vida a un fugaz pasajero que se sienta al lado en el avión. Decidió que también él necesitaba librarse de cosas.

—¿Sabes por qué duermo mal últimamente?

Ante su aquiescencia le refirió una parte de su investigación: el violento espectro de Viktor, el cadáver prerrafaelita de Olena, la inesperada aparición de Erin, el dédalo comercial… Los cambios, los virajes, los progresos entre lo ideal y lo real. Supo explicárselo todo menos la huella que Viktor estaba dejando en su interior, equivalente a la que brillaba en el inconsciente de Erin, ambas similares a la demencia de aquel capitán tras su cetáceo albino: el anhelo de atrapar lo inconcebible de alguna forma. Aun así lo intentó.

—Ayer mi compañero estuvo en los muelles… —rehiló—, seguía una pista. Registraron los contenedores y al final encontraron algo, aunque no exactamente lo que buscaban.

Se detuvo. Agnes logró descifrar una confusión de asco, frustración, ira y vergüenza en su rostro.

—Había siete chicas, tres moldavas, una rusa y el resto procedían del Transdniéster —prosiguió—. Las habían transportado como animales. Hay paquetes de viajes, ¿sabes? —ironizó—, les dan la oportunidad de salir de la miseria y les ofrecen trabajo como camareras, modelos, niñeras… Los periódicos de Odessa, de Minsk, de Bucarest… están llenos de anuncios, se buscan chicas solteras, jóvenes, guapas y altas, y proporcionan documentos y billetes de avión gratis… hacia el infierno. Clubes de streaptease, peepshows, carreteras, casas de masajes… También reclutan niñas en los orfanatos llenos a reventar del antiguo bloque del Este, o directamente las secuestran en cualquier pueblo…

Agnes se sentó en el borde de la ventana. La tela finísima de su camisón contorneaba levemente su vientre, y un movimiento no calculado provocó que uno de sus pechos se desbordase. Eran pequeños, simétricos, con pezones punteados por un hoyuelo. Su piel exhalaba una especie de resplandor.

—¿Qué más? —le animó.

—Tuvieron suerte. A pesar de todo tuvieron suerte. Aunque llegasen en contenedores, desnutridas y deshidratadas. Hay otras que tienen que cruzar desiertos enteros hacia Israel y los países árabes y son entregadas a beduinos que las golpean y las violan durante las travesías. Cuando llegan a sus destinos las desnudan y las examinan como ganado para venderlas. Después les comunican que su precio ha sido tanto y que tienen que devolver el doble a sus dueños, y para ello trabajarán todos los días, estén enfermas o con la regla, cientos de hombres al año, gordos, viejos, jóvenes, policías, marineros…

Agnes se removió incómoda.

—… si no cumplen, reciben una bofetada o las dejan sin comer o incrementan la cifra a devolver o las mutilan. Muchas contraen el sida en la primera semana, a la mayoría la psique les queda desmantelada o se alcoholizan o quedan enganchadas a las drogas. Una de ellas nos habló de los campos de sometimiento… —la mirada de Daniel fue la de un niño hambriento— donde quiebran la voluntad y el alma. Antes de venderlas las tienen en casas en las que las adiestran y las violan, les obligan a hacer cosas que te harían vomitar. En una ocasión una chica nos contaba cómo se negó a hacer el coito anal y esa misma noche vinieron cinco hombres y la tumbaron en el suelo, gritó durante horas. A otra la golpearon hasta dejarla sin vida y la enterraron en un bosque.

Por la expresión del rostro de Agnes, se notaba que aquello escapaba por completo a su capacidad imaginativa.

—¿Cómo puede ser?, ¿por qué nadie hace nada?

—Xenofobia, corrupción, desidia…

Agnes comprendió la sal que la tristeza había sembrado en su interior.

—Por eso no dormías.

—A veces te planteas que nada tiene demasiado sentido… Que todo es absurdo, que lo único que tenemos es un juego, y que debemos creer que somos los buenos…

—Pero habéis salvado a esas chicas.

—Las deportarán y todo empezará otra vez.

—Pero esta vez las habéis salvado.

—Sí, esta vez...

—Has hecho lo que debías, *sois* los buenos.

Daniel pasó las manos por sus mejillas y sonrió.

—Habrá que ser optimista.

Agnes lo miró para saber si podía reírse. Podía. Al fondo, el aura de Manhattan la hacía parecer una de esas bellezas blancas de las películas mudas. Ella no evitaba que se sintiera solo, pero lo hacía más llevadero. Se acercó a la cama y se introdujo blanda y caliente bajo las sábanas. Empezó a besarle, del pecho hasta las piernas. Se levantó el camisón y le incitó a que su mano explorase el interior de sus húmedos muslos. Metió sus dedos entre sus labios para que los lamiese. Daniel apartó los bordes rosados de su coño y los acarició.

—Cómetelo —le susurró ella al oído—, se va a enfriar.

Nueva York. Poderosamente viva. Geometría de gigantes góticos.

La luz roja, solitaria, parpadeante del diminuto corazón del State Building.

El *walk* verde en los semáforos.

Las arterias punteadas por los faros de los coches que se detenían y arrancaban continuamente.

Un iraní paseando a ocho perros de madrugada.

El mar oscuro cruzado por el minúsculo oleaje, que huele a algas y abandona largas barricadas de conchas y cadáveres en la arena del oeste de Manhattan.

Un *homeless* buscando una tapa de alcantarilla recocida

por el aliento hirviente y subterráneo de la ciudad, sobre la que dormir esa noche de frío irracional y salvar la vida.

La silueta enorme de un portaaviones al final de una gran avenida, decorado con banderines que palmean furiosos por el viento.

Las elipses caprichosas de los parques en el diseño impasible de la ciudad.

Times Square celebrando eternamente el fin del año.

Una asistente social leyendo a James Salter.

Salidas de incendios en un enladrillado art déco.

Los festones de luces iluminando el esqueleto del puente de Brooklyn.

El ladrillo viejo de las paredes al descubierto de los aparcamientos.

Dos negros de ciento cuarenta kilos y las cejas afeitadas a lo *gansta* oyendo música y comiendo en un garito abierto de madrugada.

La suya era una historia como las otras mil que se desarrollaban en ese momento, esa misma noche, en esa misma ciudad.

Lunes, enero, 10.45 h

El rostro de Florence era el de quien está inmerso en una complicada operación aritmética mientras mantenía un monólogo con una voz ronca, al tiempo que ordenaba sin ordenar unas chocolatinas que le habían traído de una máquina. Sailesh y Daniel la estudiaban; el primero sentado y el segundo apoyado contra la pared. A pesar de las capas de harapos, del hedor denso, de su voz tosca y del rostro como un terreno de piedras, daba la sensación de que había sido guapa y que luego le había ocurrido algo muy malo. Aquella indigente descarnada por el alcohol, ahora vivía en una paranoia constante, rodeada de un macabro corifeo e interpretándolo todo como una señal del destino. Su ambición no iba más allá de la próxima comida previa a la nada, y de esa hambre se habían aprovechado para lanzarle algunos anzuelos. Ella había sido la única testigo de la escabechina en la que habían liquidado a Zakhar Yaponchik, el jefe de un grupo georgiano, Kutaiskaya, que operaba en la ciudad. Nacido en Tbilisi, en el seno de una familia kurda, había dejado un rastro de delitos y negocios ilegales desde Moscú hasta la Costa del Sol, pasando por Dubai. De hecho, vivía con su mujer y una hija entre una casa en los alrededores de Alicante, una mansión en Barcelona, y Nueva York. Cuando se pusieron en contacto con Interpol Madrid y más tarde con la UDYCO de Barcelona, se dieron cuenta de que les habían adelantado las navidades. No sabían fehacientemente si había sido Viktor, pero todo lo indicaba, aunque la clave se hallaba en la razón de aquella mujer, que oscilaba débil e intermitente, como una llama al viento. *Yeda*, había señalado Sailesh en su melodiosa lengua, loca. Él mismo, esgrimiendo aquella sonrisa radiante, le acercó una taza llenándola con café. Como buen comunicador, sabía que toda relación implica una voluntad de seducción, un anhelo de compartir.

—Al trasvasar las bebidas calientes se pierde temperatura. ¿Sabe cuál es el secreto para que esto no pase, señora?

—¿Cuál?

—Calentar antes la taza.

Aunque estuviera como un cencerro, Florence seguía siendo una dama y apreciaba los homenajes. Asintió y recogió la taza con las dos manos, calentándose.

—¿Estáis enfadados conmigo?

—¿Enfadados? —Sailesh usó de nuevo su lenitiva sonrisa—, no, ¿por qué tendríamos que estar enfadados?

—Me habéis quitado el carrito.

—El carrito... —Sailesh no cayó de primeras—. Ah, su... casa rodante.

Cuando Florence lo miró por primera vez con curiosidad, supo que había presionado alguna tecla en su cabeza. Hasta ese momento estaba seguro de que solo les había dedicado el cinco por ciento de su atención, aproximadamente.

—Allí tengo a mi hija.

Daniel repasó con premura la imagen que tenía del carrito aparcado fuera, y localizó entre el revoltijo de latas, revistas, trapos, bolsas, zapatos descabalados, botellas... que lo desbordaban una llamativa Barbie enfermera que lo coronaba todo. Sumó dos y dos.

—Yo le traeré a su hija, no se preocupe.

Daniel se remetió un faldón de la camisa y se dirigió a la puerta guiñándole el ojo a su desconcertado compañero. En el ínterin, la mujer continuó navegando entre sus sueños, la realidad y los recuerdos, indistinguibles ya para ella, suponía Sailesh. Había logrado disfrazar su fracaso con algún tipo de visión mitológica que le ocultaba todo el repertorio de ilusiones y proyectos que en algún tiempo había albergado. Daniel regresó con la muñeca y se la colocó delante, doblándola para dejarla sentada. El efecto en Florence fue instantáneo, un estremecimiento de alivio y dulzura, abrazándola como a una verdadera hija y transformándose en esa fuente inagotable de placer y seguridad que es toda madre.

—Señora —aprovechó Sailesh—, nos ayudaría mucho si nos contase lo que vio en ese callejón.

Florence adoptó un rictus enconado.

—Hay ruido. No me gusta el ruido, todo el mundo hace ruido.

Daniel miró a Sailesh y luego al techo en un mohín de desfallecimiento. Sailesh comprendía que hay cierta locura que no se explica, únicamente se asume. Salió al pasillo y ordenó a unos compañeros que se abstuviesen de sus algaradas espontáneas. Cerró la puerta.

—Así está mejor.

Florence, con esa extraña sagacidad de los locos, entendió que Sailesh había llegado al límite de sus concesiones y no puso objeción en relatarle la tarde lluviosa en la que, mientras removía la basura en aquel callejón, fue testigo de cómo los hombres se habían hecho pedazos y de aquella sangre tan abundante que parecía de pega. Cuando dio por concluida su exposición, vació de un único trago la taza de café y se quedó mirando fijamente a Sailesh.

—Tú estás gordo —le espetó.

Daniel no pudo reprimir una mínima explosión de hilaridad.

—De pequeño me tragué un balón —respondió Sailesh con buen pulso.

—¿Crees que soy tonta?

—No, señora, ¿cómo voy a creer eso?

—Entonces no me trates como a una tonta.

Florence retornó a su solitaria cantinela, a un infinito bucle creado para paliar su soledad y que, paradójicamente, solo servía para aislarla más. Tenían que seguir buscando la combinación que abría la caja fuerte de su cabeza. Daniel pensó que la habilidad de una persona limita su visión del mundo; una limpiadora ve manchas que limpiar, un informático programas que interpretar, y una mendiga… ¿de qué habilidad disponía?

—Florence —la interpeló Daniel—, ¿qué hacía usted en aquel callejón?

La mujer le miró como si tuviese que explicar una obviedad.

—Buscaba... buscaba cosas para adornar mi carrito.

—Su carrito... eso quiere decir que sabe elegir, que compara mucho...

—No todo vale —dijo con esa extraña dignidad de quien no puede caer más bajo.

—No todo vale, efectivamente, no todo posee el mismo valor, y si usted tuviera que elegir a la persona de más valor de aquel grupo, ¿quién diría que era?

El rostro de Florence se contorsionó mientras recordaba la lluvia, que caía en extrañas percusiones sobre los cartones que empapelaban aquel callejón, y aquella melena, aquellos ojos que la observaron como observaría la vida si ésta tuviese ojos, con todo su esplendor y toda su virulencia. Rememoró aquellas cruces y una bayoneta tatuadas en la muñeca que tanto la habían fascinado. Florence... ¿me escucha...? y aquella extraña fuente de serenidad y fortaleza que desprendía el hombre... Florence... ¿me escucha...?

—El que mandaba... —despertó la vagabunda.

A continuación, abrazándose a sí misma, les relató la extraña ceremonia en la que había participado. El desconocido la había calmado diciéndole en un inglés con alguna traza extranjera que estuviese tranquila, que no le ocurriría nada, para luego retirarse de la escena ordenadamente. Tampoco olvidó hablar de los tatuajes. Sailesh y Daniel cruzaron miradas de connivencia, aunque perplejas. La verdad no solo debía ser cierta, sino creíble, y aquel Viktor rozaba a veces la quimera. Daniel sacó lentamente la foto que había hecho Erin y se la colocó delante.

—¿Podría ser este hombre?

Florence estudió la imagen de Ratko Zuric sin inmutarse.

—Sí —respondió sin titubear.

—¿Está segura?

—Sí.

A continuación, Florence se fue deslizando de nuevo en su pensamiento mágico, aquella actitud mental mediante la cual ella podía influir en el curso de los acontecimientos a través de sus particulares ritos propiciatorios.

—No queremos molestarla más, señora —concluyó Sailesh—, ¿desea añadir algo?

—¿Podrían darme dinero? —Lo dijo directa, francamente.

Sailesh no titubeó al introducir su mano en el bolsillo y entregarle algunos billetes. Lo hizo sin tocar su palma porque estaba sucísima, y sin mirar a sus ojos porque sabía que le acusarían de su sufrimiento, de su miseria, del estado avanzado de su alcoholismo. Seguidamente acompañó a Florence hasta el pasillo y la dejó en manos de un compañero, con la consigna de que le devolviesen su carrito. Cuando entró en el despacho encontró a Daniel sonándose la nariz ruidosamente.

—¿Estás constipado?

—No, no... —respondió haciendo una bola con el pañuelo de papel y lanzándola a una papelera—, es un poco de alergia.

Sailesh se sentó en una de las sillas y se dirigió a Daniel con un tono de voz tenue, automático.

—¿Qué te parece?

—Pues pienso lo mismo que ella.

—¿Qué parte?

—La parte en que opina que estás gordo.

Sailesh deslizó una sonrisa esquinada y extendió sus manos frente a él, girándolas lentamente sin perderlas de vista, muy concentrado.

—En serio, ¿crees que dice la verdad?

—Es muy posible. —Miró la foto—. Lo que no acabo de captar es lo de los tatuajes.

—Los tatuajes —repitió Sailesh—. Precisamente son los tatuajes lo que me convence de que dice la verdad. Creo que ya sé qué hace aquí ese tipo.

—¿Qué hace?

—Pues dándonos una lección de capitalismo, es decir, eliminando a la competencia. Ese Viktor está ganándose las medallas. Cruces y bayonetas, simbolizan peligro, fuerza, y en cierta manera subordinación a un jefe. Son las condecoraciones de un postulante, es alguien que busca un ascenso. Ahora bien, ¿qué cojones hace ese tío en las filas de la Organizatsja? ¿Y para quién trabaja?

Daniel rememoró un mundo de lealtades tribales, belicosidad adolescente, penurias abisales y psicosis larvadas. Bufó muy serio, entre el desconcierto y la fatiga.

—Da igual lo que haga y para quién trabaje, Sai, lo seguro es que ese tipo nos va a dar problemas, un montón de problemas.

Noche en Belgrado

Inmediatamente después de dejar a su espectral confidente, Erin había ido directa a su hotel. Las palabras de aquel hombre habían creado un montón de nudos que debía deshacer, y no veía la hora de ponerse a ello. Y eso a pesar de que estaba segura de que su información se hallaba condicionada de una u otra manera por los intereses de sus actuales amos, fuesen quienes fuesen. Entró en su habitación y ejecutó todo el ritual de seguridad para cerciorarse de que no había tenido visitas, aunque su ansiedad era tan acusada que dio por revisados algunos anzuelos a fin de ponerse de inmediato al teclado. Luego se amparó bajo las colosales bóvedas de la red para buscar información sobre las mafias rojas.

Viktor se había colocado por primera vez su lóbrega máscara cuando regresó de Europa, y volvió a trocarla tras librar sus guerras secretas. En ambos casos, sopesó entre el ruido del teclado, se había producido un bigbang en su psique, la primera vez al comprobar qué carencias podría transformar en negocios, y la segunda, al toparse con una especie de némesis tatuada. Soy yo, había dicho apuntando a Zhivkov, soy yo, qué significa eso. Erin no dejaba de darle vueltas a aquel extraño acertijo, ¿qué simetría había descubierto Viktor? Frente a frente, ¿qué sentido, qué orden, que símbolo en medio de lo abstracto? Dejó a un lado aquel arcano y la primera pregunta que surgía era acerca de los rusos: ¿qué hacían en los Balcanes? Una vez que la distopía comunista se había ido al carajo y la estrella roja comenzó a oxidarse, los primeros en alimentarse del cadáver de la antigua Unión Soviética fueron los grupos criminales. De la noche a la mañana el Estado fue saqueado por la oligarquía y los burócratas, la hiperinflación engulló los ahorros de millones de rusos y la antigua potencia se sumió en una espiral de sangre y decadencia en la que se vieron inmersas todas las estructuras de seguridad: el KGB, el ejército, la policía… Cuando el Estado fue demasiado débil y corrupto para hacer cumplir los contratos, fueron los criminales los que proporcionaron protección y sostuvieron la empresa privada a costa de la extorsión y el monopolio de la violencia. Paradójicamente, los malos habían sido las matronas que ayudaron a alumbrar el capitalismo: mejor entregar el diez por ciento de la facturación a unos matones que el noventa en sobornos a burócratas corruptos. Dentro de estas gruppirovki, estas bandas callejeras, cobraron preponderancia los grupos organizados de Vor v Zakone, los ladrones de ley, el embrión de la futura y globalizada Organizatsja. Lo legal y lo ilegal, lo moral y lo inmoral... dichas distinciones se borraron durante los noventa, y los listos vivieron de los tontos, mientras los tontos vivieron de su trabajo.

Sintió sed y se levantó por un vaso de agua. Retomó la búsqueda en los vertederos digitales, en el amontonamiento de imágenes y datos; como no podía ser de otra manera, razonó, en toda vida insegura y atomizada la solución patológica era siempre el totalitarismo, que permitía vender imágenes demagógicas a poblaciones desmoralizadas que ansiaban a alguien que las salvase, y el orgiástico saqueo duró hasta el advenimiento de un nuevo e inevitable Pedro el Grande: Putin. Con su sorpresiva llegada al Kremlin a finales de la década, el antiguo jefe del KGB empezó a cortar las alas a los oligarcas y restauró la fuerza de los cuerpos de seguridad, en especial del FSB, la nueva denominación del KGB. El complejo autoritarismo de mercado que impuso —a pesar de todo muy imbricado con las antiguas fuerzas en conflicto—, tuvo varias consecuencias: la pérdida del monopolio de la violencia incitó a los Vor a buscar tanto la legitimidad en negocios legales alternativos, como un entorno más seguro para su dinero, lo que implicaba la fuga y blanqueo de capitales. Además necesitaban nuevos mercados donde no hubiese tanta competencia para proseguir con su clásico modelo criminal.

Eso es, gruñó Erin, básicamente los rusos habían tomado los Balcanes en un ejercicio estratégico, confirmando la eficiencia que tenían para adaptarse a cualquier escenario físico o económico. Ahora bien, Ratko Zuric había desaparecido del escenario durante cuatro días. Ese espacio de tiempo brillaba con la potencia de un sol, y todos los demás cuerpos que girasen alrededor resultaban invisibles al punto que debían descubrirse basándose en el efecto que tenían en la estrella a través de minúsculos cambios de posición, velocidad y brillo. Uno de ellos bien podían ser los tatuajes que singularizaban la piel como un palimpsesto. El agente del contraespionaje le había descrito minuciosamente los que marcaban la piel de Artyom Zhivkov, la misteriosa némesis. Rebuscó en la red hasta encontrar una página dedicada íntegramente a los tatuajes de los Vor v Zakone. En toda organización había jerarquías, pautas que la estratificaban, y los rusos no eran una excepción. Junto con los apodos y las jergas habituales, ésa era una forma específica de la Organizatsja. En Samoa, Tátau significaba marcar o golpear dos veces, y tradicionalmente eran signos irreversibles, compromisos, pertenencias, declaraciones de principios. Un complejo sistema de símbolos que, para quien supiese leerlos, proporcionaban una información detallada sobre su portador. Por fortuna, para resolver la mayoría de las dudas ahora sobraba con la cuarta parte de un segundo, que era lo que Google tardaba en enganchar las soluciones con sus algoritmos. Las nuevas generaciones tendían a utilizar menos los tatuajes, pero todavía seguían empleándose, en tinta azul, que tradicionalmente era el único color que se lograba en las cárceles y Gulags con una mezcla de orina, hollín y champú. Sobre la piel de Artyom Zhivkov había espadas que sangraban, telas de araña y un monasterio con muchas agujas; probablemente aquel individuo era un *Brigadir*, un lugarteniente de algún Pakham o Zar encargado de tejer una red de poder en los Balcanes. Las espadas indicaban un grado extremo de violencia, las telas de araña un problema de drogadicción y el monasterio apuntaba a que había estado en la cárcel, tantos años como agujas hubiese dibujadas. Siguió repasando los hipnóticos dibujos, los mismos que Viktor había recorrido con sus dedos abriendo canales en el sudor de su némesis: crucifijos en los que una mujer sustituía a Cristo, la venganza; la Estrella de los Ladrones, que señalaba los más altos cargos de los Vor; naipes de corazones, que descubrían la homosexualidad; cráneos en las yemas de los dedos, los asesinatos cometidos; bayonetas, sangre y brutalidad; una solitaria cruz, que indicaba la esclavitud, la subordinación a un jefe…

Eran las tres de la mañana cuando Erin cerró su portátil. Le parecía navegar en una canoa, y el borde de la catarata estaba cada vez más cerca. De alguna forma aquellos tatuajes se hallaban relacionados con el vacío de cuatro días en la biografía de Viktor, con la voladura controlada de su vida. ¿Dónde había ido? Visionó de nuevo una de sus fotografías. Su rostro barbado remitía a un fuera de campo, una elipsis, una metáfora de un suceso anterior. ¿Al servicio de qué miedo, venganza o humillación adolescente trabajaba el adulto?, se preguntó, ¿a qué eres leal, al Viktor que quieres llegar a ser, al que has sido o al que los demás creen que eres? En medio de aquella batería de dudas, un detalle obligó a Erin a forjarse una nueva memoria de la habitación, como si a un ciego le hubiesen desordenado los muebles. La puerta del cuarto de baño, entreabierta, permitía ver un ángulo del lavabo. La noche anterior se había alisado el cabello minuciosamente con un cepillo y lo había dejado justo en el borde del lavabo. Recordaba vívidamente que la última vez que lo había tocado, sus púas apuntaban hacia la habitación.

El atasco en Gramercy era monumental. Las filas polícromas de vehículos encajaban unos con otros como piezas de un gigantesco y anárquico puzle, y las únicas maniobras consentidas no pasaban de unos metros cada cientos de cláxones y pitidos. Daniel aprovechaba los tiempos muertos para ajustar los fragmentos de aquel otro puzle que conformaba el rostro de Viktor. Lila, decía Sailesh, el universo como campo de juegos. Se habían pasado la mañana trabajando, revisando, redactando memorandos acerca de aquel peculiar juego. Tenían un Samovar reventado, un Pakham fiambre, Chevengur, a un cocinero vivo y a un soldado en estado de coma. Quedaba claro que estaban aguardando a alguien que se presentó —lo más probable Viktor, por el menú que habían preparado para agasajarle—, pero no con las intenciones que ellos creían, que acabó asesinándolos y posteriormente utilizó el RDX para limpiar cualquier huella en el local. Almacenaban un montón de imágenes —y unas cuantas denuncias— de las cámaras digitales y de seguridad, que de momento no aclaraban nada. Había una modelo torturada y ejecutada, Olena Vodianova, de la que únicamente quedaba sobre la tierra una caja de cartón en su despacho llena con tres *books* de fotos, objetos personales y extractos bancarios. En las grabaciones de la cámara de vigilancia del edificio Water se podía ver perfectamente cómo entraban y salían unos individuos encapuchados con la excusa del mal tiempo, pero ninguna cara en concreto. De lo que sí disponían era de imágenes de Viktor en unos aparcamientos subterráneos.

Aprovechó una detención del tráfico para darle un mordisco a un bocadillo de pastrami rojo que le había preparado un camarero de enorme barriga en una de esas tiendas de comida para llevar; durante la masticación le dio vueltas a aquel camarero que, como todos los de la ciudad, parecían esperarte y saber cuáles eran tus deseos y necesidades, la insinuación de una perspicacia mayor de la requerida, aquel síndrome típicamente neoyorquino. El tráfico volvió a moverse unos metros y retornó a su cabeza un modelo tridimensional del caso, con diferentes niveles de registros y contradicciones. De momento, la Interpol no decía ni pío. Sailesh había acabado arrestando a aquel Dwight Hemon por sospechoso de colaboración con el tráfico de personas en el puerto de Newark. Viktor había retornado a la escena y liquidado a otro jefe criminal, este georgiano, Zakhar Yaponchik, un nuevo Viktor abducido por las liturgias de los Vor v Zakone. Y los primeros tanteos alrededor de la modelo no habían producido nada concluyente.

De repente vislumbró un hueco entre los vehículos encastrados, pero se negó a tomar el atajo porque sabía que al final le retrasaría. Tenía los hechos, ahora debía interpretarlos. ¿Por qué habían liquidado a Chevengur y luego a Yaponchik?, ¿qué buscaban en el apartamento de Olena Vodianova?, ¿por qué una de las últimas llamadas del Pakham había sido para ella?, ¿cuál era la conexión entre aquellos luctuosos sucesos? Reguló la calefacción del coche. ¿Y qué escondía Viktor en las entrañas de aquel centro comercial? No podía quitarse de la cabeza a aquel tipo con mono desteñido y gorra recorriendo el dédalo preindustrial; era una imagen perturbadora, obsesiva, como esos terrores infantiles, específicos y nocturnos. Sí, tenía viejos y nuevos datos, sentía que estaban ya jugando al Juego, su ritmo multidireccional, entretejido, seductor e infinitamente peligroso. Ahora debía establecer un plan, un modelo ideal por el cual guiarse no sobre verdades, sino sobre potencialidades. Sailesh, tras testificar y dar informes en el juicio de otro caso anterior, iba a ocuparse de rastrear la pista de los muelles, que a lo mejor no tenía relación con Viktor, pero que legal y moralmente estaban obligados a seguir. Habían colocado hombres para vigilar las cámaras del centro comercial. La Interpol y el FSB continuaban averiguando en Europa. Y él se dirigía al Samovar, a su local calcinado, para encontrarse con uno de sus confidentes. Dimitri, el nombre en clave que utilizaba, era sus ojos y sus oídos en esas profundidades abisales que se abrían bajo la ciudad, debía referirle los rumores y los silencios, las especulaciones y los susurros. La única prerrogativa con la que contaban era que Viktor no estaba al corriente de que conocían su identidad, y que sabían que, desde el principio de los tiempos, los ejércitos se habían enfrentado por intereses comunes, no opuestos. Era una ventaja. Una minúscula y preciosa ventaja. Inesperadamente, un rugido de motores y bocinas indicaba que la calle iba paulatinamente descongestionándose. Al contrario que el cielo, veteado de cirros, que iba tupiéndose cada vez más y del que se desprendía una fina nevada que iba desdibujando las calles.

En ese momento, un turista griego se asomaba a la Zona Zero buscando una experiencia histórica, un estímulo controlado.

El horror.

La aflicción.

La estética.

La perplejidad.

Los vestigios de la intensidad.

Miraba el socavón, embobado, sobreactuando con asombro ante su pareja. Será el mismo asombro con el que, un par de semanas después, llegue a Tesalónica demandando otra vez esas sensaciones en las fotografías de su ordenador, y la pantalla le devuelva una imagen despoblada, una ausencia de sensaciones.

Sonó el móvil de Daniel. Activó el manos libres. No conocía el número.

—¿Quién es?

—¿Se acuerda de mí?

En los primeros instantes Daniel no identificó la voz, pero no tardó en sentir cierto placer mezclado con incomodidad.

—Claro, ¿cómo le va, Erin?

—Bien, echando de menos mi casa.

—Bueno, aquí todo sigue igual, Godzilla dándose un paseo por la Quinta, una inmensa nave extraterrestre sobre la ciudad... Lleva ahí un par de días. Y no parece que tenga buenas intenciones.

—Menos mal que estoy en Europa.

—Tengo entendido que hay una de éstas sobre cada ciudad importante.

—Realmente no creo que Belgrado esté entre sus prioridades...

Un silencio divertido, grato. Era la primera vez que se distendían, y había resultado algo espontáneo, natural. Inesperado.

—Tiene que ser muy temprano en Europa —dijo Daniel.

—Está amaneciendo.

—¿Es bonito? No conozco.

—Sí, muy bonito. Aunque no he dormido bien.

—Lo siento. ¿Algún motivo concreto?

Erin no podía confesarle que había pasado una noche toledana debido a un simple cepillo. Sufría una ausencia de certeza, una presión nociva.

—Una pareja fogosa en la habitación de al lado —improvisó.

—No me queda más que felicitarlos —ironizó—. En fin... ¿me llama por algo en particular?

—Si nuestro trato continúa en pie, creo que tengo algo que le interesará.

—Cuénteme.

Erin le refirió parte de su entrevista con el agente del contraespionaje yugoslavo, incluyendo los días en blanco en el calendario y su shock ante Artyom Zhivkhov.

—Vaya, parece que las cosas que han pasado cambian continuamente —concluyó Daniel.

—Suele ocurrir.

Un bocinazo cercano le hizo perder el hilo.

—Echo de menos los atascos —suspiró Erin.

Daniel le lanzó una mirada categórica a un conductor cercano, una promesa regular de violencia, que éste imitó de una manera sobreactuada. Daniel apretó la mandíbula y enderezó la espalda.

—No comparto esa nostalgia. —Se pasó la lengua por los labios—. A lo que íbamos... es evidente que durante su desaparición Viktor hizo algún trato, lo que no está tan claro es por qué dejar una posición de poder y quemar las naves. Y seguro que la respuesta se halla en el lugar donde estuvo esos cuatro días.

—Para intentar resolver eso tendríamos que plantearnos la reciprocidad de la que hablamos.

—¿Qué me sugiere?

—Usted podría conseguir las listas de las compañías de

vuelo desde el 23 al 27 de mayo de 1999, con salida desde Belgrado y destino en… —Titubeó.

—Busquemos hacia el Este.

—Sí, es razonable. ¿Algún país en particular?

—Pongamos un radio que incluya Moscú, comprende muchas capitales, aunque la Interpol podría agilizar el trabajo. ¿Y a quién deben buscar?

Erin se imaginó los hilos rojos de las trayectorias de los aviones fracturando sus trayectorias en cada ciudad, como en las películas clásicas.

—Evidentemente, no han de contar con que viaje con su identidad. Viktor es un maestro en adoptar muchas diferentes. Pero si ponemos que fue y regresó en avión, y dando por supuesto que utilizase el mismo pasaporte, podríamos buscar coincidencias. Lo seguro es que el hombre del KOS certificó que había vuelto al aeropuerto de Surčin y tomado un taxi.

—Es un comienzo. Haré las llamadas pertinentes.

—¿Y qué me dice de usted? ¿Sabe algo que me podría ayudar?

Su tono había sido sobrado y contenido a la vez. A Daniel le hizo gracia su confianza en sí misma, incapaz de rogarle un favor. Estuvo tentado de buscar alguna manera de subrayar su dominio sobre ella, pero se daría cuenta y volverían a las trincheras anteriores a la llamada. Le contó una parte de su indagación: los nuevos estragos que había causado Viktor, las mujeres arrastradas por el tráfico de personas y la cosecha de tatuajes. Este último dato provocó un intercambio de conjeturas y suposiciones. Tras algunas interjecciones secas para que Erin supiera que seguía al otro lado, cerró la conversación.

—En fin, Erin, creo que de momento es suficiente.

—Estoy de acuerdo. Muchas gracias. Espero que no le quede mucho atasco.

—Ya está aligerando.

—Bien. Entiendo que para usted será un engorro, pero es curioso, a mí me tranquiliza.

Daniel no supo cómo interpretar aquella efusión inesperada. Su voz sonaba muy cercana, pero no se hizo ilusiones, no pensó que pudieran ser amigos, sin embargo estaban cómodos, como dos vecinos que envejecen juntos.

—A mí me relaja ir a las lavanderías —confesó—. Es agradable elegir el color de las prendas, poner la temperatura, dosificar el detergente, ver cómo da vueltas la ropa por el ojo de buey, intentar adivinar la vida del resto de los clientes por lo que traen a lavar…

Aunque no pudiese verla, era evidente que Erin sonreía.

—Vaya, no daba usted el tipo.

—¿Qué tipo?

—Ese tipo.

—¿Y qué otro daba?

—Inmaduro sentimental.

Daniel sonrió y estuvo seguro de que ella también lo supo.

—Hum… parece que nunca nos vemos como somos, solo los demás conocen nuestro verdadero rostro —se lo pensó, disparó—: ¿y usted qué tipo es?

—¿Yo? —Erin no lo dudó—: yo soy un cruce de caminos.

Únicamente los demás conocen nuestro verdadero rostro. A Erin le gustó su manera de resumir su oficio. Entendió que había las suficientes connotaciones y matices entre ellos como para arriesgar una postrera especulación.

—Una última cosa —añadió—, hay algo que deberíamos tener en cuenta. Es solo un presentimiento, pero todo suma.

—La escucho.

—Verá, Atila…

—¿Atila?

—Sí, el rey de los hunos, el de la hierba que no crece...

—¿Qué hierba?

—Olvídelo, pues Atila no se contentaba con menos que el poder mundial, pero se desesperaba porque ni él ni su tribu sabían nada de filosofía o literatura, eran analfabetos, de manera que nadie podía inmortalizar sus hazañas.

Durante unos instantes, a través del auricular únicamente se escuchó la respiración del tráfico.

—Bien, ya sé los problemas psicológicos de Atila —reaccionó Daniel—. ¿Y?

—Pues que he estado en muchos lugares y he hecho muchas fotografías, a muchas personas y a muchos personajes. Y si hay algo en común entre todos ellos... —Erin se interrumpió porque en ese momento estaba llegando el autobús que esperaba; había hablado todo el tiempo desde una parada— es que al final quieren que se sepa cómo son —rehiló—. Creo que Viktor no es diferente. Es más, creo que es plenamente consciente de que la fama es menos deudora de las proezas que de los homenajes, sin testigos solo hay energía malgastada. Y ahora sufre la misma ansiedad que Atila.

—¿Por qué lo piensa?

—Ya se lo he dicho antes, no es nada sólido, solo lo presiento. Sospecho que en su interior hay un conflicto, sabe que ahora mismo para ser eficaz debe ser invisible, debe dejarse sentir pero no deben verle. Porque el poder únicamente se mantiene fuerte cuando permanece en la oscuridad. Pero durante años fue un semidiós en Yugoslavia... ¿quién no querría volver a serlo?

Daniel consideró aquella apreciación relacionándola con el fragmento de conversación de aquel hombre del KOS, cuando subrayó que a la persona temida se le dota de ese miedo; es la veneración y no la persona la que tiene poder.

—Eso que me cuenta podría ser una debilidad.

—Es algo parecido al eslabón débil que Viktor logró encontrarle a Zhivkov. No sé si igual de desguarnecido, pero lo es.

De sopetón Daniel escuchó cómo Erin cambiaba su registro y se dirigía a alguien en una lengua hermética; hablaba aquel idioma como quien conduce un coche con un carnet recién sacado. Al fondo empezó a oírse una algarabía de voces y el motor rugiente de un vehículo.

—Me tengo que ir —avisó.

—¿Dónde?

—Me marcho a Požarevac, en Branicevo, al este de Belgrado. Es la ciudad natal de Viktor. Allí viven todavía su madre y una hermana. Por cierto, la ciudad es conocida no solo porque allí también nació Milosevic, sino porque Atila y el Imperio bizantino firmaron un tratado, el de Margus, creo. Luego me voy a Bosnia, quiero seguir el rastro de violencia que dejó Ratko, dibujar una especie de mapa, hacer preguntas.

—¿Busca algo en especial?

—Solo busco.

Sería difícil explicar por qué se obstinaba en comprender ese algo irreductible que hay siempre en el comportamiento humano, pero compartieron esa intimidad que produce lo clandestino, en ocasiones más profunda que la que se convoca en una amistad o una pareja. A pesar de que Daniel sabía que ella no era una de esas cristianas que aguardaban la entrada de los leones en el Coliseo, experimentó cierta desazón.

—No se fíe de nadie —se oyó decir.

—No lo haré. Aunque también sería un error desconfiar de todos.

En ese momento fue tangible como nunca la reciprocidad: ni Daniel pensó en Erin como en una desequilibrada, ni ella lo imaginó como un fantoche con exceso de testosterona. Se despidieron. Erin cerró su móvil y elevó sus ojos. Durante el amanecer, una oscuridad impenetrable había dado paso a un cielo soldado en estaño; se colocó entre la cola de viajeros en el andén. El motor sincopado del desvencijado autobús, su crujiente y oxidada carcasa, el humazo de su tubo de escape, las puntuales despedidas, algunas muy emotivas, la gente que descendía mezclándose con la gente que partía, todos en movimiento, todos menos uno, un individuo quieto que, a cierta distancia, miraba concentrado en dirección a Erin.

No hay posibilidad de diálogo entre sustancias que nacen en campos opuestos, reflexionó Sailesh observando a aquel Dwight Hemon que, a pesar de la oportunidad que le habían concedido de remediar su deplorable gusto, había sustituido su camisa aguacate por una de un indescriptible color cereza. Se hallaban en una habitación hermética, sin ventanas, y aquel era su segundo encuentro. En el transcurso de los interrogatorios parecía haber perdido aquella locuacidad de vendedor de crecepelos, y se había ido atrincherando en la certeza de que le bastaría con aguantar sus embestidas tras el burladero de aquel abogado que le acompañaba con el tesón de una ladilla. Paradójicamente aquel racista estaba siendo defendido por un negro, y no parecía incomodarle demasiado. Cada vez que intentaba presionarle su picapleitos hablaba de los derechos de su cliente como quien habla de la naturaleza de Dios, y aquello no ayudaba a temperar el rencor que se había despertado en Sailesh. A ello se añadía la frustración de que cualquier conexión que intentase entre Hemon y aquellas pobres chicas era frágil; no había forma de establecer vínculos firmes y todos lo sabían. No obstante, no todo eran reveses, había pasado un buen día con Kavita, una jornada en la que no se vio obligado a caminar entre las horas como entre minas. Pero tenía miedo, seguía teniéndolo, un miedo supersticioso, como si aquella calma no estuviese justificada o no fuese suya. Recordó la primera vez que le había sido infiel, en la oficina, con una compañera de trabajo. Se habían quedado rezagados por algún enredo burocrático, y de madrugada se habían sonreído con cansancio, terminando ante una copa en algún bar solitario. Luego habían ido a un minúsculo apartamento de Little Italy, con una cría esperando llamada Teresa o Magdalena. Acostaron a la chiquilla, sonó un poco de música lenta, el vino se deslizó por las copas y se desplomaron en el dormitorio principal. Nada de aquello hubiera representado algo terrible si no fuese porque Sailesh se empeñó en fingir que era mucho más profundo de lo que era. De repente, deseaba formar parte de aquella vida, entrar en aquella mínima existencia y participar plenamente de ella, aunque fuese fugazmente, sus ilusiones secretas, sus esperanzas… Ése fue el primero de los hachazos que ahora hacían tambalear el gigantesco tronco de su matrimonio.

Parpadeó con fuerza y se centró en Hemon. Ya fuese por dinero o amenazas, aquel tipo había cometido una infamia. Podía presionar a sus ayudantes, seguramente alguno de ellos le proporcionaría jugosos pormenores; sin embargo, Sailesh quería borrar de la cara de aquel maderchod su mueca desdeñosa, sentir la satisfacción y la náusea ante una cucaracha aplastada. Se propuso repetir punto por punto la telaraña de preguntas que había tejido a su alrededor.

—¿De veras que no tiene ni idea de por qué le llamó Ilya Mihailev, alias Chevengur?

—Mi cliente ya le ha respondido que no —se interpuso de nuevo el abogado—. Además cualquiera puede equivocarse de número.

—Le pregunto a su cliente...

—Ni idea —respondió Hemon con sequedad.

—Lo que me extraña es que no estuviera al tanto de lo que había en esos contenedores.

—¿Sabe el tráfico diario que hay en los muelles? —intercaló el abogado.

—Le pregunto a su cliente...

—¿Cree que podemos registrar todos los contenedores? —respondió Hemon.

Sailesh compuso un gesto de tedio.

—Esas chicas tenían que ser recogidas, ¿cómo es posible que nadie se apercibiera de lo que estaba sucediendo?, ¿no le resulta extraño que ninguno de sus hombres viese nada?

—¿Qué está insinuando? —interfirió el abogado.

—Y no creemos que sea la primera vez —insistió Sailesh.

—Definitivamente mi cliente no tiene nada que ver con este asunto.

—Chicas saliendo de un contenedor a plena luz del día y embarcadas en cualquier vehículo, hum... difícil no reparar en ello.

El abogado volvió a recurrir a una jerga especializada citando leyes y códigos de una forma acelerada, a golpes, intentando dorar toda aquella mierda con el oro barato de la falsa moralidad. Sailesh seguía un poco escandalizado por el cainismo social de Dwight Hemon, por la ausencia de penalización de la alteridad de su abogado. Solo quien hubiera conocido profundamente a Sailesh se habría dado cuenta de su impaciencia por una venita que comenzó a vibrarle en la sien. Supo que tenía que empezar a funcionar en las latitudes grises. De eso trataba Lila, el Gran Juego, porque solo quien jamás ha estado en el campo de batalla apela a la virtud impoluta y a los hechos intachables; en el tablero todas las acciones son morales de forma provisional, y el Juego es eterno. Detuvo el abanico de leyes que el abogado había desplegado y compuso una sonrisa.

—¿Podríamos hablar a solas unos minutos, Dwight? —le tuteó.

—¿Para qué?

—¿Te lo puedo decir al oído?

Se produjo un instante de desconcierto que fue resuelto por un inicio de protesta del abogado, cortado de raíz por Hemon. Al fin y al cabo él era un mercader, alguien que sabía reconocer un producto oportuno, un momento oportuno, un cliente oportuno, un argumento oportuno. Y a aquel indio de mierda su sonrisa no acababa de disimularle una mirada que se había vuelto dura y que más valía atender por si acaso. Levantó la mano como si se hubiese cortado y se dirigió a aquel negro de mierda.

—Déjenos unos minutos.

El interior carbonizado del Samovar se alargaba en una ele decorada con cortinajes requemados. Daniel había roto el precinto que advertía a cualquier curioso que no era bienvenido y entrado en aquel reino de ceniza. Un intenso olor a chamuscado era todo lo que quedaba de la empalagosa nostalgia con que habían decorado el restaurante. Se movió entre aquella oscuridad de muela picada haciendo lentos rastreos con una pequeña linterna. De vez en cuando, entre las formas imprecisas, sulfúricas, tropezaba con oscuros cables del grosor de un brazo o con una superficie metálica que le devolvía un destello lacerante. Todo hacía reflexionar acerca del precipicio por cuyo borde andábamos todos, en el que un jefe del crimen que aguardaba para devorar un bistec muy hecho, y al minuto siguiente era él el pedazo de carne carbonizado. La extrañeza de una vida en la que había que planear con meses de antelación pero vivir cada segundo. Daniel volvió a centrarse en el truculento escenario, la linterna proyectando una moneda de claridad que iba resbalando sobre las superficies arruinadas. Comprobó de nuevo los rostros de las fotografías colgadas en las paredes, incluidos los de aquella pareja que posaba con Chevengur, en especial la cara de la elegante pelirroja. Hasta que, súbitamente, iluminó un rostro vivo. Daniel saltó por la impresión y tuvo que apoyarse en una esquina de la barra para no caerse. La moneda luminosa ejecutó unos cuantos arabescos hasta volver a centrarse primero en un rostro de mujer, y luego en su cuerpo. Era ella: Dimitri. Poseía todas las características que Daniel asociaba con las lesbianas, actitud viril, pelo corto, era corpulenta y musculosa, y llevaba una camisa de tela áspera, un patrón fiable que seguramente se revelaría falso. Su piel era muy blanca; las orejas, pequeñas, pegadas a la cabeza, y el tono de su voz, profundo, nasal, tenía una suave inflexión extranjera, en absoluto ubicable. Daniel mantenía con ella una relación basada en el dinero, pagaba toda la información para evitar así favores. Por descontado, estaba seguro de que trabajaba para más gente, era uno de esos hombres malos, como decía Sailesh, que reclutaban los hombres buenos para hacer cosas malas en pro de buenas causas. Solo ese tipo de gente tenía acceso a información específica, pistas, rumores...

—Me has asustado.

—Con lo grande que eres.

Tampoco olvidaba que poseía un turbio sentido del humor. Daniel mantuvo una quietud que decía: no me tomes el pelo, chico. O chica.

—¿Podrías apartar la luz de mi cara? —le rogó Dimitri. Daniel iluminó la escena de forma indirecta.

—Es un extraño lugar para una cita —prosiguió su informante.

—Aquí no nos molestarán. Además quería que tomases nota de lo que es capaz de hacer Viktor.

Dimitri echó un vistazo, pero no pareció muy impresionada.

—No es nada nuevo.

—¿Ni siquiera que liquiden a Chevengur y a Zakhar Yaponchik?

—¿Qué tiene de raro? En los noventa era el pan de cada día.

—Eran Vor v Zakone, creo que hay algunas restricciones sobre eliminar a jefes.

—Vorovskoy Zakon… Vorovskaia Spravedlivost… la ley de los ladrones, el tribunal… Los tiempos han cambiado mucho desde Brighton Beach, Daniel. La Malina ya no es lo que era, los nuevos líderes no vacilan en saltarse las leyes si es útil para el negocio. Pero todo esto es retórico.

Daniel jugó un poco con la luz.

—¿Qué se dice en la calle?

—En la calle no hay guerra, pero se comentan cosas. ¿Qué necesitas?

Daniel sonrió al comprobar cómo Dimitri le despejaba una puerta, una conexión hacia los caminos de favores, contactos y obligaciones que le permitirían acercarse a sus objetivos. La imagen que tuvo en la cabeza fue la de una madre joven que se sacase un pecho y diese barra libre a su bebé. Le habló de Olena, Chevengur y los tatuajes. Luego esperó. El silencio se instaló entre ellos como un gran perro negro. Dimitri arrugó la nariz por una repentina ráfaga de mal olor; evaluaba la información que le iba a contar. Al fin habló; no había nadie aparte de ellos, pero de alguna manera consideró que era necesario susurrar.

—Tengo algo que puede interesarte…

Sailesh observó la espalda del abogado desapareciendo tras la puerta. Al punto le lanzó una mirada evaluativa a Hemon; los estadounidenses siempre buscaban alguien que les resumiera el mundo en una frase o una imagen, y aquel tapori, aquel matón de poca monta no iba a ser menos.

—Apariencias —vocalizó poniendo énfasis en cada sílaba.

Dwight Hemon se revolvió en su asiento y se inclinó hacia delante.

—Las apariencias —repitió Sailesh—, lo son todo en el mundo. Pero no solo en esta época, en cualquiera. Y yo no creo tus apariencias…

Sailesh dejó de hablar y se limitó a mirarle. Después de un rato Hemon se incomodó y apartó la vista, pero Sailesh mantuvo la mirada fija en sus sienes, carraspeó y después habló más despacio.

—¿Y por qué, Dwight Hemon?, ¿por qué no creo tus apariencias?

Hemon sostuvo de nuevo su mirada, pero volvió a perder.

—No sé de qué mierda me estás hablando.

Su expresión desdeñosa había sido magnífica, pero Sailesh no quiso ser ni opresivo ni aterrador ni amigo; había leído los prejuicios del sospechoso e iba a presentarse como lo último que esperaba: la solución a sus problemas.

—Verás, el problema es que aunque piensas, con razón, que puedes escapar de esta, hasta tu abogado sabe que podríamos tenerte una temporada en remojo mientras se comprueban ciertos datos. En ese intervalo, pueden suceder algunas cosas que ni a ti ni a mí nos harían muy felices.

La rabia estrangulaba a Hemon y el primer destello en sus ojos fue de enfado.

—Vas a tener que dibujármelo, porque no entiendo un carajo.

—Por supuesto, por supuesto, y a colores si lo deseas… pero no te alteres, solo escucha lo que tengo que decirte. —Acarició su colgante—. Realmente no hay nada sólido contra ti, no hay acusación, no hay caso, puede que uno de tus ayudantes te haya traicionado, cualquiera pudo haber recogido a esas chicas, ya sabes que aquí el dinero es una forma de virtud, qué no puede el dinero… No obstante, eso únicamente lo sabemos tú y yo, y yo estoy bajo presión, necesito… —respiró hondo— algo. Y si no me cuentas nada, me veré obligado a extender un rumor en la calle, el rumor de que alguien se ha ido de la lengua, de que alguien nos está cantando *La traviata*.

Sailesh descubrió el segundo destello que buscaba: miedo. A pesar de todo el control de sí mismo, sobre toda su habilidad para interpretar. Hemon se puso de pie. Fue solo un reflejo.

—Por favor, siéntate —dijo Sailesh.

—Tú no harías eso.

—Siéntate.

—No puedes hacer eso.

—Sencillamente tú no sabes lo que yo puedo o no puedo hacer —replicó Sailesh con dureza.

—Si yo te contase algo sería hombre muerto.

TO PLEASU
PROVENÇA

Evelyn
Toro

The Corsican Caper

BY THE AUTHOR OF
A Year in Provence

Gla
fêtes, th
Corsican
mafia, and
a Russian
tycoon...
oh my!

PETER MAYLE

Donor support helps make
Toronto's Library great

Donors provide support beyond what is
possible with municipal funding alone.

Your donation will build ground-breaking
programs and services, world-class collections
and innovative community spaces.

Donate at tplfoundation.ca

Evelyn Gregory
Toronto Public Library
Evelyn Gregory 416-394-
1006

User ID: 27131009490998
Title: ADULT FICTION
SPANISH
Item ID: 37131142131085
Date due: 23 January 2015
23:59

—Y si no lo haces también sería embarazoso, me temo.

—Tu labor es proteger.

—Cierto, proteger al mundo de gente como tú…

Lo dijo con esa cara de alguien que presta dinero, dándolo todo por perdido, y peor, por bien empleado. Hemon no se sentó, se hundió en la silla sin elegancia. Notaba en el paladar un sabor a pegamento viejo. Sailesh supo que lo tenía, pero no pudo evitar un pensamiento acerca de hasta dónde se puede ir en la búsqueda de la justicia antes de convertirnos nosotros mismos en injustos.

—Apariencias —reiteró—. Esas mismas apariencias pueden también protegerte.

Dwight Hemon le miró. Su cerebro trabajaba sin tregua. Hubo en sus ojos una alternancia de desesperación, seguridad y duda. Se recompuso.

—¿Cómo?

El olor sofocante, oleoso, la luz que bailaba, las formas negras y ciegas que aparecían y desaparecían. Dimitri se movió con cuidado entre los restos carbonizados del Samovar, como si operase en medio de una red de vasos sanguíneos y centros nerviosos.

—Chevengur era un rey, pero, citando a Lenin, todos los reyes están sentados sobre tronos de pólvora —comenzó—. Había cavado muchas fosas, era cuestión de tiempo que alguien cavase una para él. Lo raro es que no es nadie conocido, ese tipo ha aparecido de la nada, sin aviso previo, ha liquidado a Chevengur y a continuación ha decapitado a un georgiano rival, Zakhar Yaponchik. Sin declaraciones de guerra ni provocación.

Dimitri permaneció callado unos segundos, elegía entre

su arsenal de máscaras. Pero Daniel sabía que tenía una capacidad para ver las cosas tal como eran que rozaba la crueldad, en ese sentido podía estar seguro.

—Parece un Bespredel —continuó—. ¿Sabes lo que es?

—No.

—Es un juego sin reglas, una forma de crear el caos entre los adversarios. Pero únicamente lo parece. Es imposible que actúe en solitario, él es el enviado de alguien, lo confirman esos tatuajes que me has descrito. Pero ¿de quién? Y sobre todo, ¿qué busca? Yo solo puedo asegurarte que se está creando desconfianza, nadie sabe con exactitud lo que está ocurriendo, y a este paso todos los grupos empezarán a desconfiar y bastará un pequeño roce, una ligera disputa para que todos desenfunden las armas. He intentado encontrar un patrón, pero es demasiado pronto, hay que esperar. Nadie quiere una guerra, pero se ha encendido una mecha.

—Los ejércitos se enfrentan por intereses comunes —repitió Daniel.

Fue lo único que se le ocurrió. Y, por supuesto, mirar detrás de la mentira para ver la verdad, y detrás de la verdad para ver la mentira en aquella guerra en la que, intuía, el envite no era solo por la conquista del territorio, sino también de los espíritus.

—Hay que esperar —reiteró Dimitri—. Me pondré en contacto contigo cuando tenga más.

Hizo una mueca difícil de interpretar. Daniel se sorprendió de que su luz se reflejase en el esmalte transparente de sus uñas. Un inesperado detalle de femineidad. Buscó alguna forma de despedirse, pero ninguna tenía el suficiente entusiasmo; para entonces Dimitri ya le había dado la espalda.

Sailesh utilizó sus maneras más suaves, su voz más tranquilizadora. Había poder en él, una especie de certeza.

—Buena decisión esa que has tomado. ¿Cómo pueden protegerte las apariencias? Veamos… —colocó la punta de su dedo en los labios y dio pequeños golpecitos; su voz sonó baja pero decidida—, ¿cuánto peligro puedes correr si gracias a lo que me cuentas nosotros damos con algo?

—No duraría ni un día, lo sabes… —Su mirada fue lo bastante afilada como para cortarle la piel.

—Mm… pero había más gente implicada en lo del puerto.

—Sí.

—Ayudantes, trabajadores…

—Puede ser…

—Cualquiera de ellos podría haber hablado.

—Podría…

—Pero luego están los hechos y está la verdad y no coinciden necesariamente.

—¿Adónde quieres llegar?

Sailesh sonrió: cuando te dispones a desplegar una gran mentira, tienes que decir la verdad en los detalles más pequeños.

—Si me ayudas los hechos podrían ser que dejásemos libre a alguno de tus peones y que entonces maléficos rumores le apuntarían.

Una mancha de sudor en la camisa de Hemon. Sailesh reflexionó de nuevo sobre las apariencias, que solo funcionan cuando quieren ser creídas. Dwight Hemon posiblemente lo sabía, entendía que aquello era un embuste, pero de repente pareció cansado, porque su voluntad no se dirimía entre una quimera y una realidad, sino entre la supervivencia o la aniquilación, y era más apremiante la necesidad de creer.

—Vinieron un día —capituló—. Ni siquiera me dieron

opciones, me dijeron los cargamentos que llegarían y cómo tenía que gestionarlos. Después me ofrecieron una cantidad. Cualquier negativa terminaría conmigo y mi familia descuartizados en un basurero.

—¿Qué clase de cargamentos eran?

—No teníamos permitido abrir los contenedores. Recibíamos los avisos y mis hombres los dejaban entrar por la noche.

—No creo que no le echaras un vistazo —remachó—. ¿Qué clase de carga?

Hemon dudó si continuar con los matices de su mentira u optar por la fría y plana verdad. Decidió no enredar más las cosas.

—Yo he visto de todo: antigüedades, ropa, cosméticos, material de software... incluso basura ilegal...

—¿Armas?

—Algunos contenedores estaban explícitamente prohibidos, apenas nos daba tiempo a descargarlos. Llegaban con camiones y recogían las mercancías. Luego cobrábamos.

Sailesh se imaginó una enfermedad catalizada por la globalización de los mercados, una corriente imparable de armas, drogas, recursos naturales, productos falsificados, cuerpos humanos vivos, o muertos para trasplantes... una nueva geografía mundial e ilícita con sus capitales en el Transdniéster, Rumanía, Moldavia, Bielorrusia, en la que las mercancías a transportar resultaban ya irrelevantes, el lucro se hallaba en la capacidad logística. Hasta el día en que unos kilos de uranio enriquecido lleguen a las manos equivocadas, concluyó.

—¿Y con las chicas era igual? —rehiló.

—Ah, sí, las golfas...

Sailesh le lanzó una mirada feroz que hizo recular a Hemon.

—Las mujeres —se enmendó—. Sí, ahí hacían una excepción, nos advertían por si alguna llegaba... ya sabe... fiambre.

—¿Y no les proporcionaban ayuda médica?

Hemon titubeó. Temió que aquella pregunta llevase un cepo dentro; se esforzó en escoger sus palabras para dar la impresión de que no quería engañarle.

—Les dábamos agua y algo de comer hasta que las recogieran sus dueños.

Sailesh escondió esta vez su animadversión tras una enorme sonrisa, que provocó en su interlocutor la intuición de que era más peligroso cuanto más despreocupado o indiferente pareciese. Hemon se pasó la mano por la incipiente barba haciéndola crujir. Lo siguiente que dijo Sailesh lo hizo como si estuviera a punto de echarse a reír.

—Y esos dueños, ¿dónde se las llevaban?

—No lo sé, las metían en furgonetas y no daban más explicaciones.

—Ya... Has de darte cuenta de que si no hay nada más que me pueda ayudar, yo no tengo ninguna obligación de cuidar las apariencias.

—Pero es que no sé más. Recibía una llamada y se las llevaban.

Sailesh sopesó las posibilidades, agotó los movimientos. Hacia delante, hacia atrás. No podía dejar en la estacada a todas aquellas desgraciadas que huían de una pobreza que era un país en sí mismo; a veces deseaba que todos aquellos hijos de puta, toda aquella cadena de reclutadores, revendedores, extorsionadores, matones y transportistas tuviesen una sola cabeza para meterles una bala y acabar de una vez. Sintió el corazón latiendo en las sienes. Sintió la melancolía que era el primer paso hacia la profundidad de ideas. Se acercó tanto a Hemon que sus narices estuvieron a punto de tocarse.

—Dentaduras del Este —sugirió.

Hemon adoptó un gesto irascible.

—¿Otra adivinanza?

—No, son las dentaduras habituales por allá. En realidad depende del país, pero después del desbarajuste que se produjo son normales las dentaduras en mal estado por déficits en la nutrición y poco dinero para médicos. Caries, piezas rotas, encías inflamadas… son fáciles de reconocer. A veces dan problemas… —perdió el hilo al observar sobre la mesa un inverosímil cenicero de Los Ángeles 84— provocan fiebre, llegan a poner en peligro a sus propietarios… Y quien habla de las dentaduras, habla de cualquier cosa, los viajes resultan duros, pueden coger enfermedades, neumonías, alergias, un cuadro de patologías que ponen en peligro una inversión. Porque, desengañémonos, Dwight, si tal cosa ocurriera no las salvarían por compasión, sino para proteger los futuros beneficios. ¿Recuerdas si en algún contenedor tuvisteis problemas?

El rostro de Hemon fue de actor o político.

—Ya te digo que se ocupaban mis hombres y luego las recogían directamente los rusos.

—Vamos, Dwight, vamos, vamos, no me hagas perder el tiempo, alguna vez tuviste curiosidad, alguna vez quisiste ver lo que había dentro, seguro, seguro que en alguna ocasión pudiste incluso hacerte con un poco de caviar, o un bolso de Hermès o lo que fuese.

Hemon buscó algo que se hallaba entre la necesidad y la mentira.

—No veo de qué te podría servir… —refunfuñó.

—Eso es cosa mía.

Tardó en reaccionar, pero finalmente se movió como desenroscándose.

—Fue hace un par de meses, una de las chicas venía muy mal. Tanto que estuvimos a punto de llamar a un médico de confianza, pero los rusos llegaron antes y se negaron. Y a no ser que ellos tuviesen a alguien que se ocupase de estas cosas, no creo que la chica durase mucho.

Es bueno tener fuerza, pensó Sailesh, es bueno disponer de coraje, pero la base de aquel trabajo era ser capaz de pasar innumerables horas terminando tareas pequeñas, aburridas, tal vez sin sentido. Como por ejemplo comprobar los registros de Urgencias de los hospitales de Nueva York en un intervalo de tiempo determinado, cotejando especialmente los nombres eslavos, las sospechas, los pretextos, las patologías... siempre contando con que una mínima justicia del destino compensase la nefasta balanza de aquel extremo sufrimiento y aquella extrema necesidad. Quizá una ambulancia recogiendo a una chica en un lugar concreto, tal vez algún profesional recordando hechos, horas, lugares... No había mucho más. Le devolvió la mirada a un expectante Hemon.

—¿Puede volver ya mi abogado? —le preguntó éste.

Sailesh llegó cansado a su hogar. Los chicos aún no habían regresado del colegio y Kavita tampoco estaba; disponía de la casa para su uso y disfrute durante al menos una hora. Se fue directo a la ducha; luego se enrolló en una inmensa toalla, suave y esponjosa —uno de esos lujos sencillos y confesables—, e hizo una visita a su munífica nevera olvidando los michelines cobrizos que desbordaban su improvisado pareo. Tenía claro que debía ponerse el chándal más a menudo, por eso había comenzado a utilizarlo los domingos para lavar el coche. Sonrió. Con los primeros bocados experimentó un bienestar orgánico, parecido al letargo. Después se fue a su habitación y cerró la puerta, cerciorándose de que su privacidad estaba asegurada. Se sentó en un sillón, buscó un ángulo apropiado de luz y colocó sobre su regazo un cojín con fundas gujarati de vivos colores entretejidos de espejos. Solo su esposa sabía lo que se disponía a hacer. Buscó una madeja de hilo a su derecha y empezó a hacer punto. Estaba haciendo una bufanda. Luego su esposa se la regalaba a los críos o a familiares diciendo que la había comprado en un mercadillo. A veces las donaba a orfanatos. Las agujas chasqueaban mientras los hombros de Sailesh iban cayendo. Llevaba haciéndolo desde hacía dos años, cuando un médico le recomendó algún tipo de actividad antes de que el estrés o alguna úlcera le devorase. Aunque no lo exteriorizase, era nervioso. Previamente había probado con el ajedrez, incluso se había comprado una de aquellas máquinas electrónicas, pero la ansiedad volvió a medida que se recrudecían los niveles de dificultad. La primera vez que el médico le sugirió aquello, casi le retira la palabra. Le costó un mes comprar el hilo y dos semanas empezar. Hasta que descubrió que sus manos seguían el ritmo de una forma natural. Y allí estaba punto del derecho y punto del revés, con un jersey que iba brotando de las agujas. Incluso comenzó a tararear uno de los números de un Dev Anand cantarín: «*Main Sindihui ka saath nibhaata chala gaya...*». Sin embargo, a pesar del remanso creado, resonaban en su interior los ecos agrios y ensañados de las habituales broncas con su mujer. Pensaba en ellas de la misma manera que cuando te haces una herida: te preguntas miles de veces cómo ha sucedido, pero es algo que no se busca, simplemente no se puede evitar. Todo se resumía en que ella ahora dormía en diagonal y él en un cuatro perfecto. En esa lucha por lo que se desea, en eso de infantil, caprichoso y maniático que encierra tal pelea, intentaban recurrir al sexo para mitigar sus peleas, pero éste ya no era un intercambio de emociones, no implicaba ya gestos virtuosos; era sexo necesariamente rápido, un alivio momentáneo, un analgésico. Y las caricias resultaban vacilantes, una demostración del fracaso del deseo. Cruzó las agujas con saña, casi con animadversión, para conjurar el miedo. En un principio creyó que Kavita se había enterado de alguno de sus líos; temió que aquello fuese una reacción, una venganza sesgada. Durante un tiempo incluso mantuvo una monogamia estricta, cumplió con los rituales del perfecto matrimonio, rondaba por la casa, traía y llevaba a los críos, salían a cenar los fines de semana... pero sentía que ella se desvanecía, como si ya no confiase, como si supiera que ya no podía cumplir con los objetivos marcados en el matrimonio. Pese a todo, la quería. Mucho. Él, cuyo trabajo era no solo percibir los hechos correctamente, sino captar el significado de dichos hechos, no era capaz de desentrañar por qué su vida se estaba deshilachando. ¿De qué fino cable pende todo el equilibrio del mundo?

Y las agujas.

Chocando.

Kavita no sabía cuánto llevaba aparcada. Tenía que ir a recoger a los críos, pero se hallaba detenida frente al puente de Queensborough sin motivo aparente. En su cabeza, la razón había ido sustituyendo a la fe; el enamoramiento incondicional, al matrimonio pactado; la confianza, a las garantías. Uno de los síntomas eran los continuos choques, sabía que se portaba mal y sentía la emoción y el temor en igual medida, esa punzada de miedo, deliciosa y aterradora, excitante y espantosa. Se imaginaba la nueva decepción de su marido, la magnitud de la nueva traición tras los pactos, las promisiones. No obstante, aquello no era más que un grito desesperado; aunque él ya no lo creyese, le amaba, quería regresar a él, a su pecho, esperaba sus bromas al volver a casa, cierta porción de paz entre aquel tumulto de dolor absoluto. Recordaba cuando, echados en la cama, él le decía que no hacía más que pensar en casarse con ella, la sinceridad de aquellas palabras que la debilitaban y la fortalecían, la protección, la consolación que ofrecían mientras hablaba sin parar del futuro. Pero ahora él le había hecho daño, se lo había hecho cuando descubrió los primeros indicios de sus infidelidades; no eran pruebas tangibles, concretas, simplemente él ya no la miraba igual. Sabía que las cosas sucedían porque sí, cualquier cosa puede hacer que un matrimonio se derrumbe; de hecho, es difícil decir cuál puede ser la causa, todo es causa. Pero no le apetecía hablar, deseaba maltratarle con su tranquilidad fría, lo hacía todo más real, la hacía sentirse más viva. Miró el reloj. Había que recoger a los críos. Ellos eran lo más importante. Lo único importante.

La existencia es un ritual de repeticiones. Uno de los de Daniel era tomar una copa en un café-bar del Midtown, The Yellow Snot, un antiguo cabaret ahora reconvertido en un extraño local decorado con motivos marineros, redes de pescar, escotillas, fanales, timones, faros en miniatura, barcos en botellas, bustos de sirenas, maquetas de navíos… y un enorme espejo sobre el que habían pintado las banderas de Dinamarca, Mozambique y Venezuela en un impenetrable revoltijo. Daniel nunca había preguntado los motivos, ni de la decoración ni de su nombre. Se hallaba sentado frente a una cristalera, cerca de una vieja Wurlitzer; uno de los grandes placeres era mirar Manhattan con un par de whiskies añejos encima. Aquella ciudad era un estado de inminencia, un escaparate perfecto para un Viktor en busca de voyeurs. Pero en aquel teatro Daniel no podía disfrutar de la función, debía espiar el trabajo de los iluminadores, de los tramoyistas. Descubrir las verdades escondidas bajo aquellas inercias repetidas. Aún contaban con que Viktor no estuviera alerta respecto a sus indagaciones, pero en algún momento percibiría el rastro de sus preguntas, les devolvería las miradas, y debían aprovechar al máximo aquel intervalo. Removió un poco el licor, tomó un sorbo, apretó los nudillos de los dedos hasta que sonaron con chasquidos secos. Bespredel. Ése era el nuevo nombre del antiguo juego. Pero para que Viktor pudiese jugar, alguien tenía que haberle dado fichas, y el momento adecuado podía haber sido en esos días en que estuvo ilocalizable. Los tatuajes apuntaban a un Vor, pero la dirección que había tomado en un radio tan amplio solo podría ser despejada a través del ensayo y el error, algo que le podría facilitar la Interpol. Hizo las gestiones a través de su móvil. Luego se terminó la copa, pidió otra, y mientras recorría el borde del vaso con un dedo, lentamente, en un punto equidistante entre la lucidez y la borrachera, le dio vueltas al hecho de que hubiesen registrado el piso de Olena Vodianova. No llegó a aclarar aquel punto ciego entre él y Viktor, pero recordó el óvalo de su carita de muñeca lindamente caprichosa, sus anchos hombros, sus ojos de malaquita, aquel regalo frágil y radiante para el crepúsculo de vidas ricas y poderosas pero endurecidas, con los nervios hechos polvo…

Finalmente abandonó su tablero mental e hizo un par de llamadas más, una a su hija Lis y otra a un supermercado para encargar algunos comestibles. Después cayó en un tiempo muerto, trago tras trago se sintió solo. Con esa soledad en la que necesitas coger el teléfono y no lo coges. Aquello era hielo, un hielo que se metía entre las rocas y las hacía estallar. Se le ocurrió un antídoto: llamar a Agnes. Amañar una excusa, trucar las connotaciones y los matices para lograr su presencia sin transmitir su necesidad. Pero se dio cuenta de que en aquel lance todo estaba demasiado cerca de la superficie, todo era demasiado detectable. Se delataba. Se exponía. Se pasó la mano por el rostro, como si quisiera alisarlo. Se sintió vacío y culpable, no entendía bien aquellas dos emociones, su reciprocidad. Fuera lo que fuera parecía que algo anhelado le estuviese eludiendo siempre, quizá estaba cometiendo un error, no se puede cambiar el carácter, puedes adquirir experiencia, aprender, pero no puedes cambiar el carácter, únicamente adaptar la realidad a esa otra realidad irrevocable que es tu temperamento. Lo cierto era que la soledad te hacía más consciente de ti mismo, te daba perspectiva. No debía darle más importancia. Se obligó a contemplar las posibilidades que ello le ofrecía a cambio, lo inesperado aguardándole en las intrincadas calles de la ciudad, un montón de contingencias, unas con riesgo y otras no tanto. Su móvil comenzó a desgañitarse con un sonido dramático. Verificó el número.

—Dime —contestó al hombre que tenían en el hospital.

—Hola, Daniel, no hay buenas noticias —le comunicó con cierto gorjeo en la forma de hablar.

—Lo suponía.

—El guardaespaldas acaba de fallecer.

Daniel hizo un gesto atribulado.

—¿Cómo ha sido?

—Un cuadro completo: fallo cardíaco, renal… Los médicos no han podido hacer nada.

Daniel no se conmovió: aquel cabrón hacía tiempo que no

estaba entre los vivos, sencillamente los muertos todavía no le habían admitido.

—¿Y el cocinero?

—Acojonado pero entero.

—Pues en cuanto esté en condiciones, que lo empaqueten en el primer avión para su país.

Daniel supo que lo había dicho con demasiada rapidez, una expresión demasiado emponzoñada, y se recriminó haber mezclado lo profesional con lo particular. Iba a despedirse más afablemente cuando notó que al otro lado de la línea había un silencio tozudo.

—¿Alguna cosa más?

—En realidad no lo sé…

—Si no lo sabes es que hay alguna cosa más.

Su hombre vaciló, como si intentase generar una melodía a partir de retazos. Era un tipo nervioso y Daniel se lo imaginó comiéndose las uñas.

—Justo antes de morir, el guardaespaldas tuvo una resurrección parcial, los médicos dijeron que no era inusual.

—¿Pudiste hablar con él?

—No, no… fue un estado de semiinconsciencia… no había manera de establecer una conversación…

—¿Pero…?

El hombre recordó al *Byki*, blanco y desencajado, ardiendo; cómo su mente resbalaba, zigzagueaba al borde del colapso, pero resistiéndose todavía, aferrándose a una palabra, a una cornisa de lenguaje. Recordó cómo de repente abrió unos ojos desenfocados, vacíos, y su voz pulposa, descompuesta…

—Tora… ator… torator… —silabeó.

Daniel creyó no haber escuchado bien. Se lamió los labios.

—¿Cómo has dicho?

—Tora o ator o atora, es lo que repetía continuamente.

Daniel hizo memoria atizándola con aquellas sílabas, trató de ver el hilo con que estaba cosida aquella idea, pero acabó extraviado en dobles sentidos e interpretaciones.

—Toratora —coreó por última vez.

6

Los hombres huecos

El mismo día

Chet, un agente de fino pelo oscuro, piel bronceada y una propensión a llevar ropa usada, aunque con tal seguridad que parecía a punto de volver a ponerse de moda, tenía una sensación de aire viciado. Llevaba casi una semana haciendo compañía a los vigilantes del Blue Mall, desde que habían descubierto aquellas imágenes de Viktor en las cámaras de vigilancia del complejo comercial. Hacía turnos de doce horas que alternaba con otros compañeros, pero a un trabajo insomne, siempre con el ruido de fondo de la estática de los talkies, se le unía el hastío de soportar a sus compañeros durante la guardia, tipos huecos, como rellenos de paja. Aquella tarde el Mall estaba lleno; un espacio sin tiempo y un tiempo sin castigo, con su iluminación perenne que extraviaba a las personas en unas vacaciones eternas. Oleadas de rostros; arquitectura mediterránea, fuentes, cascadas; halagos, descuentos, recompensas... Lo más emocionante en las últimas seis horas había sido un tipo que se había empeñado en subir por una escalera mecánica en sentido contrario, y un individuo disfrazado de conejo rosado gigante que mientras repartía propaganda había tenido una trifulca con unos adolescentes guasones. En lo tocante a los tortuosos y cenicientos pasillos, toma tras toma se repetía la misma imagen lívida y polvorienta que se iba multiplicando en las veinticuatro pantallas, en ocho ángulos diferentes y ciento noventa y dos tomas distintas. Eso, y una fastidiosa mosca que las iba recorriendo con pasitos cortos y nerviosos.

El guardia de seguridad que velaba con él había salido a fumar un cigarrillo, dejándole al mando de aquella birriosa sala. Era un tipo fanfarrón, afectado, que se sentía más listo que el resto por pillar a ladronzuelos, hacer zooms sobre los pechos de las clientas o contarle cómo había perfeccionado su tiro a una papelera de metal con una bola de papel de plata. Ahora bien, no tenía muy claro si era tan insufrible como el otro vigilante, Ian, un tipo igualito a un Benny Hill de expresión trastornada, con una inquietante propensión a la ausencia mental, cuando no a un puro y simple desvarío milenarista. Demasiados turnos nocturnos, demasiada comida basura, demasiadas horas muertas. «A veces, cuando estás hecho polvo, te has quedado dormido pero crees que estás despierto, y actúas como si estuvieras despierto, vigilando las pantallas, abriendo una lata de conservas para hacerte un bocadillo, yendo a la máquina de café…»

Se levantó para buscar algo de comer en la nevera portátil, pero solo encontró un envase plástico con una ensalada que lo más probable era que llevase allí desde los tiempos de Moisés. Suspiró y volvió a sentarse en aquella incómoda silla de caucho, planteándose un relevo para hacer una visita a la tercera planta, repleta de establecimientos de comida, cuando con el rabillo del ojo descubrió movimiento en uno de los pasillos de servicio. No, no era una rata, o sí, depende de cómo se mirase. Aplicó el zoom a la pantalla seis y estudió a un individuo con un mono idéntico a una de las compañías de mantenimiento del Mall. No podía apartar sus ojos de él, tenía una cara grande, con las mejillas sin afeitar de un color gris piedra y el pelo despeinado; no seguía una trayectoria errática, sino que estaba copiando el mismo circuito que había recorrido Viktor. Vigiló su trayecto con una mezcla de triunfo, debilidad y pánico. Aunque la sensación que se imponía sobre todas era el miedo a que se escapase, así que cuando el desconocido cruzó el último de los monitores, ya con una linterna encendida en su mano izquierda, y la pantalla se limitó a reflejar el color ceniciento del hormigón, Chet agarró la radio y el pinganillo, una linterna y dio el aviso a Ian para que se dirigiese hacia aquella entrada en concreto. En el pasillo chocó con el vigilante que volvía del baño, ordenándole que permaneciese atento a las cámaras y les informase de cualquier movimiento en aquel cuadrante de pasillos. Cruzó el centro comercial, y cuando llegó a la puerta de servicio, Ian ya estaba allí.

—Manténgase detrás de mí, ese tipo...

Optó por no continuar: el vigilante tenía la cara mortalmente pálida y unos ojos ardientes, implorantes. Chet tragó una bola de saliva, le instó a no moverse de aquella puerta y se internó solo en los pasillos. En el itinerario comprobó su arma negra azulada y la puso a punto. Por el pinganillo las únicas noticias que le llegaban eran las negativas del vigilante a sus preguntas. Una vez que el desconocido hubo rebasado aquella raya a partir de la cual comenzaba una oscuridad de crematorio, no había habido más noticias de él. Cuando llegó a la intersección de pasillos, recordó que el izquierdo enfilaba hacia el metro y el derecho hacia una terra incognita. Sin un rastro que perseguir, conjeturó que si aquel individuo había entrado en el dédalo no era para evitar abonar el billete de metro. Procuró amortiguar todo lo posible la linterna y avanzó a tientas por el corredor derecho. No iba a estirar más de lo conveniente su deber y marchaba despacio; de hecho, ya estaba buscando una excusa para dar media vuelta sin poder ser acusado de timorato, cuando vislumbró un destello. Apagó su luz y siguió una chispa que aparecía y se solapaba, guiándose por proporciones, simetrías y volúmenes. Con los nervios de punta y el sudor como rocío sobre su piel, se obligó a continuar; a veces el miedo incluso le hacía escuchar disparos que no habían sonado. En un intervalo en el que no fue consciente del tiempo transcurrido, creyó que le había perdido, que se había perdido; se mantuvo quieto, con el miedo encajando losa tras losa sobre su ansiedad. Hasta que escuchó una especie de chasquido y nuevos pasos que, inequívocamente, se dirigían hacia él. El destello volvió a aparecer, cada vez más nítido, más cercano, y la tensión hizo que le doliesen los músculos. No faltaban más que unos metros para toparse con el sospechoso, cuando de repente la chispa se detuvo. Hubo un vínculo. Era una sensación extraña ser consciente de que estaban conectados, que sabían uno del otro; sentía sus ojos taladrando la oscuridad, succionando la negrura.

Chet se pegó al duro suelo, pero supo que ya no había marcha atrás. El sospechoso se giró con rapidez y comenzó a alejarse de él casi a la carrera. Encendió su linterna y la persecución se volvió frenética; los separaban unos cincuenta metros que aumentaban por momentos. Se perdían de vista, se localizaban. Finalmente la luz desapareció y el agente llegó hasta una puerta. Se incrustó la linterna en el cinturón, aprestó el arma en una mano y con la otra agarró la manilla. No pensó en nada y abrió con un golpe seco. La impenetrable negrura. Una pared corroída. Cables y raíles. Vigas de hierro. Un cierto hedor. Una tenue bombilla de emergencia, parpadeando epilépticamente. Eran los túneles del metro, otra salida. Se asomó con tiento a las venas fósiles de la ciudad, la galería se proyectaba hacia una claridad lejana, a su izquierda. Calculó que podía ser la estación anterior a Times Square. Escudriñó la oscuridad, pero no vislumbró movimiento alguno. Había una especie de estrecha calzada de seguridad que corría paralela a las vías, desde el borde de la puerta había una pequeña caída, sin escalones. Chet se sentó en el resalto metálico y se dejó resbalar hasta el suelo; ciñéndose a la pared, avanzó con la linterna apagada, tropezando de vez en cuando con obstáculos invisibles. El zumbido sordo e inquietante de circuitos eléctricos mal conectados, el desgaste implacable de lo que nunca se detiene. A cada momento le parecía escuchar un *stacatto* de disparos, no entendía aquella obsesión por los sonidos fantasmas. El resplandor de la estación ampliaba su tamaño cuando empezó a oír un remoto estruendo metálico, una mole sometida a las mil variaciones y sacudidas de los baches. Chet se hallaba aún demasiado lejos del andén y supo que o se arrancaba en una peligrosa carrera antes de que llegase la máquina, o aguardaba en el estrecho margen de vida que le proporcionaba la calzada. Cualquier opción le parecía expuesta, pero la propia rigidez de su cuerpo le impelió a pegarse a la pared con cierto histerismo. El estrépito de hierros se acercaba y casi podía sentir cada una de las gotas de sudor que expelían sus poros; sus músculos tensos protestaban, sus sentidos se hallaban sobreexcitados. Cerraba ya los ojos cuando una masa de aire pegajosa y ardiente pasó a escasa distancia de su cuerpo, envolviéndolo todo un rugido feroz. El paso de los coches, que fue aminorando a medida que debían buscar las distancias de acoplamiento al andén, relajaron su cuerpo, que pasó de la fatiga a una inexplicable tristeza. Cuando el convoy se detuvo exhalando como una bestia moribunda, se apresuró hacia el apeadero.

Llegó hasta una escalerilla metálica, saltó la cancela de seguridad y entró en un andén atestado de gente que esperaba a que las puertas se abriesen. Se mezcló entre los viajeros sin esperanza de encontrar a su hombre; peinados de trenza, perillas, miradas desnudas y desconcertantes, otras amenazadoras o despistadas, charlas en muchas lenguas, ropas caras, vestidos premamá, un viejo de olor nauseabundo tapado con una manta, manicuras electrizantes… Deambuló entre la gente, vigiló las barreras de acero, se subió a uno de los bancos para tener más perspectiva. Aquel tipo podía haber salido ya del metro o haberse dirigido a otra estación. Continuó esquinándose entre los cuerpos, con la mano siempre atenta a su arma. Cuando los automatismos de los coches abrieron las puertas, la masa interior se precipitó fuera, mientras la que aguardaba se apartaba o se colaba entre sus intersticios. Chet se mantuvo atento a los estremecimientos de la muchedumbre, pautados por pequeños episodios de fricción o amabilidad. Buscaba una gorra, un mono, o en su defecto —en el caso de que se hubiera cambiado de ropa— una mirada profesional, fría. Empujones, movimientos bruscos, recortes… Finalmente, el andén se quedó semivacío, y unos segundos antes de que cerrasen las puertas, quedaron apenas unas diez personas. Chet las escrutó una por una, ninguna llevaba nada distintivo, y nada habría justificado tomar aquel tren si sus ojos no se hubieran cruzado una fracción más de lo apropiado con un individuo. Estaba bien entrenado, pensó Chet, porque mantuvo su indiferencia y entró tranquilamente en el coche que tenía enfrente. Él se estiró justo en el momento en que las puertas del suyo se cerraban y entró por los pelos mediante una contorsión. Los separaban tres vagones. Empezaron a coger una velocidad traqueteante, y también Chet avanzó con urgencia, en algunos casos a empellones. El interior resultaba asfixiante, una mezcla de sudor ácido y mal funcionamiento de la climatización. Fue en el segundo coche donde la ley de Murphy se presentó en una de sus derivaciones más completas: la puerta de comunicación se hallaba atascada, mientras el metro iba poco a poco perdiendo velocidad al acercarse a la siguiente estación hasta detenerse por completo. Era normal que los trenes se parasen en los túneles antes de entrar en las grandes estaciones y que las luces comenzasen a parpadear o que se apagasen del todo. Se encendieron las tenues bombillas de emergencia, un hálito espectral lo anegó todo. Tras varios forcejeos, la puerta terminó por ceder y entró en el tercer coche. Los viajeros se notaban inquietos, el aire se hallaba estancado. Las charlas en voz baja, los movimientos discretos y furtivos. Chet no distinguía al sospechoso y echó mano al arma cuando uno de los pasajeros se levantó, un joven negro que murmuró algo, hizo como si fuera a algún sitio, pero después lo pensó mejor y volvió a sentarse entre maldiciones. Al igual que el resto de los pasajeros, se sobresaltó al oír el crujido del sistema de megafonía; sentía un sudor frío en las manos. Alguien, a sus espaldas, soltó una parrafada con una voz seca y fuerte, como de perro. Repitió dos veces a lo mejor. Otro le preguntó en voz baja a un amigo si había comprendido lo que habían dicho los altavoces. No parecía que nadie supiera la respuesta. Pasó al lado de una cría con unos enormes walkman metálicos, que mantenía los ojos cerrados y se balanceaba ligeramente. Y de repente le vio. Era su hombre. Intentó controlar su corazón. Temía que sus fuertes latidos le alertasen. De repente, la megafonía volvió a ladrar, esta vez explicando las causas rutinarias de la parada. Apretó con fuerza la empuñadura de su automática, la extrajo lentamente, se situó en un lateral del sospechoso, apretó los dientes, le miró como un lobo que no va a dejar escapar a su presa, inspiró con profundidad y soltó el aire despacio, tan despacio como las palabras protocolarias para amedrentar y defender las antiguas leyes en las que ya no creían pero para las que todavía no habían encontrado repuesto. El sospechoso le devolvió sorpresa, miedo, desconcierto, y ante el progresivo aumento de los gritos y la violencia de Chet, éste fue poco a poco cayendo en un vértigo. Sudoroso, se puso de rodillas con las manos en la nuca babeando palabras sin sentido, pero fue cuando comenzó a vomitar de pánico, un vómito caliente y amargo como el veneno, cuando Chet supo que se había equivocado.

Una nota de piedad por aquel desgraciado.

Luego por sí mismo.

Su viaje no era geográfico, sino a las profundidades donde habitaba el corazón humano. Erin sabía que aquel desvencijado autobús se dirigía a donde no se podía ir, le obligaría a preguntar lo que no debía, a hablar con quien no querría, y sobre todo, a evitar la mentira. Ésa era su profesión, su condición, su sustancia. Y se sentía bien. Desaparecer no era tan fácil como la gente creía, siempre se dejaba un rastro de migas, sobre todo una persona tan notable como Viktor. Durante el trayecto continuó informándose en blogs, descargándose artículos y reportajes, introduciéndose en foros sobre Ratko Zuric, especialmente en uno llamado Rising Wolves, una especie de templo donde los devotos rendían homenaje a su ídolo. Los testimonios de apodos como Machete o Juntacadáveres se tejían con fotografías, relatos, apologías... La rumorología apuntaba a que el mismísimo Viktor, a despecho de su muerte, entraba algunas veces bajo el alias de Lobo gris, y ciertos foreros afirmaban incluso haber mantenido una conversación con él. Era la misma lógica por la que la gente veía a Elvis en algún comercio comprando mantequilla: reforzaban su insignificancia siendo testigos de algún hecho notable. Si Erin no le hubiera sacado una foto todo sería un capítulo más en la historia baladí de las teorías de la conspiración. No obstante, aquello podía encajar en su hipótesis sobre la ansiedad de Atila. Erin le entendía porque conocía de primera mano el odio al conservadurismo y la mediocridad que representaba su familia, ¿cómo no preferir el brillo narcisista de los sacrificios y rupturas? Por eso resultaba tan importante escarbar bajo la máscara, porque la realidad y la ficción no iban cada una por su lado, sino que la realidad era lo que inventamos sobre ella, cómo la formamos, la imaginamos, la concebimos, la soñamos. Soy yo, había dicho Viktor apuntando a Artyom Zhivkov, qué significa eso. Si ellos lograsen encontrar el sentido, explicar quién era, el tipo de vida que le había producido, quizá podrían saber su necesidad, y por lo tanto su flaqueza. Y por supuesto, también estaba su ambición de trabajar con Viktor; Erin buscaría un fondo blanco, pondría a Ratko Zuric en medio y esperaría a todas esas cosas que ocurrían entre el fotógrafo y su modelo. Sacó una libreta de polipiel y empezó a llenarla de garabatos apretados; luego estuvo leyendo durante muchos kilómetros a Suetonio, la vida de los Césares, que mataban a sus padres y follaban con sus hermanas…

Los días siguientes se dedicó a una caza de las apariencias por Požarevac. Había corrido un montón de agua bajo los puentes serbios, y a pesar de que la gente representaba convincentemente la paz, la atmósfera continuaba cargada. Todo el mundo interpretaba un papel, incluso ante sí mismo. En una sociedad con déficit de servicios sociales, con inflación, corrupción y falta de confianza, ya no se hablaba del galimatías bélico, de la praxis del odio y la limpieza étnica, del terror y la imprevisibilidad, sino que se había adoptado un discurso mitológico destinado a conjurar la muerte, el miedo, la soledad. Las medias verdades, las mentiras enteras ayudaban a vivir sobre unas brasas mal apagadas. Pero Erin sabía que las mentiras podían decir más de la gente que sus verdades. Cada pueblo, como cada persona, se construía una máscara a su medida, así que se creó una rutina: cada mañana se levantaba, desayunaba y se zambullía con su cámara y su pequeña mochila en el drama existencial del alma serbia. Hacía preguntas, capturaba lo que podía en su alquimia de plata, comía, descansaba en el hotel, volvía a salir, y regresaba a su habitación a la una o las dos de la mañana. Después confeccionaba listas, compilaba y organizaba las respuestas, catalogaba las fotos, reflexionaba sobre los códigos azarosos e intransigentes. Sus fotos buscaban siempre los equilibrios inestables, complicados, producían un momento en el que parecía que iba a suceder algo, una inmersión en la precariedad y la incertidumbre. Al contacto con su curiosidad unos círculos se cerraban instantáneamente, igual que ciertas flores. Otros se acercaban a ella con la cautela de una manada de lobos viejos, para luego crecerse escenificando discursos, señalando los exvotos en las paredes que recordaban a Viktor. Los discursos nacionalistas eran extrañamente similares a los comunistas, utópicos, monocódigos, colectivistas: extraños insectos atrapados en el ámbar del tiempo. O más bien apresados en la gelatina local, reformuló. Excepcionalmente algunas arengas maldecían a Viktor. Todo le hacía constatar que había sido alternativamente un héroe y un criminal, un semidiós y un asesino; demasiadas transformaciones en el espacio de una vida. Y le fascinaba cada vez más el misterio de su existencia, la extraña mezcla de vulnerabilidad y fuerza, de desamparo y fiereza: héroe o villano, víctima o fugitivo. Ya había confirmado que la madre y una hermana de Ratko Zuric vivían en las afueras de la ciudad, y fue un amanecer de líneas limpias y precisas cuando cogió un taxi hacia el pasado de Ratko. Llegaron a una pequeña casa, con peldaños altos en la entrada, molduras de madera, una baranda exterior y un coqueto jardín. El taxista detuvo el vehículo y la miró por el retrovisor.

—No parece que haya nadie.

—Seguro que hay una llave bajo un tiesto.

Erin lo dijo como si revelase un antiguo secreto familiar, como si ella formase parte de aquel núcleo. Le pidió al taxista que esperase y se apeó admirando la sonrisa con que la naturaleza nos mostraba uno de sus fenómenos más enigmáticos: la luz del amanecer. Había unos cuervos posados sobre el hilo telefónico, los árboles se apretaban alrededor de la casa, de la chimenea salía un humo blanco. Deslió la maraña de cámara y correas y vislumbró a alguien tras una ventana. Al tiempo oyó un ruido entre los árboles y esperó ver salir a un perro o a un hombre, pero quien salió fue una mujer de su edad, de austera belleza, que se quedó ligeramente sorprendida. Ante su gélida reticencia, Erin improvisó una coartada documental, un subterfugio que no la convenció, pero que fue aceptado por una madre que salió en ese instante y la invitó a pasar. También tenía un rostro hermoso, limpio —el mismo que había heredado su hija—, sobre el que la vida había escrito con todo su esplendor y toda su miseria, y su mirada transformaba inmediatamente el presente en pasado, por eso quería hablar de su hijo. No le parecía culpable, no estaba confundida ni desorientada, simplemente deseaba hablar de él. Erin recorrió el pasillo; el interior era tranquilo, impoluto, ordenado, y por un momento sintió un pánico imprevisto, el miedo a ser consumida por lo que fuera que había venido a buscar. Fue una ráfaga momentánea, porque volvía a mirar un lugar que le era profundamente conocido, a pesar de hallarse a miles de kilómetros de distancia. Un sitio donde se renunciaba a las expectativas, las reglas eran minuciosas, siempre razonables, las penas concretas. Se sentó en la cocina, le ofrecieron té y dulces; cuando habló tuvo que ensayar diferentes volúmenes, variadas entonaciones ante la advertencia de la hija de los problemas de audición de su madre. La madre de Ratko se estaba encogiendo día a día, se hacía más compacta, más intensa. Como la suya. Y si había alguna cosa que había aprendido, que parecía concluir con su presencia, es que nada en la vida era trascendental, todo iba y venía, ésa era su ley. Y que todo lo que podía doler, acababa doliendo. Un gato apareció en la cocina y pasó por debajo de la mesa, sigilosamente; elevó su cola, se quedó mirándolas con ínfulas de acusación, luego desapareció. Entre sorbos de té hirviente, la charla versó sobre él, unas palabras que demostraban que somos tanto nuestra memoria como todo lo que hemos omitido. Ni rastro de malos tratos, ni de la enconada y violenta relación familiar; aquel padre reiteradamente iracundo, desaparecido ya, se recordaba como alguien duro pero protector, los verdugones eran una forma de amor; no había holokauston, no existían las cenizas quemadas de las víctimas; ni violados, ni desplazados, ni deportados, ni desposeídos, ni desarraigados. Todo se hallaba arramblado en el profundo sótano del olvido. Mientras la madre hablaba de su niño, Erin recordó un episodio antiguo, en el Firebird rojo de su familia, un fin de semana que habían ido todos a pescar, y un perro babeante, que ladraba y daba saltos en cuanto lo soltaban. Su familia. La sensación de que su madre era su madre, y su padre era su padre, y ella estaba unida a ellos, le gustase o no, como los camboyanos estaban unidos al Mekong, como Concord estaba unido a Merrimack. Un deseo de reconciliación que se consumió en su interior al recordar unos muertos en Sarajevo, tapados con una manta, y el viento que agitaba una en particular, haciendo aparecer y desaparecer una mano una docena de veces.

Cuando la madre se levantó, Erin creyó que el tiempo había terminado, pero únicamente deseaba enseñarle la casa, mostrarle la habitación de su Ratko; la puerta estaba entreabierta y ella la empujó más. El gato se había materializado sobre la colcha, las miró y se escondió debajo de la cama. En una esquina estaba su caja, con pequeñas bolas de excremento rebozadas en arena. Era una habitación limpia, casi femenina; todo olía a jabón y a tabaco, todo estaba en orden, todo guardado, con un crucifijo ortodoxo en la pared y fotos de la familia, que seccionaban momentos, los congelaban, atestiguaban la despiadada disolución del tiempo. Erin volvió a sentir cómo había crecido el dolor en el interior de Ratko. Estaba introduciéndose en los lugares donde el lenguaje no puede entrar, donde se forman las máscaras, en el deseo y en la culpa, en los temores, donde se abren los agujeros del yo. Por unos instantes sintió un vahído, un malestar que la obligó a disculparse y a preguntar por el baño. Cuando entró se echó agua a la cara con vehemencia y después se secó con una toalla. Se examinó en el espejo, pensó en lo difícil que lo tendría para describirse, algo interno que se contraponía a lo externo. Todavía no podía levantar la máscara de Viktor, pero estaba en camino.

Cuando salió del baño, la hija la esperaba con aire solemne. La excusa fue que su madre estaba cansada, pero en realidad le estaba diciendo que la vigilaba, que no se fiaba de ella, que estaba trastornando demasiado las cosas. Erin se despidió educadamente y pidió que la despidieran de la madre. El taxi la aguardaba fuera. Se subió y le ordenó al conductor que volviese a la ciudad. Arrancaron y detrás quedó un presente aislado de los mares del tiempo, como las esclusas de acero en un canal.

Y una ceguera.

Aunque la ceguera no es tan mala.

Porque nos permite caminar al borde de un precipicio.

Sin asustarnos.

Finalmente decidió que debía dirigirse a los antiguos cotos de caza de Viktor en Bosnia y Croacia; alquilar un coche y recorrer la geografía pautada en sus apuntes por aquella vocación natural del fuego que era propagarse. No obstante, había algo que corría en su interior como un agua profunda, reticente a comenzar ese viaje que la acercaría cada vez más a Sarajevo. Echada en la cama del hotel, moviendo las puntas de los dedos por el cuero cabelludo, recordó su llegada a la ciudad. Ivo se había quedado en Belgrado con un fuerte constipado y no la había podido acompañar. Era mayo, y aprovechando que un equipo de la televisión austríaca se iba a desplazar allí, se había unido a ellos. En aquella época Erin solo había tenido tiempo de memorizar algunas calles, el nombre del pequeño río y algunas palabras de serbocroata. Entonces no se podían adivinar las tiras compactas de negativos que retratarían mil doscientos días de guerra, pero se entendía la gravedad de la situación al ver las huellas de los bombardeos y los vehículos calcinados en Skenderija, los cristales, los ladrillos, el cemento reventado de la ciudad vieja, aunque se esperaba que la Deblokada, el levantamiento del asedio, no se demoraría demasiado.

Lo primero que le llamó la atención fue la fragilidad, la vulnerabilidad de una pequeña ciudad levantada entre colinas, una posición que se revelaría como una pesadilla para cualquier militar que debiese defenderla. Los primeros días visitó el lugar donde el joven terrorista Danilo Prinzip había iniciado la primera guerra, visitó mezquitas, iglesias y sinagogas, la Biblioteca Nacional, la Vijecnica, escombrada y muerta. Recordó los libros sacrificados en la hoguera, abriéndose al calor como flores rojas, las páginas consumiéndose, bailando sobre las llamas convertidas en mariposas de hollín. Una de las paradojas que debía afrontar como corresponsal era vivir bajo un bombardeo y autoengañarse para creer que no te va a tocar a ti porque no has matado ni apoyado a nadie, creer que un carnet va a funcionar como un parapeto. Pero las bombas tenían un efecto instantáneo de igualación del más disidente con el más asesino con el más canalla, y los primeros balazos en los coches de los enviados extranjeros pusieron las cosas en su sitio. Erin contactó con periodistas locales ávidos de que el mundo tuviera noticias de la injusticia, en la falsa creencia de que su conocimiento terminaría con el asedio, pero nada pudo detener aquel tiempo desquiciado. Tras unos infructuosos contactos con la población, los malentendidos y la imposibilidad de una comunicación precisa le hizo comprender a Erin que debía esperar a Ivo. Éste pudo entrar al cabo de una semana con una triple llave: además de ejercer de traductor, conocía la ciudad, y a través de él podía acceder a la zona serbia. En aquellos días tenía el pelo más corto y todavía no se había dejado la barba, pero ya entonces era alguien íntegro, con una autoestima que no ofendía porque ya había sido puesta a prueba. Y mostraba su firme convicción de que no estaba dispuesto a marcharse del país —y cuando decía país se refería a Yugoslavia—: aquella era su patria y consideraba una traición irse en tales circunstancias. Era un deseo un tanto romántico, quedarse allí, identificarse con sus habitantes, vivir el día a día y pagar el precio. Pero no significaba dependencia ni masoquismo: se trataba sencillamente de amor. Tras la acción, por las noches, con una botella de aguardiente, tenían largos diálogos que abarcaban sus gustos cinematográficos, literarios y políticos. Aún no eran amigos, pero ya por entonces habían plantado un fuerte esqueje.

A finales de mayo, tras la matanza de la calle Vaso Miskin, llegó el amargo y triste abrazo de la realidad. La ciudad empezó a tener claro lo que ya era evidente para el resto del mundo: que o Sarajevo se rendía, con la consiguiente catástrofe, o el asedio se prolongaría ad infinitum. Y la situación en el resto de Bosnia no era una sucesión de batallas, sino de tragedias. Con cada nueva foto, en cada reportaje enviado, con cada víctima abatida por los francotiradores resultaba también irrefutable que el papel de los periodistas era gradualmente más inane, insuficiente y sobrevalorado. Los vientos continuaban depositando montones de ceniza mortuoria en cada esquina de la ciudad, mientras Erin visitaba el centro de prensa del ejército bosnio, conocía a intelectuales locales, activistas, políticos, músicos, entrevistaba a la gente en la calle, recorría las travesías de una ciudad imposible, los mercados tensos por la incipiente escasez. La cifra nítida del miedo iba creciendo a la par que ella se obsesionaba con las imágenes, buscaba en la luz, en la textura, en la geometría algo que respaldara su propia noción de los hechos: no ansiaba capturar la realidad, sino interpretarla, juzgarla.

Chalecos antibalas, carrocerías ennegrecidas, postes telefónicos derribados, rascacielos agujereados, cabinas telefónicas fundidas, las tanquetas blancas, los cochecitos de bebé abandonados, las colas de la gente con bidones de agua, la precariedad, la mortalidad, la ausencia de garantías.

Sus fotografías toscas, desoladas, retrataban la guerra, pero todavía no eran la guerra. Ivo le iba explicando perfectamente la situación, desgranaba los temas y los asuntos que les iban saliendo al paso, sin tópicos, acercándola cada día más a una Sarajevo que milagrosamente se volvía más resistente a medida que el asedio se intensificaba. La ciudad ya había caído en esa oscuridad de guerra medieval. Y en cada esquina, en cada habitante se dilucidaba que la importancia de la vida dependía estrechamente del papel que tuviera en ella la muerte, de cómo se enfrentaban a ella, reprimiéndola, cortejándola, temiéndola, asimilándola...

Por junio el fuego de morteros se intensificó, y ocurrió uno de los episodios que precipitaron los aciagos acontecimientos que los aguardaban. Merodeaban por el mercado del barrio de Markale; allí, en un café abierto, se sentaron para tomar un aguardiente. El dueño era un viejo con cara de galápago, ajado, con ropas ajadas, y ojos impasibles y ajados. Pero parecía dispuesto a hablar, y también tenía cosas que contar. Tranquilo y relajado, aceptando su propia impotencia, fumaba y entrecerraba los ojos para evitar el humo picante; aportaba opiniones sencillas y agudas sobre lo que estaba ocurriendo. Mientras Ivo iba traduciendo las palabras de aquel hombre, Erin sacó la cámara y después de pedirle permiso, le sacó fotos. Para hacer buenas fotos no eran tan importantes la composición o la luz como comprender al fotografiado, admirarlo o tenerle compasión: conocer su historia. Su voz grave, perezosa e inteligente la ayudaba a plasmar la estructura de su mundo; las grietas de su rostro, por las que se deslizaban lentas líneas de humo, sus manos de gruesas venas, la forma como se llevaba el cigarrillo a la boca o como bebía un sorbo de aguardiente. Le dieron las gracias y se despidieron. Se dirigían al hotel —no habían recorrido ni doscientos metros— cuando una fuerte detonación los obligó a tirarse al suelo. Un mortero había impactado cerca del lugar que acababan de abandonar. Regresaron corriendo para confirmar la matanza y el estrago que había causado. El olor a sangre, el miedo, la desesperación, el pánico… todo establecía que la esencia de lo real era lo arbitrario. Ivo se puso de inmediato a ayudar, a recoger restos sin vida y heridos, mientras Erin sacaba fotos y fotos buscando arrancar las máscaras, plasmar los estados de ánimo —días después, cuando pudo revelarlas, resultó evidente su fracaso—. El saldo de aquel ataque fue de cinco muertos y una veintena de heridos; entre estos últimos se hallaba el dueño del bar, con apenas unos rasguños. Al final, cuando las ambulancias trasladaron los cuerpos lesos e ilesos, Ivo se puso una mano en el costado, agotado por el esfuerzo, y se sentó con Erin en un bordillo. Sus pieles eran una mezcla de sangre, sudor y polvo. Le cogió la mano, igual que años después haría en el bar de Skadarlija, pero en esa ocasión Erin no se puso rígida, sino que aquel gesto los hermanó, los consoló. Unos minutos después le pasó el brazo por los hombros, y aquella expresión de protección marcó un punto de no retorno entre ellos.

Aunque el marco quedase alto, Daniel se agachó instintivamente cuando abrieron la puerta que conducía a las polvorientas entrañas del Blue Mall. Durante unos segundos sufrió un leve ataque de claustrofobia, pero se sintió más desconcertado que irritado. Se rascó la cabeza y observó al jefe de su equipo organizar a los hombres con voz apremiante. Tras la malograda persecución del sicario, no tardaron en buscar a un experto que cartografiase de manera más precisa las entrañas del Mall. Una vez cuadradas distancias y direcciones, los hombres comenzaron a avanzar por los pasadizos, sin prisa, comprobando cada poco sus GPS. Cuando abandonaron el área iluminada, una oscuridad color de sangre seca los succionó. Formaban un ser orgánico de respiraciones, ruidos estáticos de talkies, puntuales indicaciones, bailes de linternas, resplandores espectrales de las pantallas líquidas; notaban el suelo duro bajo sus botas, tenían helado el puente de la nariz, sentían oleadas regulares de nerviosismo. A medida que iban encontrando bifurcaciones y ramales, verificaban las magnitudes y se iban dividiendo en parejas. Daniel consideró que aquello podía ser una metáfora del enemigo al que se enfrentaban, una Organizatsja formada por redes complejas, adaptables, autónomas y transitorias. Fueron notando un suave descenso que indicaba que se dirigían hacia una zona de cimientos. Se adivinaba enorme, con varios niveles a medio rellenar, la mayoría descubiertos pero algunos de ellos disimulados por quebradizas y peligrosas láminas de madera con piedras encima. Aquello parecían los sótanos de alguna antigua fábrica, ennegrecidos por el tiempo y los sombríos mitos que habían albergado. Aquí esconden un elefante y tardamos una semana en encontrarlo, murmuró alguien. Lo dividieron virtualmente en cuadrantes y fueron registrando palmo por palmo. Por suerte les bastó una hora para encontrar una especie de vetusto almacén cerrado por una recia puerta, recién instalada. Abrirla no sería sencillo, así que hicieron las pertinentes solicitudes por los talkies y esperaron. Daniel iluminó aquella puerta con un intenso cerco de resplandor nimbado. En realidad, nada tenía más fuerza que aquella puerta, porque lo importante de todo secreto era el secreto mismo, indiferentemente de lo que ocultase. Cuando hubiesen cruzado su umbral, descubrirían un eslabón más de la cadena de Viktor, quizá no el débil, pero sí un rastro hacia él. No obstante, también se esfumaría la única ventaja con la que contaban, su presencia se haría evidente, Viktor sabría que era observado. El ojo no es ojo porque tú lo veas, es ojo porque te ve, recordó. La puerta cedió con un sonido grave, un sonido que era un punto y aparte en aquella historia. Las linternas bailaron por su interior. Entrar en aquel almacén significaba, en cierta manera, entrar en la mente de Viktor. Había armas, había tecnología, había todo tipo de contrabando, pero sobre todo había una voluntad, una fuerza motriz.

Esa misma semana

Las pesquisas de Sailesh no tuvieron tanto éxito como las de su compañero. El registro de urgencias y hospitales para encontrar un rastro de las chicas no estaba dando resultados, e iban comprobando los postreros números y direcciones como quien coloca las últimas fichas en la mesa de apuestas. En un momento dado abandonó su despacho y fue al servicio. Cuando se miró en el espejo descubrió un rostro que reflejaba agotamiento. Se echó agua a la cara; se peinó las cejas.

Regresó a su mesa y acarició su colgante. Había una cosa más complicada que solucionar problemas, y era encontrarlos. Ése era su nuevo objetivo. Lila, había que jugar el juego, lo que era blanco sería negro, lo que sube alto terminará por caer. Juega el juego. No obstante, era consciente de que ahora la investigación dependía mucho más de la suerte, esperar sentados a que algo cayera en su regazo y luego fingir que sabían lo que estaban haciendo todo el tiempo.

Acercó la caja de cartón donde habían guardado las pertenencias de Olena Vodianova. Sacó los álbumes de fotos, los extractos bancarios, las joyas, el metálico… Abrió uno de los tres *books* de fotos encuadernados en piel. Aquella era una determinada idea de la belleza inoculada por los medios, al tiempo que una noción de lo bueno y de lo malo. Pero no había que confundir la belleza con el bien. Reflexionó sobre el rechazo que había experimentado aquella chica hacia su belleza, un odio furtivo a los espejos, un disgusto inexplicable debido quizá a la magnética perturbación que causaba, como si fuese reo de su efecto, y por lo tanto de la imaginación de sus admiradores. No había logrado domesticar su máscara y ésta la estaba devorando. Luego tuvo presente la profunda iniquidad de su final, su cuello lacerado, sus pies quemados; a veces seguía asombrándole cómo era posible que hubiera un motivo personal o político en aquel puto mundo como para obligar a un hombre a hacer algo tan rematadamente estúpido, cruel. Sin embargo, sabía que aquel sentimiento era infantil; qué derecho tenía a tal ingenuidad cuando a diario había documentos que probaban cuál era la naturaleza de la gente. Volvió a repasar los enseres de Olena Vodianova sin extraer de ellos más que su apariencia física. Recordó con cierto desasosiego que ante su cadáver, además de una destemplada reacción natural, no le había acompañado ni el miedo ni el asco, sino la vergüenza. Por su mirada indecente, por la belleza intolerable e inconfesable de toda aquella violencia, sexual, ritualizada. Cómo reconocer que en su interior había habido deseo, que le había gustado ver lo espeluznante, lo mórbido de aquel cuerpo. Ese amor por la crueldad que era tan humano como la simpatía. Volvió a guardarlo todo en un armario y luego redactó un dossier para los superiores, informes obligatorios que no informaban de nada y que pocas veces se leían. Al final le temblaban un poco las manos. Se sentía exhausto, igual que si hubiera bajado un monte dentro de una barrica. De repente miró a su alrededor como si no supiera cómo había llegado allí: era tiempo de volver al hogar. Lo que quedaba de él.

Tenía el coche en el taller, así que regresaría a Brooklyn en metro. El cielo tenía un precioso color ópalo y, a medida que iba oscureciendo, de los flancos de los rascacielos iban saltando destellos de luz. En las calles se sentía la ebullición de un viernes, la gente dirigiéndose hacia los antros y cavernas del Lower. Durante el trayecto fue abandonando aquel yo profesional, despierto, resolutivo y a veces brillante, regresando a un yo cotidiano lleno de ansiedad. La perspectiva no era alentadora: en su casa le esperaban promesas de fracaso. Al cabo de los años junto a Kavita buscaba en los rincones más alejados de su relación los residuos significativos, una verdad clave acerca de en qué se habían convertido. El análisis, la profundidad de su oficio no era suficiente para sumergirse en la profundidad de lo cotidiano. Qué ironía: se hallaba atareado desentrañando quién era Viktor cuando no era capaz de descifrar quién era su mujer. Ni siquiera en qué se había transformado él.

Llegó a su casa, un edificio bajo, luminoso, abierto, con grandes cristaleras. A su lado había un garaje ancho y delante un césped bien segado rodeado de una valla de madera baja. Una calle con fachadas simétricas, aceras rectas, números art déco, un buen vecindario. Cuando entró dejó las llaves en un cuenco de madera, en el recibidor. Aparte de algunos detalles étnicos, figurillas, tapices, aquello poco se diferenciaba de la casa de cualquier ciudadano estadounidense de clase media. Saludó para advertir de su presencia, pero no hubo ningún eco. Hizo una ronda por las habitaciones y encontró a sus hijos acostados, dos inesperadamente durmientes y el tercero dejando ya que las primeras y vagas sensaciones del sueño fueran invadiéndole. Se quedó junto a él mientras éste se le iba pegando al rostro como una telaraña, hacia dentro y hacia abajo, en un remolino, a punto ya de desconectarse. Cuando finalmente se durmió, la perfección de su sueño llenó toda la casa. Le remetió las mantas y cerró la puerta de su habitación. Tenía hambre y fue a la cocina. Kavita estaba allí, sentada, con la mirada ida y la televisión encendida, sin sonido. Pensó en darle dos besos, pero al final se quedó quieto, con la sensación de que no estaban en una cocina, sino en un punto muerto a mitad de una cuerda colgada sobre un abismo.

—Estás ahí. No me has contestado.

Kavita le miró con una expresión ausente.

—Estaba viendo un programa.

Sailesh la observó con ojos cansados. En la pantalla no había ninguna revelación, solo exhibiciones. ¿Has cenado?, le preguntó Sailesh. Todavía no, respondió volviendo a pegar los ojos en la pantalla. He pensado que podíamos salir a cenar, hace mucho que no lo hacemos. No me apetece mucho salir, Sailesh. ¿Qué quieres hacer entonces? Nada, no quiero hacer nada, me paso el día haciendo cosas. Esta noche no quiero hacer nada.

Sailesh recordó que, cuando se habían conocido, ella era delgada como un muchacho, con su pelo largo y oscuro, una india que vestía como una italiana, que tenía cara de actriz italiana y le encantaba el oro. En aquellos días hubiera sido feliz con aquella invitación, con cualquier minucia, ir a tomar un helado, esperar una carta, con cualquier cosa que fuese a suceder.

—Nosotros —dijo ella inesperadamente.

—¿A qué te refieres?

—¿Has pensado en nosotros?

Kavita recordaba a sus padres, en cómo estuvieron juntos tanto tiempo, con vida, con sentimiento. Sin aquella zona opaca. Recordaba cómo intentaron convencerla de que aquel matrimonio no era buena idea, que Sailesh era de los que terminaban divorciándose, su resistencia, sus actitudes ultrajadas. Y ahora toda aquella confirmación de su consejo, el rencor que sufría por toda la dedicación, por toda la glorificación de su femineidad que no habían servido para nada.

—Respira —le dijo Sailesh.

—¿Qué?

—Estabas aguantando la respiración.

Ella respiró profundamente. Suspiró. La noche anterior se habían acercado, habían hablado de los acontecimientos del día, de ciertas expectativas, pero cuando se despertaron lo hicieron en guardia.

—¿Qué vamos a hacer?

—No lo sé —respondió Sailesh.

De repente ella estuvo a punto de hablar pero tuvo miedo,

de lo que estaba pasando, de lo que estaba sintiendo, de lo que iba a suceder. El único sentimiento claro que albergaba era la inexistencia del perdón.

—Me voy a cenar fuera —se oyó decir Sailesh.

Huir.

Huir.

Siempre es agradable.

Produce sensación de que algo está a punto de suceder.

Cuando sonó el teléfono, Daniel creyó que sería de nuevo su ex. Habían tenido una pequeña bronca por los días que tenía que recoger a su hija. No había visto a Lis en un intervalo largo, acostumbraban hacer algo una vez por semana, en un intento con fervor y seguramente sin tino de demostrar cierta continuidad en su vida. Acababa de salir de la ducha y un reguero de gotas obedientes le siguió hasta el salón. Descolgó su inalámbrico, la voz de Sailesh le desconcertó.

—Buenas noches, Daniel.

—Sai, qué sorpresa.

—Verás… estoy cerca de tu casa, en Lexington con la veintiséis. Iba a cenar por aquí, y me preguntaba si tú ya habías cenado.

—Pues no, todavía no.

—El sitio se llama Saravanaa Bhavan, buena comida. Y hace unos días que no contrastamos datos, podríamos aprovechar para hablar del sumario.

Daniel pensó en Agnes, tenía planeado llamarla, pero el hilo tenso de su voz, y a continuación el silencio hosco, opresivo, le hizo considerar que Sailesh necesitaba contrastar más cosas que las laborales.

—Déjame media hora —respondió.

Una rutilante valla publicitaria: tres adolescentes, una belleza pelirroja, una asiática y un negro con rastas contemplaban a Daniel con unos bonitos ojos carentes de expresión, instándole a cuatro de los siete pecados capitales. Desvió la mirada un poco a la izquierda, y a través del cristal de un bar enfrente del Saravanaa descubrió a Sailesh en plan santo bebedor, rodeado de tipos que parecían haber hecho una promesa de no sentarse a más de dos metros de una copa. Entró en el local, le saludó y se sentó con él. Delante tenía una cerveza. A juzgar por sus ojos vidriosos no era la primera que se tomaba, pero lo que le preocupó verdaderamente fue el semblante, el rostro de un hombre que se encamina a una ejecución, un hombre que ha asumido que aquello tan increíble va a suceder y que se dedica a ajustar cuentas en su mente. Daniel señaló la música pegadiza que sonaba en ese momento.

—Mierda, ahora se me quedará grabada una semana.

Sailesh apreció su tacto.

—¿Te pido algo?

—Un gin-tonic me vendría bien. ¿Cómo estás?

—Pues aquí, cansado de ser feliz —contestó con sarcasmo.

Sailesh le hizo un gesto al desgaire a una camarera. Mantuvo una charla de protocolo con Daniel y luego fue al grano.

—Le he estado dando vueltas a ese Viktor.

—¿Has descubierto algo?

—Nosotros le buscamos mientras él se busca a sí mismo.

—Pues espero que alguien dé con alguien…

—No me has dejado acabar la frase: y dentro de poco nos buscará a nosotros.

—Hay tiempo. Me he ocupado de que no se filtre nada a la prensa.

—De momento.

—De momento.

La camarera trajo el gin-tonic y brindaron.

—Cien años de vida —propuso Daniel.

—Espero que no —apuntó Sailesh; dio un trago y se quedó mirando la botella—. La civilización tiene dos pilares, uno es el descubrimiento de que la fermentación produce alcohol.

—¿Y el otro?

—El desarrollo de una privilegiada capacidad para el autoengaño.

Daniel sonrió y limpió con una servilleta unas lágrimas con reflejos azulados que caían por la pared del vaso. Sailesh sacó la cartera y de la cartera, una foto. La imagen de Viktor. Daniel se sorprendió.

—¿Llevas una foto de él?

—Quiero adivinar sus pensamientos. —Le salió una voz de falsete—. No me canso de darle vueltas —reiteró—, pero no encuentro por dónde agarrarle. Viktor es una furia fría, no es alguien que desee ser castigado, así sería más fácil pillarle. Pienso en Olena, también ella se buscaba, pienso en esos días ausente de Belgrado, pienso en esas pobres chicas. Me duermo pensando en ello y me despierto pensando en ello. —Echó un trago y vagó unos instantes por sus topografías interiores; recordó al sicario fallecido en el hospital—. ¿Sabes qué puede significar Tora?

—También he trabajado en ello, y puede ser muchas cosas, depende de las combinaciones, leyes judías, un código de guerra japonés, una localidad en Benin y otra en Burkina Faso, un nombre vasco, un término informático, una deidad escandinava... pero nada que nos interese. O eso creo.

—¿Y esa periodista?

—Ya te conté lo que Erin me dijo la última vez que hablé con ella.

—Vaya, parece que ahora hay más confianza. —Hizo un gesto que lo avejentó, mitad desprecio mitad cansancio—. Ella también se busca bajo su máscara…

Daniel tuvo la tentación de hacer un comentario cáustico, motivado por un sentimiento entre la piedad y la perversidad ante los borrachos, pero la amistad se basaba precisamente en eso: en no aprovecharse de los momentos de debilidad. Aquel día Sailesh no era Sailesh.

—Viktor… —vocalizó Sailesh— tiene un firme sentido de la irrealidad. Para él la realidad no es significativa, solo importa la percepción de esa realidad. Él proyecta un personaje que provoca sueños y terror en los demás, admiración y desprecio. —Contempló la cerveza como asombrado por la intensidad de un placer tan sencillo—. Pero debajo de esa imagen hay una parte sumergida, como la de un iceberg, desconocida, aunque es la que le confiere estabilidad a la parte superior.

—Pues la única oportunidad que tenemos de cazarlo es mirar lo que hay debajo.

—A lo mejor no queremos hacerlo…

—¿Por qué?

—A lo mejor descubriríamos algo de nosotros mismos que no queremos saber, igual que Viktor descubrió lo que fuera que descubriese cuando cazó a aquel Artyom Zhivkov. El segundo pilar sostiene bien el mundo.

Daniel no se había dado cuenta de lo borracho que estaba su amigo hasta ese instante. No era propio de él aquella representación del dolor.

—¿Va todo bien, Sai?

Sailesh acabó la cerveza y pidió otra. Meneó la cabeza

tristemente, como si hubiera perdido algo extravagantemente querido, conmovedor, bueno.

—Me siento impuro, Daniel.

Daniel apretó los labios.

—No es asunto mío, pero si quieres hablar…

—No hay nada de que hablar. Es simplemente que el amor eterno no es más que una creación de nuestra incapacidad para vivir la verdad. De nuevo el jodido segundo pilar.

Daniel supo que en aquella conversación no iba a haber nada explícito, todo estaría bien sumergido, en tinieblas. Y también que era un paso más allá de la simpatía, el compañerismo o los intereses comunes.

—Nadie pensaba que el amor es como es —certificó.

—¿Por qué se acabó tu matrimonio?

Daniel le dio un trago a su copa antes de contestar.

—Supongo que nunca se vive el mismo momento dos veces. Hay que tener cuidado con la emoción recordada, no es real. Debemos crear nuevas emociones a cada momento. Todo se basa en eso.

—¿Fue duro?

—Lo fue porque tomé la decisión sobre una conclusión, no a la desesperada. Es lo más despiadado, porque eres consciente de todo, no hay anestesia.

—Te acabas de ruborizar. No sabía que los guardianes de la ley pudieran hacerlo.

Daniel sonrió con empalago.

—Supongo que estar con alguien que te gusta te vuelve más vulnerable.

—Vaya —la sorpresa de Sailesh fue auténtica—, no me habías contado nada.

—Se llama Agnes. Y es una historia demasiado vieja, no creo que ahora te apetezca oírla.

Sailesh guardó silencio y fijó la vista en la fauna humana del bar, como intentando extraer el mayor número de leyes antropológicas de ella.

—No lo sabes, nadie lo sabe, la suerte que resulta encontrar a otra persona en la vida.

En ese momento, en el plasma de la televisión, apareció la sangrienta broma de la escenificación de la victoria en Irak, años atrás, con la llegada de Bush al portaaviones *Abraham Lincoln* ante un estandarte con la inscripción Misión Cumplida. El aterrizaje del presidente vestido de aviador, casco en mano, como si volviera de una misión Top gun, mientras el cámara se tenía que esforzar para encuadrar cuidadosamente la escena a fin de que no se percibiera en el horizonte la ciudad de San Diego, a unas cuarenta millas, cuando se suponía que el portaaviones estaba cruzando el mar en la zona de combate. A continuación lo imbricaron con unas declaraciones de Dick Cheney a unos periodistas acerca de que ellos basaban la realidad en la creencia de que las soluciones procedían del estudio racional de lo aparente, pero que el mundo ya no funcionaba así, ahora Estados Unidos era un imperio, y cuando actuaba creaba su propia realidad, y mientras estudiaban la realidad de forma racional, ellos creaban otras realidades, y otras, y así son las cosas, nosotros somos los protagonistas de la historia y vosotros estudiaréis lo que nosotros hagamos. Tras aquel teatrillo y las pertinentes desmitificaciones y explicaciones por especialistas, hubo una cortinilla y a continuación apareció Sailesh. Era una entrevista de cuando trató con los periodistas frente al Samovar. Su rostro cobrizo expresaba poder, esa capacidad para afirmar con la mayor convicción lo desconocido. También articulaba su particular principio de realidad, efectista y conciso, mientras la voz en *off* le iba identificando como el responsable de la investigación, entreverando imágenes de los vehículos deshechos de Zakhar Yaponchik, al tiempo que el epígono que tomaba una cerveza adoptaba una expresión violenta. Daniel permaneció impasible y consciente de cómo la imagen se estaba dividiendo en un juego de espejos, amplificándose por toda la ciudad.

Desnudándolo.

Desnudándolos.

En la sección consular de la embajada de Estados Unidos en Praga, Peter Lessing llevaba casi seis meses con la mosca detrás de la oreja. Todo había empezado casualmente cuando al revisar unas peticiones de solicitud de visado para su país, había descubierto un patrón sospechoso. En unas cuantas aparecía siempre el mismo destino en Nueva York, un hotel cercano a la Décima con la Cuarenta y nueve, una especie de sórdida casa de acogida en medio de una zona de prostitución. El funcionario había comprobado que un número constante de mujeres del Este requerían el mismo destino, hasta que quedó claro que tenía entre sus manos lo más parecido a una red de tráfico de personas. Acto seguido, hizo las cosas con calma y orden; en un principio dio el aviso a la policía checa y después a la de Nueva York. En Estados Unidos incluso se designaron unos agentes de paisano para vigilar el hotel, pero se trataba de una zona muy concurrida y no pudieron sacar nada en limpio. La maniobra no funcionó, pero en Praga la policía siguió recopilando información acerca de cómo seguía inalterable la salida de grupos de tres o cuatro mujeres por mes y que en cuatro años habían entrado ilegalmente en Estados Unidos unas doscientas. Comenzó una investigación profunda en colaboración con los norteamericanos que rápidamente pudo destapar quién estaba involucrado y qué estaba pasando. Dos expatriados checos iban a recoger a las mujeres en el aeropuerto Kennedy. Se llamaban Jan Talik y Lukás Novak, de unos cuarenta años, sin profesión conocida y aficionados al culturismo. Sus antecedentes pronto desvelaron un historial criminal de transporte de vehículos robados en Chequia e intento de venta de explosivos plásticos extraídos de almacenes del ejército. Una vez identificados los principales implicados y establecido el modus operandi, los antivicio estadounidenses pidieron más ayuda. Alguien hizo una sugerencia sensata e hicieron una llamada.

7

La quemadura

Ser fuerte no era superar el dolor, eso bien lo había comprobado Erin en el pasado, sino aprender a convivir con él. Durante todo el recorrido por los lugares donde Viktor había practicado su sucia vocación de matarife, Erin casi pudo sentir el olor acre de la pólvora. Recorrió aldeas devastadas, en ruinas; se inclinó sobre su caja de luz para ser una espía en la casa de la muerte; confirmó que la única redención era aprender a vivir consigo mismo, las estructuras del pensamiento mágico, el olvido.

De las casas incendiadas.

Los cuerpos carbonizados.

Violados.

Los pueblos y mezquitas demolidas.

Las cruces grabadas con cuchillos en pechos y brazos.

Erin visitaba pueblo tras pueblo, escenario tras escenario. Un sangriento juego de la oca mientras Europa decidía si aquello era o no un genocidio, exactamente igual que en Ruanda, un pleito no lingüístico, sino legal, porque un genocidio obliga a actuar. En esos lugares las convicciones y creencias más íntimas eran fruto de la costumbre; las enemistades profundas, las amistades eternas; todo era más crudo, más áspero, más desgarrado, y los complejos y disputas podían salir a la luz en unos segundos mientras en las ciudades podían camuflarse por décadas. En la mayoría de las ocasiones todo había empezado con una pintada en la pared. O con una palabra a destiempo. O con una mirada sostenida un segundo de más. Y luego el grado cero de la historia. El infierno.

Tras una semana recorriendo las carreteras y caminos de la Bosnia Herzegovina, aparcó su vehículo en Grapko. La había dejado para el final. Grapko había sido tristemente famosa por la especial violencia ejercida allí por Viktor. La población repetía como en un diorama las características del resto que había visitado; lugares provincianos que se recorrían en media hora, con sus personas y edificios llenos de profundas cicatrices, fachadas con la piel quemada, ennegrecida, casas desvencijadas. Y en la calle principal, los hombres deambulaban sin afeitar, vestidos con casacas y restos militares; no había mucho que hacer, así que tomaban café y rakija en los bares, hablaban de política local, y aguardaban a que ocurriera algo. Los que se habían ido no habían regresado; no tenían por qué. Dondequiera que mirara solo había fracaso y desaliento. Aquello era todo lo que restaba de lo que diez años antes había sido un lugar tranquilo y confortable pero somnoliento, donde los niños habían podido jugar a salvo en las calles y los vecinos se ayudaban mutuamente, hasta que aquel mismo vecino vino a detenerte. Erin olió instantáneamente lo que dominaba la vida de todos ellos: el miedo. Porque todos sabían la vida de todos: lo que comían, lo que habían robado, a quién habían matado. Y aquel silencio, aquella ceñuda y perversa omertá, era lo que Erin estaba resuelta a violar.

A pesar del frío, buscó la terraza de un bar y se sentó, colocando su sofisticada cámara al lado de un cenicero rojo con la leyenda Cinzano. Le sirvió un tipo despierto, inteligente, que en un mundo ideal sería de los que manejarían el cotarro, pero la vida reparte las cartas como se le antoja y el mejor jugador del mundo sucumbe sin remedio al que tiene más suerte. Pidió una consumición, la pagó, añadió una propina, hizo algunos comentarios sobre el tiempo y le disparó un par de preguntas, pero las respuestas se limitaron a una cortesía lejana. En el transcurso de las siguientes horas, Erin intentó hacer uso de la inmunidad que habitualmente le proporcionaba la cámara, pero allí el sortilegio no acababa de funcionar. Todo lo que consiguió del pueblo fue una magnífica foto de un inmenso roble que intentaba alcanzar el cielo como una mano, y una charla kafkiana con una anciana de pañuelo blanco que, mediante otro abuelo que le iba traduciendo su jerga bosnia a un serbio incomprensible a otro octogenario que se encargaba de interpretarlo como podía a un inglés macarrónico, le hizo un inventario preciso de todo lo que le habían robado los soldados: un frigorífico, dos congeladores, un televisor, una lavadora, una vajilla, un molinillo de café… e insistió en que apuntase minuciosamente el cuchillo eléctrico que le había regalado un hijo que vivía en Alemania. En el atardecer se mezclaba un fuego color albaricoque, azul, humo, ciruela y negro, cuando Erin decidió abandonar. Tras guardar la cámara, se dirigía hacia el coche cuando una presencia se interpuso. Era un individuo de cabeza grande y canosa vestido con una casaca militar y unos descoloridos pantalones de campaña. De inmediato recordó el cepillo en equilibrio sobre el lavabo. Y entonces el miedo, uno que hacía mucho que no sentía, ese que te muestra lo evidente, todo lo que podrías perder y te apercibe de la suerte que tienes.

—¿Es usted la que anda preguntando?

La pesquisa fue hecha con un acento abrupto, en rachas rápidas, convulsivas.

—Sí —se oyó decir.

—Entonces hay alguien que quiere responderle.

Erin hizo un movimiento con el mentón.

—Vamos.

El hombre se dio la vuelta y empezó a caminar; le siguió sin llegar a ponerse a su altura. Sentía las piernas pesadas, y en su cabeza giraba la ventisca de preguntas que siempre acompañan al miedo. Anduvieron en silencio, cruzando la plaza mayor; las placas de hojalata iban señalando diversas calles hasta introducirse en la ineludible Mariscal Tito, y luego en una adyacente, una inesperada Niccoló Machiavelli. Llegaron a una casa gris, de contraventanas cerradas. El hombre comprobó que Erin seguía a su lado y llamó a la puerta. Abrió una mujer muy alta, huesuda, de mandíbula prominente, ojos color avellana verdoso y la línea de piel brillante y endurecida de una cicatriz en el cuello. En cuanto vio su rostro, Erin supo que aquel era el retrato de los perdedores, de todos aquellos que han ardido en el infierno del autoconocimiento, poniendo topes a su autoestima, rebasando los límites vitales.

—Buenas noches —saludó a Erin en un aceptable inglés—. Muchas gracias por venir.

Su voz era suave, melodiosa, como una niña. Erin sostuvo su mirada. La plenitud sensorial del miedo, los miles de detalles de la vida que le permitía captar no revelaban inquina alguna. Y hay cosas en las que antes de meterte no te puedes hacer un seguro, pensó.

—Usted quería hablar conmigo.

—Sí.

Fue invitada y entró en la vivienda; la penumbra estaba rota por una luz al fondo. La mujer hizo una cosa que al prin-

cipio desconcertó a Erin y luego la conmovió: de una pequeña mesita cogió un cuenco mediado de agua y derramó un
poco por el suelo que iba pisando. Un acto de bienvenida,
un ritual de purificación. La mujer la invitó a sentarse en una
pequeña sala, en el suelo había periódicos amarillentos a
modo de alfombra. El hombre también se sentó, un poco alejado de ellas; de repente, en medio de aquel hogar, había perdido cualquier connotación amenazadora, no era más que un
hombre que comenzaba a desplegar toda la parafernalia del
fumador de pipa: petaca, retacador, una pequeña navaja, me-
chero…

—Me llamo Slavenka. Él es mi hermano, se llama Norac.

—Encantado de conocerlos. Mi nombre es Erin.

La mujer le ofreció algo de comer, que ella rechazó con
amabilidad. Norac no tardó en efectuar el ritual de la adic-
ción, en el cual, una calada tras otra, cada una más insatisfac-
toria que la anterior, se buscaba la siguiente, la que esperaba
colmase todas tus expectativas.

—Los cadáveres siempre son extraños —comenzó Slavenka con un susurro—, unos nos parecen cosas, ahí, tirados,
otros parecen dormidos, otros son tan horribles que te hacen
temer a la muerte… —Se quedó mirando a Erin; una pequeña nube de humo se interpuso entre ellas, moviéndose como
una medusa cenicienta—. Viktor apareció en el pueblo antes
del amanecer e hizo su trabajo. La muerte era el aire que respiraba, el suelo que pisaba. Era el país en el que vivía. Saqueó,
acabó con familias enteras. Usted preguntaba por Viktor.

—Sí, estoy haciendo un reportaje.

—Bien, pues yo no tengo mucho más que contar sobre él.

Slavenka sostuvo la mirada de Erin con aplomo. Su autocontrol era admirable, aunque se intuía su capacidad para sentir emociones profundas, las que tocaban el hueso.

—Entonces —reaccionó Erin—, ¿para qué me ha llamado?

—Para hablar de nosotros, de mí. —Abrió las manos abarcando el pueblo entero.

—La escucho.

—¿Sabe usted que Viktor intentó tomar el pueblo dos veces?

—No, no lo sabía.

—Sí, hizo dos ataques, pero los dos fracasaron. Durante el otoño del 91, tras su segundo envite, los mandos que dirigían la defensa entendieron que era el momento adecuado para limpiar de serbios la población. En tres días se desató en el pueblo una persecución y más de cien serbios, además de cuarenta croatas, desaparecieron sin dejar rastro. Aun hoy no se sabe nada de dónde los enterraron. —De ahí la inconcebible violencia de Viktor en la toma del pueblo, resolvió Erin—. Lo que vino luego solo puede calificarse de pillaje y saqueo, asaltaron sus casas, robaron sus muebles. Todo el mundo tomó parte en aquello, el síndrome del televisor, lo llaman: ahora, ante cualquier acusación, se reprochan haber robado un televisor, como si aquello pudiera compararse con matar a una persona. Por eso nadie quiere hablar con usted, por eso mantienen la boca cerrada. Incluso los inocentes no quieren saber nada.

—¿Y usted?, ¿por qué quiere hablar?

—Es importante que la gente deje de tener miedo.

—Es un buen motivo.

—Dice que es un buen motivo pero en realidad no se da cuenta de por qué es tan importante.

Su mirada fue una resistencia, una cólera sin rabia.

—Estoy aquí para escucharla —repitió Erin.

—Porque luego descubre la compasión.

Sus ojos se volvieron inexpresivos, incoherentes con el

aplomo utilizado en su afirmación. En ese momento Erin no pudo pensar en otra cosa que en poner a punto su cámara; no sabía cómo, pero aquella historia iba a continuar, y aquel dolor que Slavenka albergaba, un dolor como una ocupación a la que podías abandonarte y estudiar sus infinitas variaciones, era el mismo dolor a través de cuyo usufructo los santos enfermos podían conectarse directamente con Dios. Buscaba a Viktor, pero el registro visual de aquel desasosiego era un paso más hacia él.

—Cuéntale de Goran.

La voz de Norac había sonado con reciedumbre. Slavenka se levantó y fue hasta la pared, de donde descolgó una foto que sacó de su cristal. Se sentó de nuevo y se la acercó a Erin; se notaba que había sido muy manoseada, se hallaba deslucida, con los bordes doblados. En ella aparecían dos hombres, uno de ellos era Norac, con el pelo más corto. A su lado, otro hombre de nariz recta, alto y demacrado, supuso que Goran; ambos sonrientes y con los dientes en buen estado, como si tuvieran una mano ganadora en aquella guerra. Al fondo dominaban las ruinas de una construcción calcinada, y en segundo plano, los puestos de hojalata de un mercado. También había un tercer hombre, como introducido a hurtadillas en la foto, posando en una esquina del cuadro. En sus ojos había una expresión de temor, de ansiedad, como si en cualquier momento uno de los que posaban o quien sujetaba la cámara le fuera a decir que se apartara porque nadie le había invitado. Sin saber el motivo, a Erin le llamó más la atención aquella figura secundaria, de pelo rizado, sucio, vestido con una zamarra y unos zapatos de pésima calidad.

—¿Quién es?

Señaló al extraño, lo que provocó una brecha de sorpresa en la contención de Slavenka.

—En aquella época muy poca gente tenía los diez marcos que se cobraban por una foto. Algunas veces pedían permiso para aparecer en una o sencillamente se colaban en ella.

Erin se quedó sin habla. Estudió a aquel hombre, sigiloso, mirando con ojos hambrientos, quizá pensando en su familia, seguro de que ellos jamás verían esa imagen, presintiendo que aquel sería el único documento, la única prueba de su existencia en el futuro. Cuántos de ellos estuvieron allí, en aquella guerra, en todas las guerras, convertidos en números y estadísticas, desvanecidos, porque no pudieron salir en una foto sigilosos, mirando con ojos hambrientos. Esa ansia por perdurar, todo aquel miedo a la muerte.

—Goran era mi marido —aclaró la mujer, interrumpiendo su línea de pensamiento—. En aquella época estaba muy delgado, todos lo estábamos. —Sonrió con tristeza.

—Solo podíamos fumar —recordó Norac, soltando humo con dramatismo—, y ni siquiera tabaco. Membrillo, manzano, fárfara, ortigas, carmel…

—Fumar… fumar y rezar. Como todo el mundo. Pero el pecado de Goran fue la diferencia, ¿me oye? Goran quiso ser diferente, quiso decir la verdad. Él estuvo la noche que ejecutaron a todos aquellos hombres, él disparó, todo el mundo disparó, los soldados con ametralladoras, los civiles con pistolas; hubiera sido peligroso no hacerlo porque después alguien pasaba comprobando las armas. Sus vidas valieron menos que la de un perro. Después todos olvidaron, todos mantuvieron la boca cerrada. Pero no mi Goran. Él estaba asqueado, contactó con miembros del gobierno croata en Zagreb, se vieron forzados a abrir una investigación, la gente desaparecida, el mercado negro, las casas asaltadas… El gobierno lo supo, la policía secreta lo supo, pero las investigaciones acabaron suspendiéndose, nadie fue detenido. Luego llegó Viktor y todo quedó justificado.

Slavenka se detuvo. La cara se le descompuso por el efecto tóxico de las emociones.

—Porque decían que ellos defendían la causa de Dios —se recobró—, pero Goran argumentaba que era ridículo, ¿cómo iba Dios a tener una causa? No puede tenerla porque eso implicaría que era una parte, cuando Dios lo es todo. Al darse cuenta de que no iba a conseguir nada salvo ponerse —rectificó—, ponernos en peligro, esperó a que acabase la guerra y optó por hacerlo público. Fue a los periódicos, pero en aquella época el país estaba luchando por hacerse un hueco internacional y todo volvió a silenciarse. Primero hubo una traición sangrienta y luego otra política. Pero no se rindió, invocó a La Haya, insistió en los periódicos, logró publicidad, pero el resultado aquí no fue el que esperaba: empezamos a recibir amenazas. En el tribunal sabían el riesgo que estábamos corriendo y nos ofrecieron trasladarnos fuera del país, como testigos protegidos, pero Goran se negó.

—Eso fue descabellado —acotó Erin—. ¿Qué razones tenía?

—Algunos dicen que por soberbia —intervino Norac quitándose una hebra del labio—; otros, por candor; otros, por inconsciencia, pero mi cuñado lo hizo porque era honrado.

—Utilizaba palabras que hoy apenas se usan, como obligación o espíritu —se emocionó Slavenka—. Decía que no podíamos condenar a los serbios si antes no nos condenábamos nosotros, debíamos establecer quién mató y quién robó, asumir las consecuencias y después sí, después podríamos sentar en el banquillo a Viktor y los suyos. No podíamos ser prisioneros del miedo, con miedo no puede haber compasión. Y Goran tenía claro que el mayor crimen de Viktor, su mayor éxito, no fueron sus masacres, en realidad para él aquello era una circunstancia. No, Viktor era mucho más retorcido, Viktor nos mostró lo que somos, nos obligó a vivir por encima de las emociones, a sobrevivir condicionándolo todo a lo que recibíamos a cambio de nuestros actos. Nos robó nuestra piedad, nos arrancó las máscaras para que comprobásemos que no éramos más que unos monos aterrados luchando por el siguiente plato de comida.

Slavenka guardó un silencio contrariado al comprobar el efecto de sus últimas frases en Erin, como si le hubiese provocado una demencial aflicción.

—¿Se encuentra bien? —se preocupó.

—No es nada, no…

—¿Quiere un vaso de agua? —le ofreció Norac.

—Sí, gracias, el agua me vendría bien.

Mientras Erin daba pequeños sorbos, no pudo reprimir un ligero temblor en la mano que sostenía el vaso. Slavenka se preguntó qué tuétano, qué espina dorsal de su dolor había tocado involuntariamente.

—Disculpe… —se reprochó Erin—, esto es poco profesional… Debe de ser que estoy cansada. Siga, por favor.

Slavenka intercambió una mirada de connivencia con su hermano, y éste asintió.

—Nuestra situación empeoró. Empezaron a llegar cartas asegurándonos que nos crucificarían, aparecieron pintadas en nuestra casa, nadie entraba en la iglesia cuando íbamos nosotros. A pesar de que desde La Haya lograron que una patrulla nos acompañase por el pueblo, nos hicieron la vida imposible, pero Goran se negó a marcharse. Pensaba que hacerlo público le protegería, que animaría a otros a prestar testimonio… no era un ingenuo, sabía que trataba con asesinos, sabía que el sistema legal no era sólido, pero… —Levantó las manos como para enseñarle unos estigmas—. La bomba la colocaron un día de mayo en el respaldo de su coche; no sufrió nada, es mi consuelo. Pero si la gente cree que fue aquella explosión lo que lo mató, están muy equivocados, lo que acabó con él fue el silencio. El silencio de los vecinos, de la comarca, del país, de la opinión pública. No fue casi nadie a su funeral, no hubo autoridades, ni medios, pero aun así Goran tuvo su victoria: logró esquivar el odio que sentimos por quienes nos humillaron una vez y utilizar solo la compasión para levantarse cada mañana.

Slavenka no dijo nada más. Era el semblante sereno de quien se siente desolada más allá de todo consuelo. Norac continuó con su letanía de humo, reteniéndolo todo lo que podía para luego expulsarlo en finos hilos azules. Erin se removió en su silla; siempre la admiraba aquella estúpida gloria por tener razón, por la legitimidad, por la decencia. Era una buena historia, sin duda, una historia para inclinar al corazón humano hacia lo mejor de sí mismo, y el rostro de Slavenka, en un mundo donde la imagen había colapsado y ya no tenía significado, una verdad. Sin embargo, Erin sabía que cuando el sentimiento de clemencia no conduce a ninguna acción capaz de remediar el mal ante el cual se estremece, la aflicción tiende a disolverse y la benevolencia, a desaparecer. Europa ya no estaba dispuesta a soportar gratuitamente y por mucho tiempo el dolor; la generosidad deja de entretener cuando hay que sacrificarse por ella. Erin solo podía atender aquella plegaria porque su órbita giraba alrededor de Viktor, era el egoísmo de la investigación, y necesitaba encontrar nuevos puntos de tensión, secretos que hablasen de otros secretos. Por eso decidió contarles la verdad, su viaje, uno que llevaba a las propias heridas. Cuando terminó de explicarles su corazonada, aquella persecución del sentido o del vacío, Norac apartó la pipa y observó a su hermana, con el corazón roto mil veces, pidiendo un silente permiso para partírselo una vez más. Todo en su cara era una mirada, y Erin fue testigo de cómo entre Slavenka y su desazón no hubo ninguna protección, ningún dique. Norac le rogó entonces que los dejase a solas; ella pareció perder la compostura y ponerse a sollozar, pero se recobró y negó mansamente, dándole permiso para hurgar en una herida ulcerada. Humano es tener secretos, pensó Erin, humano es revelarlos.

—En esta cloaca hay ratas de muchas clases, y creo que Viktor no es la peor... —Norac comprobó que se le había apagado la pipa, pero no hizo gesto alguno de encenderla—. Cerraron la casa de Correos y durante los días del saqueo la convirtieron en un burdel. Todas las mujeres fueron violadas o humilladas, viejas o jóvenes, niñas, daba igual. La doctrina es muy antigua, mujer tocada castillo enemigo. Y saben que las mujeres de aquí no hablarán de ello porque eso es una segunda violación. Las sometieron a tales atrocidades que las supervivientes nunca más volverán a estar limpias. Imagínese a niñas de quince años tomando los frutos de la violencia, niños recién nacidos, acariciando su rostro y apretándolo contra su pecho para asfixiarlos, entre lágrimas, porque temían que después volverían a ver el rostro de su violador en el bebé.

Erin percibió cómo Norac comenzaba a girar fuera de control dentro de la estrecha prisión de su cólera.

—En ese tiempo, a Viktor le acompañó un hombre. No fue el encargado de organizar aquello, pero estuvo con él varios días. Parecían muy unidos, como si fueran amigos, si es que Viktor podía tenerlos. Se llama Radomir Prcac, y según contaron las chicas que sobrevivieron, fue el peor. La degradación que les infligió, los golpes... es un dolor que acabas por no sentir, te cuentan. Sin embargo, lo que de verdad llama la atención, es que Radomir Prcac no era un soldado cualquiera, había venido expresamente de Belgrado: era Viktor quien le había llamado. Es uno de los intelectuales más importantes de Serbia, tiene dos libros muy conocidos, pero también fue jefe del Ministerio de Información, es decir, uno de los responsables del discurso del odio y la guerra en el que se basaron las acciones de Viktor.

Hubo un silencio. Erin vigiló las reacciones de Slavenka ante la causticidad de los datos, pero su frialdad era la de un trozo de mármol. El único gesto fue levantar una de sus manos para quitarse un mechón de la frente, y Erin quedó magnetizada por las venas azules que iban desde los meandros de su mano hacia el interior de su cuerpo. Aunque eso no la distrajo de sacar sus conclusiones: aquella pieza encajaba perfectamente en el síndrome de Atila que sufría Viktor, el ansia por el homenaje y el incienso, la búsqueda de un Homero que cantase sus hazañas.

—Será difícil encontrarle —apuntó.

—En realidad, eso será lo más fácil. Lo complicado será que logre hablar con él.

—¿Por qué?

—Es uno de los encausados en La Haya.

En ese instante Slavenka fue incapaz de mantener el dominio sobre sí misma y lloró con la más fundamental y caudalosa de las emociones, enfrentada sin poder remediarlo a todo lo que no podía soportar. Sus siguientes palabras sonaron sin repulsión, desprecio, condena o tristeza.

—Sin perdón solo somos salvajes.

Ante aquella escena, Erin se sintió como en una función de teatro, una sesión en la que ella era un extra y su tiempo se había consumido. Comenzó a abandonar la escena sosegadamente; recogió sus cosas y se despidió agradeciéndoles su tiempo pero, sobre todo, su valor. Ellos le correspondieron con aquella promesa que ella se llevaba como un regalo sin abrir: hablar de la soledad de los vivos, hablar de la compañía de los muertos.

Erin salió a una calle fría con la sensación de que en cuanto mirase hacia atrás, todo se removería crujiendo para empezar a hundirse al igual que la casa Usher. Caminó sin rumbo por el pueblo, considerando la capa de vida más delgada y frágil que pudiéramos imaginar separándolos de la nada, y dudó que su obcecación tuviese algún valor: el sueño humano de que un solo hombre pudiera encarnar el mal era venerable y estúpido, una necesidad imperecedera y antigua de que algo absorbiera el terror que nos causa la vida y su fin. De repente, se sintió atrapada en sus espacios interiores, esos por los que no corría el aire, y una certeza de absurdo la atrapó: el pensamiento de que una vez cometidos todos aquellos actos, era tal la violencia que nunca se acabaría. La temperatura abotargada de aquel pueblo, su atmósfera de rencores pequeños, frustraciones nimias, trabajos sin interés, conversaciones ralentizadas, recurrentes, vacías, aquella semejanza con su juventud.

Necesitaba una copa.

El pensamiento era urgente y siniestro.

Agudo, profundo.

La necesitaba.

Y ni el recuerdo de Alvin o su madre, ni su vía crucis pasado, ni los tratamientos de desintoxicación, ni los psicólogos, ni las noches sin rumbo fijo con su mente enfrentada a múltiples imposibilidades podía disuadirla.

Pensó en hacer una rápida llamada a Ivo; sacó el móvil,

marcó con ansiedad, pero saltó el buzón de voz, lo que hizo estallar una mezcla de angustia y repugnancia por el presentimiento de su debilidad. El cielo negro estaba salpicado de estrellas heladas; entró en la plaza del pueblo y unas notas de aquel característico folk balcánico la atraparon. Era un discobar. Hacía años que no tomaba una copa. Llevaba una meticulosa cuenta de los días. Había incluso noches que contaba los minutos, los segundos. Noches de irrevocable soledad, de culpa. Abrió la puerta del bar. La música aumentó sus decibelios.

Posturas inmóviles.

Miradas pétreas.

Una pulsación.

Un malestar.

Un paroxismo.

Aeropuerto JFK, 16.24 h

Tránsito. Ésa era la característica esencial de los aeropuertos. El fetichismo del tránsito, la democracia que éste proporciona: la mente a la deriva, el tiempo ausente, la inminencia del viaje. Las chicas surgieron de entre una familia numerosa, un grupo de siete que casi podrían confundirse con la prole adolescente de aquel matrimonio si no fuese porque actuaban como turistas, sobreactuando su asombro como extras en un plató. Para ellas resultaba excitante, una aventura, una nueva vida bajo unos cielos en los que había una magnífica promesa de cambio. En sus mentes flotaba una engañosa contemplación estética: hamburguesas, Michael Jackson, Supermán, Robert de Niro… y dólares, sobre todo dólares, ocultando todas las manos ensangrentadas que habían levantado la ciudad. Aún resonaban en sus oídos la voz cálida y convincente de la *reclutadora* —en realidad una antigua prostituta—, que las había cortejado facilitándoles el papeleo, y diciéndoles exactamente a qué funcionario de la embajada estadounidense en Praga debían dirigirse para no tentar a la suerte. No obstante, una de ellas, con un cabello lleno de espirales y bucles, todavía recordaba la extraña compasión con que uno de los funcionarios del aeropuerto le incitó a reconsiderar su viaje, ¿de verdad sabe usted adónde va?, ¿está segura de que quiere hacerlo? Por supuesto, ella sabía adónde iba y lo que deseaba: la libertad. Pero la libertad no se conforma mucho tiempo con tus propias condiciones.

Daniel fue testigo de cómo dos hombres corpulentos, con pinta de culturistas, el pelo con gomina sujeto en una coleta, camisetas muy ceñidas, botas camperas y trajes baratos se acercaron a ellas. Aunque no estuviesen avisados, habría reconocido aquellas miradas frías de carnívoro merodeador en cualquier lugar del mundo. Surgían de ellos como una orden, y al primer contacto con las chicas tuvo la certeza de que éstas no pudieron dejar de intuir el sentimiento abrumador de su futura sumisión. En un vértice de la sala, Sailesh intercambió algunos signos con el resto del equipo. Estaban al tanto de la desconfianza de aquellos sicarios, así que debían moverse con cautela. No tenían ninguna certeza respecto al resultado de aquella vigilancia, pero en todo caso si había moscas, la mierda no podía andar lejos. Además, no tenían otra cosa. Los sicarios mantuvieron una breve conversación con las chicas, cortada abruptamente con un movimiento enérgico; en los rostros entre sorprendidos y crispados de ellas pudo distinguir las primeras sospechas. Daniel se fijó especialmente en una, con una falda lisa de cuero, suéter de cachemira, tacones bajos debido a su altura y un cabello rizadísimo, una de esas mujeres que miras y no puedes evitar pensar en una vida entera con ella. El grupo se subió a una furgoneta y, a pesar de las lunas tintadas, Daniel se imaginó cómo en ese instante las conminaban a entregar sus pasaportes convirtiéndose en una rama más lanzada a la hoguera. Por el pinganillo en su oreja recibió la confirmación de Sailesh de que los coches estaban dispuestos y se dirigió al suyo. La furgoneta no tardó en arrancar y mezclarse con la corriente de vehículos que se dirigían a Manhattan; los coches de vigilancia fueron tras ellos firmes e imperturbables, como los cochecitos de una montaña rusa.

Cuando entraron en la isla, los últimos resplandores de un sol gélido rebotaban en las ventanas de los rascacielos. Desde los vértices de las azoteas fueron observados por hombres medio quemados dispuestos a saltar: hasta treinta y una esculturas de bronce, una exposición titulada Romanticismo Kamikaze, que representaba la encrespación de las alturas, la experiencia morbosa o sugerente de contemplar a seres al borde, lejos de la seguridad, de la patológica obsesión por el control de la civilización americana, y que ya habían causado más de un atolladero en las centralitas de la policía. La furgoneta se detuvo frente a un edificio ciego del Lower. Los hombres salieron no sin antes echar alrededor una mirada rebosante de ferocidad contenida. Las chicas desembarcaron a continuación y fueron guiadas hacia la entrada como hacia las puertas de un averno donde un cartel les advirtiese que a partir de esa frontera eran ya fruta caída en el suelo. Sailesh, desde su coche aparcado en un ángulo de la calle, fue testigo de la escena considerando cómo la organización seguía funcionando al margen de su decapitación; el poder era hoy una red de efectos, no se aplicaba a algo, no era una pirámide o estructura, sino que pasaba a través en una forma reticular, era una estrategia que se ejercía desde muchos puntos de actuación que luchaban y se enfrentaban constantemente en una esencial inestabilidad. Y ésa era precisamente su oportunidad, ese caos, ese desconcierto temporal. En el oído de Daniel se escuchó un ruido electroestático y luego la voz de Sailesh.

—¿Y ahora?

—La paciencia de los santos.

—¿A quién esperamos?

—Refuerzos. Vamos a entrar en ese avispero.

Sailesh no respondió, pero ambos sintieron la fuerza ascensional de la adrenalina.

—¿Estás seguro?

La pregunta de Sailesh fue retórica. Ya habían visto demasiados traslados a los peep-shows de Times Square, donde trabajaban en agotadores turnos de diez horas. La lista de precios parecía la de una carnicería: tocar el pecho, dos dólares; el culo, tres, y el coño, cinco. Progresivamente, iba llegando policía, gente de la Seguridad Diplomática del Departamento de Estado, los de Inmigración.

—Son las cinco de la tarde, la hora punta, la mejor para que nuestros respetables *pater familias* vayan a follarse a una cría antes de acostar a sus hijos...

Erin hizo caso omiso de las miradas amenazantes, suspicaces, astutas, asombradas o impúdicas de los machos que la taladraron como a un insecto de colección, y se hizo un hueco en la barra. Era la única mujer del local, pero estaba acostumbrada a moverse en la vorágine. Además se hallaba en uno de esos picos de energía ilimitada —que luego descendían en un escalofriante picado a una oscura caverna—, y acababa de abandonar la pequeña isla de racionalidad en la que se refugiaba, echándose a las aguas del helado y oscuro océano que la rodeaba. Se acercó a la barra, pidió uno de esos alcoholes duros y transparentes y bebió tres chupitos sin respirar. Unos hombres le dijeron algo desde una esquina, pero no les entendió. Después pidió una cerveza y otro licor. Se apoyó en la barra, ya con el efecto sorpresa diluido y el local recuperando la algarabía. No sabía bien lo que quería, lo único seguro era beber hasta embotarse, echar más y más alcohol a aquella llama que ardía en su interior con toda la ansiedad y la culpa que acarreaba. La música continuaba fuerte, no estaría mal un poco de coca, un poco de éxtasis, un poco más de pérdida del yo. Echó un vistazo alrededor, algunos de aquellos hombres parecían no haber visto la luz del día en años. De repente se le acercó uno de ellos, un tipo con crispamientos musculares, pálido y pisciforme, muy borracho.

—Bebería un litro de tu orina solo por ver de dónde sale —le dijo en un serbio dificultoso.

Luego le dijo algo más que no entendió. Erin sostuvo su mirada perdida de una manera lenta y penetrante. Prefería a los borrachos rudos y tempestuosos que te empujaban con el dedo y soltaban fanfarronerías y blasfemias. A pesar de sus despliegues se consumían pronto; aquel otro era de combustión lenta, más peligroso. Yo también pienso que la tierra es plana, le soltó al tiempo que le daba la espalda, lo que provocó que el borracho se volviese más recalcitrante. Ya sentía esa sensación hormigueante de esperar un empujón o un insulto cuando oyó una voz suave pero rotunda. Erin se dio la vuelta lo suficiente para ver la espalda del beodo alejarse encorvada y la mirada de su rescatador. Era un individuo alto, con manchas canosas en un pelo casi al rape que, no supo por qué, le casaba con la música seca y rápida que se escuchaba en ese momento. Tenía esas facciones talladas que hacen parecer a los hombres juveniles y a los críos adultos, y un algo recio y obvio. En cuanto se sintió observado sonrió, y su sonrisa subió a sus ojos azules.

—Aquí donde me ves con esta pinta de príncipe —dijo en un buen inglés—, en realidad soy un sapo.

Erin soltó una risita que relajó la situación.

—Gracias.

—Me podrías agradecer con un cigarrillo.

—No fumo.

—No te preocupes —sacó un cajetilla—, yo tengo para los dos…

Cuando Kavita, solitaria, pidió su tercer martini de sandía en una de las barras del Oak Bar del Plaza, aquel hombre sentado un par de taburetes más allá le sonrió diciéndole al camarero que iba a tomar lo mismo. Al principio ella le miró contrariada, pero no tardaron en empezar a hablar. Se presentó como Lautaro, un representante de una marca deportiva europea; era de mediana estatura, interesante y parecía limpio. Acabó invitándola a la siguiente ronda. En una barra toda madera, latón brillante, con sus hipnóticas botellas colocadas en hileras sobre fuentes luminosas, siempre era fácil ponerse a hablar con un desconocido. Lo que se decía en una barra no comprometía tanto como lo dicho en otro lugar. Y Kavita no pretendía nada, solo conversar con aquel tipo que parecía abierto, confiado, incluso atractivo. También él tenía problemas y estaba cansado de su trabajo, ¿por eso estaba allí?, ¿porque también se le iba la vida de las manos?, ¿por las píldoras, comprimidos y grageas que tomaba en mayor cantidad y con más asiduidad?, ¿porque se iba distanciando de todo? ¿Otra copa, dices?, claro, ¿por qué no?

Antes de entrar en el edificio uno de los policías dijo una de esas frases que dependiendo del contexto puede ser una crueldad, un chiste o una estupidez. Cada uno lo interpretó de una manera, aterrorizados y tranquilos como estaban. Luego se dieron las órdenes para transmitir el espíritu de combate, y la acción se sucedió como quien pela una manzana en una tira ininterrumpida de piel. Las sucesivas oleadas de agentes fueron tomando entradas y salidas, esquinas y ángulos. Daniel y Sailesh, tras ponerse sus respectivos antibalas, se mezclaron con la corriente escaleras arriba. Los vecinos que eran testigos de aquella marea los miraban pasar estupefactos o aterrorizados. Cuando llegaron a un largo pasillo al final del cual se hallaba el piso, fueron avanzando cubriéndose por etapas. Se oía una música potente que provenía de los apartamentos, un sonido de lata parecido a los Zeppelin o Deep Purple. Se hallaban a tres puertas de su objetivo cuando una de las que habían dejado atrás se abrió repentinamente, con el consiguiente aumento del volumen de la música. Ni siquiera se escuchó el disparo, únicamente vieron que uno de los hombres se derrumbaba. A continuación sí, empezaron a recortarse las detonaciones, relampaguearon las chispas, un incesante chillido metálico. De repente fue como si se hubiesen introducido en un nido de cientos de serpientes que se agitaban reptando en todas direcciones, refulgiendo, silbando. Se abrieron más puertas y los hombres atrapados en un fuego cruzado caían abrasados, irrevocablemente acabados. Los supervivientes lograron introducirse en uno de los apartamentos, confundidos, asustados. Era un miedo con una textura imposible de olvidar, de describir, como el de las víctimas de un terremoto, la gente que ha perdido la fe en la inmovilidad del mundo. Sailesh buscó a un aturdido Daniel.

—¿Cómo ha podido pasar? —se preguntaba una y otra vez.

Sailesh entendió que sufría cierto grado de shock y le conminó a quedarse allí. Fuera la caldera continuaba en ebullición.

La acción consumía.

Cegaba.

Ensordecía.

Aniquilaba.

Y durante unos minutos el enemigo fue temible, invencible. Estaban solos, acorralados, sin noción del tiempo frente al sonido sordo de los plomazos. El torbellino fue amainando a medida que llegaban refuerzos. A pesar de su corpulencia, la adrenalina hizo que Sailesh se moviese con agilidad, poco a poco se reforzó la confianza, los vínculos entre los hombres, el sentimiento de la propia fuerza unida a la de los compañeros que disparaban a tu lado. La proporción de fuerzas, la victoria fue decantándose de su lado hasta que los disparos cesaron. Hubo un silencio, ese que queda después de un grito portentoso. Sailesh se apresuró a ayudar a un compañero herido. Algunos de ellos estaban apoyados contra las paredes, recuperándose, otros hiperventilaban con las manos en las rodillas, apenas podían articular palabra. Más tarde se comprobaría que habían sido dos los muertos, largos meses de papeleos, de interrogatorios para depurar responsabilidades. Cuando llegaron los equipos médicos, Sailesh entró en el apartamento donde habían llevado a las mujeres; en realidad eran tres unidos creando una especie de lago enorme y profundo, con un calado mayor del que habían imaginado. Pasillos y habitaciones repletas de chicas, seres humanos que se regían por la lógica de los campos de concentración, en los que interiorizaban el punto de vista del verdugo, no se podían recibir golpes todo el día sin ser culpables, no se podía vivir en la mierda y tener razón. Mientras veían pasar a aquel hombre de tez cobriza, las chicas le contemplaban con miedo o con esa mirada de infinito aburrimiento tan omnipresentes en los burdeles. Sailesh reflexionó sobre el carácter privilegiado del sufrimiento de la mayoría de la gente: aquél era el dolor auténtico. ¿Cómo podrían haber sido sus vidas si no hubiera ocurrido lo que les había ocurrido?; qué facilidad para que una cosa que puede ser una sea otra, lo accidental que puede ser el destino. Aquellas chicas eran el tercer negocio mundial después de las armas y las drogas. Y aquella era una victoria que no interesaba en una guerra que a nadie concernía. De repente Sailesh sintió el hipo en el fondo de su garganta, pero no abrió la boca. Un efecto secundario del estrés.

Erin lo estaba pasando bien con aquel ejemplar de macho alfa balcánico. Se llamaba Milo, un mecánico agrícola de ojos claros, sonrisa tranquilizadora, y que con el pelo un poco más largo podría haber hecho uno de esos anuncios de estética surf, con gente cool y triunfadora. Bebían, bromeaban, él se arrancaba a cantar «*Ochi Chernye*» y luego inventaba la letra, se besaba a la manera eslava con algunos amigos que se acercaban, y a veces emanaba de él una ingenuidad absoluta y otras parecía comprenderlo todo, como si hubiera tenido experiencias que el resto solo podría imaginar o leer. Con Milo cada instante encerraba millones de posibilidades; la música persistente y sensual que repiqueteaba en todo el cuerpo; la burbuja hipnótica del alcohol que iba haciéndose más densa a medida que lo ingería sin degustarlo. Sus risas se volvieron cada vez más beodas; las voces, un poco más gangosas.

Aquello no era extraño ni reprensible, era un hecho de la vida, un proceso natural que él se acercase a su oído y derramase unas palabras que cayeron pegajosa y lentamente, con la dulzura de un chorro de miel.

Claro que era fácil abrirse a Lautaro; Kavita le contó los problemas que tenía con su marido, cómo la vida se le iba de las manos, que apenas tenía amigos. Que a veces le asaltaba el pánico de quedarse sola, que no soportaba su apartamento vacío cuando los críos estaban en el colegio, que todo el tiempo se imaginaba que Sailesh estaba en la cama con otra. Y aquel desconocido la escuchaba, alguien lo hacía por primera vez en mucho tiempo; por supuesto que era fácil abrirse a él, como una flor bajo un sol radiante, sincerarse, se alegraba de haberle aceptado aquella copa, y la siguiente; era una mala costumbre beber, pero preferible a estar por ahí, sola, gastando dinero, mejor que tomar pastillas, el último año había sido terrible, una deriva, ver cómo se rompe tu matrimonio, temía perder a Sailesh y sabía que lo echaría terriblemente de menos, pero no veía posibilidades de arreglo. Me gustaría invitarte a otra copa en mi casa. La frase de su nuevo amigo iba acompañada de una bonita sonrisa, comprensiva, reservada, cortés. También parecía un chorro de miel. Claro, ¿por qué no?

Caminaron agarrados uno del otro por las calles empedradas del pueblo. Siempre hay un momento en que puedes pararlo todo; Erin no se engañaba respecto a eso, pero sencillamente no lo había hecho. Ya se habían dado los primeros besos, se habían sobado con ansiedad contra las esquinas; más adelante podría aventurar alguna teoría barata, como esa de que no se amaba a sí misma y por eso traicionaba a todo hombre que quería, ya que eso significaría aceptarse, podía decir eso como todo lo contrario, la psicología no pasaba de ser otra religión, el hecho es que ella era consciente de que iba a follar con aquel desconocido. Quizá para recuperar cierto sentido de la aventura, cierta sensación de libertad; lo único verdadero era que los demonios del pasado, y peor, los del futuro, ya estaban preparando su aquelarre. De repente el deseo de Milo fue apremiante, apabullante, y ella se abandonó, lo aceptó. Se dirigieron a su casa. El apartamento era pequeño, austero, tan masculino que se sintió fuera de lugar. Y olía un poco a cerrado, pero cualquier reticencia saltó por los aires cuando él la llevó al dormitorio. Una lámpara huesuda iluminó una cama blanca y limpia, como las que suele haber en los hoteles. En el estómago de Erin hubo una mezcla de dolor y placer cuando se dejó desnudar. El descaro, el peligro, el erotismo, la anticipación secreta y dulce, los sucesivos círculos del placer, la anestesia del alcohol, las camisas y los pantalones desabrochados, los músculos de su amante, su torso, sus labios generosos quizá de herencia turca o griega, las lenguas como culebras, las bocas mordiendo, labios, pezones, piel, la sangre ocupando puntos neurálgicos de los cuerpos. Cuando inesperadamente Milo empezó a traspasar la frontera entre la provocación y el insulto, el deseo y la agresión, Erin no supo cómo reaccionar. El primer puñetazo hizo patente con aterradora clarividencia que aquello era una trampa.

—¿Qué has venido a hacer aquí, puta?

El cambio que había sufrido su cara fue espeluznante. Un segundo golpe le partió el labio, haciendo que la sangre resbalase por la barbilla. Milo rugía, intentó levantarse de la cama pero él la inmovilizó agarrándola por el pelo, un dolor punzante al que siguió otro puñetazo en los riñones.

—¿Qué buscas, golfa? Dime. Aquí no hay nada para ti.

Otro bramido, y la sensación de que aquello no podía estar sucediendo, aunque lo estaba de una manera dolorosa, extraña, espantosa, y ella era la presa, el animal condenado.

—¿Quieres saber? Yo te voy a enseñar lo que les hacíamos a las putas como tú.

La colcha. La colcha era sencillamente horrible, su color, su tejido, los dibujos. Su aterrorizado cerebro buscaba desesperadamente vías de escape de aquella inconcebible realidad, dura, humillante, destructiva, algo que la fortaleciera mientras Milo la sujetaba contra esa misma colcha, medio asfixiándola, y ejercía el derecho del que venían disponiendo los vencedores desde la guerras helénicas, desde que Aureliano paseó por Roma a la reina Palmira encadenada y los rusos violaron a dos millones de alemanas: disfrutar del botín. Al tiempo que le bajaba los pantalones y ella bufaba con una lacerante, impotente rabia, tuvo la certeza de que después de aquello la mataría. Él se desabrochó el cinturón con fiereza, cargando todo su peso, apretando su cuello hasta dejarle la marca de sus dedos; ella se arqueaba, se retorcía, el sabor salobre de la sangre, las arcadas. Aquello iba a ser un sacrificio, cada embestida, cada golpe, cada lágrima, cada ofensa, cada gota de sangre, cada grito, cada átomo de autoestima pulverizada, el olor del pánico, sería un incienso agradable a una deidad feroz, un cuerpo expoliado más, vas a ver cómo se jode, puta, vas a aprender. Erin empezó a caer en un picado vertical, una oscuridad alquitranada que se le derramaba en los ojos y penetraba en sus orificios nasales; le faltaba el aire, boqueaba en el vacío, hasta que de entre los cientos de imágenes que corrían a toda velocidad por su cabeza, escurriéndose por un desagüe, brotó la de Slavenka, su honor roto, su rostro de virgen doliente, que era el rostro de los millones de mujeres sacrificadas, de dignidades acorraladas. Y de repente el deseo de salvarse, más fuerte en la sangre que en el pensamiento. La oportunidad llegó cuando se quedó quieta y su violador interpretó que cedía, hubo un relajamiento muscular, un debilitamiento de la presa mientras le bajaba las bragas que le permitió introducir un brazo bajo su cuerpo, enganchar sus testículos y estrangularlos con fuerza. Milo chilló como un cerdo hasta que Erin aflojó su cepo y con un violento giro de su espalda logró deshacerse de su peso. El hombre había caído a los pies de la cama con sus manos agarrando sus torturados genitales y un dolor sin precedentes en su vida deformando su rostro. Nada de ello incitó a la piedad en Erin, sino que alimentó un odio ferviente y visceral, y fue entonces ella la que empezó a bramar, a rugir, era un ruido en su cabeza, un ruido terrible, un sonido que no era humano, y se abalanzó sobre aquel hombre como un animal, con la boca abierta, y le mordió la mejilla, oyó cómo se desgarraba la piel, cómo los dientes arrancaban la carne. Se echó hacia atrás, escupió el pedazo, cogió impulso y le empezó a dar patadas, tan fuerte como pudo, tambaleándose y llorando, resbalando en el cuajo de sangre que se iba extendiendo en el suelo, cayéndose, levantándose, y luego, agarrando su cabeza, escuchó el ruido sordo estampándose contra el suelo, una vez, y otra, y otra, y otra...

Cuando Sailesh entró en casa supo que ella no estaba. Captó la soledad esencial, y de repente se sintió perdido, como un actor que buscase a tientas sus frases. Se sentó en la cocina, colocó las manos sobre la mesa y descubrió restos de sangre seca en su camisa. Aquello era todo lo que quedaba del episodio vivido unas horas antes. Estudió las manchas, la intensidad de su color; brillaban mucho, y parecían palpitar, como si la sangre estuviera viva. La pantalla del televisor, apagada, le reflejaba a él y a la habitación de una manera fantasmal. No tenía a nadie con quien hablar. Le hubiera gustado poder hacerlo. Hablar. Solo hablar. Un pitido destemplado sonó en el contestador y tras la misma voz de Sailesh indicando quién era y animando a dejar un mensaje, transcurrieron unos segundos en silencio y un clic que indicaba que alguien no se había animado.

Erin logró vestirse y salir a la calle con la cara llena de lágrimas, sangre, mocos que se le metían en la boca y que tenía que limpiarse y escupir continuamente. De esquina en esquina, alejándose de la luz, logró llegar a su hotel; afortunadamente no había nadie en recepción y subió corriendo a su habitación. Con las manos temblorosas entró en el cuarto de baño y encendió la luz, tenía un ojo hinchado, le supuraba la sien, y aunque reconocía su rostro, no eran las heridas lo que más lo distorsionaban, sino su rabia, una rabia que la había sostenido, que se imponía a las diferentes fuentes de dolor que sentía y se mezclaban formando un estruendo universal. Pensó que iba a vomitar, pero no lo hizo, había un triunfo en mantener aquella serenidad, en no derrumbarse, en manejar toda aquella adrenalina. ¿Cómo se había dejado engañar?, ¿cómo podía un rostro mentir tanto?, ni su expresión, ni sus maneras, ni su forma de expresarse denotaban quién era.

Y la ira.

La ira le susurraba que todavía debía hacer algunas elecciones correctas, que aún no podía permitirse sentir. Rápidamente se metió en la ducha, el chorro ardiendo, impactando contra su piel, rayas oscuras de sangre corriendo entre sus piernas. Sin perdón solo somos salvajes, comprendió la intención de Slavenka, el daño invisible, todo lo que se podía romper en el interior, y que desde ese momento en adelante mirarse en un espejo sería como leer unos archivos donde todo estaba escrito, donde la verdad desnuda no tenía posibilidad de evitarse. ¿Qué semejanza tenía con lo que había sentido Viktor cuando estudió el rostro de Zhivkov?: soy yo, qué significa eso. No obstante, el enojo volvió a imponerse, ése sí lo compartía con Viktor, el que sintió contra sí mismo cuando se dio cuenta de su imprudencia, cuando se apercibió de que no podía espiar a la gente sin cambiar su mundo, sin que te devolvieran la mirada. ¿O aquello era solo un lugar equivocado en el momento equivocado para recoger un destino equivocado? Cerró el grifo de la ducha, se secó y se vistió con premura. Luego se hizo una cura con el botiquín de urgencia que llevaba siempre consigo, e hizo la maleta. La recepción continuaba vacía, pero había dejado pagados un par de días y abandonó el hotel sin más. Allí corría un peligro indefinido, su rastro era muy reciente. La oscuridad ascendía del suelo, lentamente, como una marea, y los faros de su coche abrieron agujeros largos y uniformes en ella. Condujo entre bosques hasta que los arrecifes oscuros de las nubes fueron cruzados por estrechas franjas de luz. La perfección de las primeras horas de la mañana iluminó la señalización que indicaba Belgrado a pocos kilómetros. En su interior, la música del delirio atronaba, la misma que sonaba en la época en que sucumbía a todas las tentaciones y se decepcionaba en medio del vacío, anhelando la infinitud, lo inasible. Necesitaba un dique, algo que impidiera el paso de la indiferencia, del sinsentido.

8

La vida en las cosas pequeñas

Sábado, febrero, 11.24 h

Daniel había cogido el metro en Lexington y hecho tres transbordos hasta llegar a Brighton Beach. Una de las cortas e intempestivas llamadas de Dimitri le había citado en Neptune Avenue, delante de una tintorería, alegando con esa risa tan suya parecida a un escape de gas que ya no eran hámsters en una rueda. Paseó por la línea de playa que terminaba en Coney Island; el viento cortaba la piel. En su cabeza se solapaban pensamientos contradictorios; Daniel recordaba que, tras una soledad defendida meticulosamente, el día del tiroteo todas sus plegarias habían sido para Agnes. Había sido un íntimo cataclismo, un intenso sentimiento de pérdida, un miedo a no volver a verla jamás. Y tristeza, una tristeza que lo atenazó cuando se hallaba sudoroso y atemorizado en aquella habitación, con Sailesh como desesperado ángel de la guarda, por haber bloqueado ciertas palabras que debía haber dejado subir por su garganta, por no haberle permitido acercarse más, por su miedo a aceptar lo que ella le brindaba en sus miradas prolongadas y pacientes. Una gaviota planeó sobre la arena y rasgó con un chillido el aire que quemaba de puro frío; las nubes grises, monumentales; el mar, su fragor insomne.

—¿Llevas mucho esperando?

Era una de esas voces que mantienen la convicción en medio del desastre. Daniel se giró y se encontró con el rostro pálido y ambiguo de Dimitri. Vestía un conjunto de abrigo con chaleco, y el viento la había despeinado.

—Lo justo.

—¿Caminamos?

En silencio, dirigieron sus pasos hacia Brighton Avenue, llena de restaurantes y garitos, y continuaron hacia el tablado de madera que sigue la costa de arena blanca y fina en dirección a Coney Island. A pesar del tiempo invernal, había gente, sobre todo niños de la mano de viejos que seguían siendo niños, ambos con gorras de béisbol puestas del revés. Muchos no hablaban inglés. Había incluso un grupo de bañistas desafiando el tiempo de hielo mediante ejercicios de calentamiento para luego adentrarse en las olas entre saltitos y gritos. Al fondo, encallado, el esqueleto oxidado de un ferry. Dimitri comentó de pasada la cantidad de rusos que se habían instalado allí, ciudadanos que no añoraban su patria, porque el ruso era sentimental, pero no nostálgico. Progresivamente fueron acercándose a la noria gigantesca, la montaña rusa, la torre metálica del Salto del Paracaídas como un pozo petrolífero o una torre Eiffel, las cúpulas, las agujas, las boleras, las casetas de tiro… un psicotopos visionario, un paraíso lleno de juguetes, baratijas, tebeos y atracciones suficientes para saciar cualquier deseo infantil. En esa época se hallaba vacío, desmantelado, con puertas y ventanas cegados, y apenas unas cuantas tiendas abiertas para una población estacional. Dimitri se detuvo unos segundos, quizá compartiendo el sentimiento de nostalgia que embargó a Daniel al recordar alguna de las visitas que había hecho de crío con su familia. Es curiosa la cantidad de sirenas que hay en Coney Island, subrayó. Y era verdad, comprobó Daniel, dibujadas, pintadas, esculpidas, en los bares, en las atracciones, en los anuncios: las sirenas eran ubicuas. Después Dimitri soltó una risita cauta e invitó a Daniel a tomar una cerveza.

La camarera les trajo dos jarras coronadas por abundante espuma, agarraron los mangos, las chocaron levemente con un «*nasdrovia*» seguido de un «brindemos por el fin del imperialismo americano» de Dimitri, y hundieron sus labios en el brocado blanco con esa satisfacción que producen los placeres diminutos y por ello irreemplazables. En el hilo musical sonaba una de esas canciones cursis, sentimentales y adictivas que hablan de un amor tan perfecto que no existe y como tal resulta impecable para su idealización. En los minutos siguientes se limitaron a dar pequeños sorbos con la vista fija en un edificio que había enfrente. Daniel imitaba a Dimitri sin forzar nada porque conocía el tempo de su confidente. Su paciencia solo tardó una jarra más en ser recompensada. En un momento dado vehículos largos y negros importados comenzaron a detenerse en la entrada del edificio. Se produjo la inequívoca coreografía de guardaespaldas tejiendo espesas redes de protección antes de abrir la puerta a los peces gordos que abandonaban el edificio, algunos envueltos en pieles como primitivas evidencias de poder. Por fin, la Malina. En todo su esplendor.

—Los muertos de permiso —ironizó Dimitri con su voz nasal.

Daniel miró las pequeñas orejas de su perfil y rápidamente volvió a vigilar el baile territorial en el que los besos se hallaban al orden del día: animales con sus propios códigos de conducta. Entre tanto Vor apareció uno de esos animales naturalmente conscientes de su poder. Vestía un irreprochable traje negro bajo un grueso abrigo, y gastaba un aire de intelectual eslavo, espigado, alopécico y cetrino, con una perilla rubia.

—Se llama Valeri Lomidze —apuntó Dimitri siguiendo su mirada—. Hoy los georgianos han tenido un *bazar*, un diálogo, una negociación. Están reorganizándose, han elegido otro Pakham. Es arquitecto, son nuevos tiempos, nuevos métodos. En la calle se cuenta que las cosas no son lo que parecen, que no va a haber guerra porque no hay Bespredel, que este jefe ha sido bendecido para sustituir a Zakhar Yaponchik y que solo los peces muertos siguen la corriente.

—¿Y eso qué significa?

—Quizá la persona que ha enviado a Viktor no esté de acuerdo con el nombramiento de Valeri Lomidze, la misma que ha liquidado a Chevengur y a Zakhar Yaponchik porque acaso se entendiesen. A lo mejor estaban haciendo algo a sus espaldas y decidió que Viktor tenía cosas que decir. Quién sabe.

—Los ejércitos se enfrentan por intereses comunes —recordó Daniel, viendo por dónde iban sus intenciones.

—Tú lo has dicho —dijo Dimitri encogiéndose levemente de hombros.

Mientras hablaban, los ladrones se habían dado los últimos besos y se introducían en habitáculos de cristales tintados y olorosos asientos de cuero. Daniel echó un largo trago a su cerveza; era evidente que Viktor continuaba definiéndolos a todos, los afirmaba individualmente. Ya parecía que el edificio se había quedado vacío cuando salieron un hombre y una mujer; en un principio parecían no tener relación alguna con el *bazar*, pero en el segundo siguiente sus rostros causaron en la cabeza de Daniel el mismo efecto que habría tenido una bala dumdum.

—¿Quiénes son? —le preguntó con urgencia a Dimitri.

—No los conozco.

—Sus caras… las he visto antes…

Daniel vigiló cómo la pareja, un hombre alto, desgarbado, furtivo, y ella, elegante, pelirroja y con un paso seguro, se dirigían hacia un Audi con la forma de una pastilla de jabón. El espacio que le separaba de reconocerlos era fino como una lentilla, pero al tiempo totalmente infranqueable. Sufrió la ansiedad de quien está rodeado de agua y jamás llega a beber. El vehículo arrancó sin que hubiera llegado a reconocerlos y desapareció.

—Aquí hay algo gordo —comentó Dimitri fingiendo sostener un globo entre las manos.

Si hubieran tenido una cámara…, se arrepintió Daniel. Esa idea le hizo acordarse de Erin; tenía que ponerse en contacto con ella para contrastar urgentemente sus líneas de investigación. Todas las preguntas seguían girando a su alrededor como satélites, el registro en casa de Olena Vodianova, los días en que Viktor desapareció de Belgrado, esa indescifrable palabra, Tora, que podía significar algo o ser solo el delirio de una mente en demolición, las guerras intestinas de la Malina, aquellos dos rostros escondidos en los pliegues de su memoria… Sí, aún tenían que hacer justicia, no la justicia, sino una justicia. La que fuese.

Y al fondo, Nueva York, reinando sobre el imaginario colectivo como un vulgar truco de luz y arquitectura.

En las semanas siguientes, Daniel y Sailesh se ocuparon de coordinar las operaciones para desmantelar las redes de prostitución. Fue difícil convencer a las chicas para sacarles información y que testificasen; realmente estaban aterrorizadas por aquellos sujetos. No obstante, las pesquisas condujeron al arresto de algunos personajes claves en Chequia, así como al cierre de los centros de reclutamiento. Equipos de agentes fueron haciendo redadas en diferentes clubes de Nueva York, en cuyas oficinas confiscaban irremediablemente su cuota de armas, drogas y dinero en efectivo, aparte de un material excelente para incoar los casos: contratos con fotos y visados de las mujeres, libros de cuentas con el dinero que daba cada chica, así como listas de precios en los que estaban anotadas las diferentes cantidades que debían cobrar por las distintas partes del cuerpo o los servicios. Un año después, los principales responsables serían condenados a sesenta meses de cárcel, con orden de deportación en cuanto se cumpliese la condena. Solo cinco años por traficar y maltratar a mujeres inocentes, unas víctimas que fueron devueltas a sus lugares de origen para volver a alimentar el mismo círculo. Fue en el transcurso de las redadas que Sailesh iba obsesionándose cada vez más con la idea de que Kavita le estaba siendo infiel, de que ya no podría entrar en el fuego como Sita, la mujer de Rama, a fin de probar su virtud. Empezó a habitar una mansión llena de colgaduras y sombras mientras unos celos inexplicables ardían de día y de noche. Ya no había intimidad, sino constante vigilancia de las reacciones del otro. E iba descubriendo pequeños cambios, en su físico y en los hábitos; no era únicamente el cliché de nuevos perfumes o cambios de ropa frecuente, había signos más subliminales, evidentes para alguien cuyo oficio era observar: Kavita se ruborizaba más a menudo, estaba más inquieta y se pasaba las manos de continuo por el cabello. Decidió contratar a un antiguo conocido del cuerpo que había montado una agencia de detectives para que consiguiese las evidencias que no quería ver. Lo sabía, era algo irracional, qué podía reprocharle él: nacer era ser engañado, en todo triunfo estamos acorralados por algún desastre, convertirse en uno mismo significaba asesinar mil identidades —eso bien lo sabía Viktor—, pero su yo infantil, machista, insaciable, exigía una reparación. Cualquiera. Porque el bebé no era puro ni luminoso, quería amor absoluto, control total, posesión. Tragarse el mundo.

Sarajevo 1992

En las guerras el tiempo se acelera y todo adquiere más intensidad, las horas son días, las amistades recientes parecen viejas, y los valores arrinconados por la violencia y la ignominia, la moral, el compromiso, la solidaridad, se vuelven macizos. Sarajevo era el lugar ideal para una identidad como la de Erin, basada en arriesgarlo todo, en ir a donde otros no irían, en dar lo que otros no darían. Porque eran los incidentes los que daban forma real a las personas, los acontecimientos inesperados, las pruebas invisibles. Y Sarajevo estaba repleto de ellas. Tanto como de historias. Erin sacaba fotos y fotos, en las antiguas instalaciones de los Juegos Olímpicos, en los patéticos pódium, en los hoteles de aire suizo calcinados, en los telesillas detenidos… Sarajevo era un espacio que poco a poco se llenaba de pústulas y heridas, transitado por el delicado vuelo de Azrael, el ángel de la muerte de las tradiciones islámicas. Por contra, el vuelo más poderoso de los aviones norteamericanos sobre la ciudad no era más que una broma irrisoria. Todo crujía, se rompía, y Erin cada vez estaba más obsesionada con retratar no lo que veía, sino lo que era. Se hallaba decidida a mirar de frente a la realidad, porque negarse a verla era todavía más asqueroso, al igual que cuando se ocultó la carnicería de las torres, los jumpers, los calcinados, las *body parts*, el *back out* mediático en aras de confusos códigos deontológicos y de censura. Casi lo logró en una visita a la sala de traumatología infantil de un hospital, los niños recién operados, los muñones en baldes de agua, las miradas extraviadas, la delgadez esquelética.

Las letanías del dolor.

La fotografía como tótem.

Y aun así las risas sueltas de algunos que pintaban y jugaban en torno a una mesa, con un enorme oso de felpa regalo de un general de la ONU. En cada ocasión depuraba más, estilizaba conjuntos de gran coherencia interna, actitudes y expresiones en busca de una imagen primordial, verdadera. Una sola imagen de energía, sin omisión ni engaño. Y a punto estuvo también de conseguirlo en las apretujadas losas de mármol del pequeño cementerio civil con cipos y estelas y medialunas y estrellas de cinco puntas mezcladas con cruces católicas y ortodoxas; todos los creyentes de todas las religiones bajo la misma égida de barbarie, enterradas junto con la credibilidad de las instituciones europeas y la defunción de los Derechos Humanos. Durante aquellas semanas el abismo que iba separando a aquellos que han visto de aquellos que no, se ensanchaba día a día, y Sarajevo iba transformándose en un inmenso agujero negro del que en Europa se sabía por un extraño vómito de informaciones manipuladas, propaganda, percepciones distorsionadas e inexactitudes —Viktor todavía era un rumor, un fantasma—. Y en medio de toda aquella corriente salvaje, estaba la felicidad de encontrarse en compañía de alguien que le caía bien, alguien a través de cuyos ojos comenzaba también a observar la ciudad y que le iba contagiando su visión romántica, el deseo de vivir con ellos, de pagar su precio. Ivo no le traducía únicamente las palabras de la gente, sino que le explicaba los contextos huyendo de los estereotipos, la instruía a favor y en contra con argumentos. La clásica objetividad del reportero fue dando paso a un decantamiento claro a favor de los bosnios, entrevistas y semblanzas compartiendo sus borracheras, sus sueños, sus recuerdos, su provincianismo y su cosmopolitismo, reprochado inevitablemente en la redacción para la que trabajaba, seguido de un progresivo alejamiento de los editores, de los amigos que intentaban ponerse en contacto con ella, de aquel ahora extraño mundo al que había pertenecido y al que había renunciado durante aquellas semanas de 1992. Redujo sus colaboraciones a los medios que le permitiesen publicar sus fotos y sostener el goteo de dinero imprescindible para mantenerse en una ciudad que consumía sus reservas a toda velocidad. De hecho, fue una de las razones por las que tomó la decisión de compartir el piso con Ivo, aunque no la primordial. Habitar aquel enorme apartamento la ayudaba a comprender mejor aquella guerra en la que un simple apellido decidía sobre tu vida o tu muerte, pero sobre todo a profundizar en su relación, sobre todo los días en que había toque de queda o era imposible salir a la calle. Se quedaban leyendo o hablando, sin bajar a los sótanos, convencidos de que la artillería serbia no era omnipotente —sí lo era, como demostraba a diario—. Ivo le argumentaba cómo la última fase del comunismo era el nacionalismo, sobre los escándalos de drogas y prostitutas del UNPROFOR, sobre chetniks y ustashas, sobre la ruptura de Tito con la vía de Stalin; ella recordaba entre risas aquel episodio absurdo y terrible durante una entrevista que había tenido en las profundidades de un sótano de Gaza con unos jóvenes integrantes de una brigada de martirio, dispuestos a inmolarse entre los israelíes, y que mientras le contaban su deseo de morir y cómo soñaban con oír llorar a las madres judías, uno de ellos interrumpió muy animado en la reunión con una frase: Manchester United 5, West Ham United 3, Beckham marcó dos goles, instante en que los terroristas estallaron en júbilo gritando *Alá Akbar*, Dios es grande. Las noches a la luz de las velas encajadas en los golletes de botellas de vino y cerveza, bebiendo entre cine, filosofía, literatura… Ya entonces Ivo escribía obsesivamente con la idea de sacar algo duradero de la larga sucesión de días, pero, curiosamente, sus historias estaban situadas muy lejos de los Balcanes, incluso en países que ya no existían, lugares como la Somalia italiana o Livonia, y no tenían nada que ver con la guerra. Ivo solo hablaba de amor, como si quisiera limpiar las cicatrices de su mirada, como si quisiera huir de aquel país que ahora tampoco existía. Historias que no informasen o divirtiesen, decía, sino que salvasen, a la búsqueda desesperada de esa perfección —y esa ansia de sublimación era algo que también los unía como tornillos al metal— que solo puede encontrarse en las obras de arte, esa gracia que en la vida puede corromperse, pero no en un arte rescatado de la misma. Así, los vínculos iban fortaleciéndose al tiempo que los nervios de la ciudad eran llevados al punto de ignición. Hasta que llegó aquella noche.

Una de esas noches de verano bien entrado en las que algo invita a quitarse la ropa.

Habían llegado a casa un poco borrachos después de una entrevista con un grupo de rock, críos empeñados en un quimérico enfrentamiento de su música contra los cohetes que caían a diario —la juventud, enamorada de sí misma y del caos—. No había electricidad y encendieron unas velas. Fueron solo unos instantes, un cruce de miradas entre los ojos oscuros de Erin y los ojos transparentes de Ivo. Sus corazones latieron más rápido, ni siquiera les dio tiempo a pensar, y sus cuerpos se abrazaron, casi chocaron, temblorosos por el deseo. El tiempo se transformó en sexo, y la luz intensa y uniforme de la mañana sorprendió sus cuerpos entre las sábanas, ambos aguardando a que fuese el otro el primero en despertar para que decidiese si debían arrepentirse o no. Fue Erin quien abrió los ojos y esperó a que Ivo le devolviese la mirada, y cuando lo hizo empezó a reírse como hacen las mujeres cuando están excitadas y se avergüenzan un poco de ello. Fue el pistoletazo para seguir haciendo el amor, para ir al fondo del placer, sin cortapisas; el primero de los días en que lo último era pensar en la naturaleza de su juego, si era un entusiasmo momentáneo, pasión, sexo, una crisis... Lo que no se mencionaba jamás era la palabra amor, porque era demasiado pronto y porque a los dos les daba miedo, por la obligación, por la responsabilidad, por su ingobernabilidad. Sencillamente estaban juntos entre aquellas cuatro paredes donde Erin se olvidaba de todo lo que le impedía ser feliz, e Ivo se liberaba del peso de sus recuerdos, quedando a merced de los de Erin. Su historia continuó en una ciudad donde las familias se disgregaban, las amistades se rompían y los amores se deshilachaban. Apenas se separaban intuyendo la brevedad, la provisionalidad de su relación. Irremediablemente, el sexo, al principio inseguro, dio paso a una exploración sistemática para comprender el placer de la misma manera que habían comprendido la muerte que los asediaba. Largas confesiones, discusiones, descubrimientos, bromas, alusiones… la palabra completaba a la piel para perfeccionar la imagen del otro, un tipo diferente de fotografía, en el que, por supuesto, también se podía mentir con el encuadre, con la elección para buscar el perfil más amable. Por las noches, Erin rezaba una oración, una plegaria que le susurraba a Ivo mientras éste dormía.

Espero que la metralla y las balas te eviten.

Espero que nunca pases hambre, ni sed, ni frío.

Espero que los traidores no te traicionen.

Espero que los amigos no te abandonen.

Espero que los francotiradores no den nunca contigo.

Pero sí. Los *sniper* sí dieron con ellos.

Fue un día normal, no había nada que lo diferenciase del anterior y nada que lo fuese a distinguir del siguiente. A mediodía, Ivo regresaba de hacer unas compras en el mercado; gracias al dinero de Erin podía merodear por los tenderetes y corrillos de Mariscal Tito a la caza de latas de conserva, chocolate y raquíticas frutas y verduras cultivadas en huertos caseros. A la brutalidad del cerco se había unido la complicidad de ciertos elementos del UNPROFOR que hacían buenos negocios en el mercado negro con el suministro europeo, asfixiando aún más a la población. Erin le esperaba impaciente, nerviosa, como cada vez que salía a la calle; se conocían las gratificaciones que recibían los *sniparisti* por cada hombre cazado, y había rumores acerca de las primas dobles por mujer y quíntuples por el blanco diminuto de un niño. Cada mañana prácticamente te palpabas para saber si seguías vivo. Cuando oyó las llaves en la puerta, corrió a recibirle, abrazándole con fuerza. Se agarró a cada partícula de su cuerpo como presintiendo que algo se asustaría y se retiraría, que algo desaparecería de sus vidas. Con ese vigor. Fue un instante de gloria, un momento de perfección. Cuando Ivo pudo desliarse de su abrazo, un poco sorprendido por el ímpetu del recibimiento, la condujo hasta la cocina y allí, sentados, le comunicó que tenía buenas noticias. Hacía tiempo que Erin le había pedido su ayuda para conseguir una entrevista con el enemigo, especialmente con alguno de los francotiradores que asolaban las calles. Había que ponerle nombre y apellido al mal, individualizarlo, a fin de poder luchar contra los estereotipos, los prejuicios, las verdades preestablecidas, pero sobre todo observar la parte del bien que viajaba a su lado, la promiscuidad en la que convivían. Ivo movía sus enormes manos en el aire para explicarle con entusiasmo cómo había logrado que un oficial serbio les permitiese hacer una visita a su zona. Erin sintió entonces que era arrastrada por una corriente inesperada, y en un primer momento no fue capaz de nadar, como si los días pasados en la inercia confortable del amor la hubiesen anquilosado. Pero se recuperó atropelladamente, volvía a sentirse la civilización, los grifos de agua caliente y fría, la separación de la basura y los buenos días en el ascensor, una civilización que debía retratar a su gemelo de barbarie, sus frustraciones, desdén, resentimiento, falsedad, impudicia. Ivo había utilizado unos cientos de marcos para sobornar a los serbios, pero ambos sabían que el eslabón débil, como años después le explicaría aquel ex agente del KOS, no era solo el dinero, sino esa ansiedad de Atila, el anhelo de la fama, el desnudo vital. Erin cogió el macuto y las cámaras y le pidió que la llevase hasta la zona serbia. En su interior fue creciendo un sentimiento de inquietud, como si fuera a entrevistar a un ente malvado y monstruoso que se alimentase de doncellas fotógrafas. De esquina en esquina, entre detonaciones y ráfagas lejanas, fueron cruzando líneas invisibles pero no imaginarias que no solo dividían el país, sino los pueblos, las familias, el corazón de la gente. Cuando llegaron a los checkpoint serbios y ante las cámaras de Erin los soldados se comportaron igual a como lo hacía su régimen: desafiando abiertamente la conciencia y la opinión pública con la exhibición de sus armas, un reto a todas las instituciones militares y políticas europeas. No sé cuántos hijos de puta hay en el país, masculló Ivo en un aparte, pero están todos aquí, y añadió: hay cosas que no van a prescribir. Erin pudo sacar algunas fotos y hacer algunas preguntas, pero cuando propuso verse con uno de los francotiradores la actitud de los oficiales se endureció.

Tras un tira y afloja en el que cambió de mano más dinero, consiguieron que Erin se entrevistase con un *spez* a condición de que fuera sola, Ivo se quedaría con los soldados. Fue uno de ellos quien la guió hasta el edificio que dominaba la avenida Radomira Putnika y ascendieron los seis pisos que los separaban de la habitación donde se emboscaba el tirador. Aquel tipo sin afeitar, que parecía hecho de kevlar y cuerdas de piano, de pelo rubio y ralo, estaba sentado en una desvencijada silla de madera, descansando sobre la culata de un Dragunov que apoyaba en la tronera abierta en la pared, entre sacos terreros. En un principio la había recibido con una mirada capaz de destruir cualquier ego, pero a medida que charlaban habían compartido unos cigarrillos. Cada tanto vigilaba la calle a través de la mira telescópica al tiempo que le explicaba su oficio —únicamente se vislumbraban unos perros descarnados lamiendo algo en el suelo—, el contrato sangriento que mantenía con la realidad. Todo chocaba contra él: el amor, la razón, la decencia, la culpa. «Ellos quieren disparar miles de veces, pero yo solo quiero un disparo, uno perfecto, la nube rosa, el disparo de Kennedy.» Erin recordó cómo Stalin decía que los tanques eran inútiles si quienes los conducían eran almas de barro; la producción de almas era más importante que la producción de carros de combate, y aquella era una de esas almas impenetrables. Fue en medio de esas reflexiones cuando el tirador se tensó y se inclinó sobre el arma, ajustando la culata al hombro y pegando el ojo al visor y el índice al gatillo. Erin palideció un tanto cuando comprobó el motivo de su atención: aquella cría que había aparecido de no se sabía dónde, llevando un bidón de plástico en la mano, cruzando la calle, sin prisa, probablemente en busca de una fuente cercana. El rifle la siguió con un lento movimiento circular, al tiempo que su cámara cobró vida propia y, aunque sobrecogida, se empleó en una gramática de las imágenes, en su extrañeza, en su desasosiego, en su tensión. Fotos grises. Incómodas. Inciertas. En todas las entrevistas posteriores, en todas las confesiones había detallado cómo entonces sonó un estampido y la culata impactó en el hombro del tirador, derribando de un latigazo a la niña, y seguidamente éste había besado los tres dedos de la mano con la que había disparado, pulgar, índice y medio, haciendo el saludo serbio de la victoria. Sin embargo la niña no estaba muerta, todavía agonizó durante una hora, y ella, enfrentándose a la rabia, ofuscación e indignación, había continuado pulsando el disparador hasta lograr una conexión, algo que le atañía, que atañía a toda la humanidad, que hablaba del asco y del miedo, de la crueldad y la agresividad, de la vileza y lo insoportable, de la ausencia de explicación o consuelo. De lo humano.

Lo había detallado todo, todo, pero se había callado la frase.

Las palabras gélidas e irrevocables que le había dirigido aquel serbio.

Antes de disparar.

¿Estás despierta?
Erin.
¿Estás despierta?

El aromático y profundo olor del té. Ésas fueron las primeras impresiones de Erin al ir recuperando la conciencia. Ivo era testigo de cómo empezaba a abrir los ojos con esa desorientación de quien solo puede vislumbrar formas pálidas e indeterminadas, como cuerpos bajo el agua. Comprobó la temperatura en su frente, estaba caliente pero no hasta el punto de la fiebre. Había aparecido un día antes en su casa, en un estado preocupante, con el ojo negro y la cara lacerada. Pero lo que más le había inquietado eran las marcas en su cuello. Erin apenas murmuró algunas disculpas y le pidió una cama. Ivo siempre había sabido mantener el silencio, ahorrarse las preguntas. La condujo al cuarto de invitados y apenas le abrió la puerta ella se desintegró: empezó a caminar sobre nubes, las rodillas se le doblaron y tuvo que sujetarla para que no se derrumbase. La cogió como a una novia y la depositó en la cama. Extenuada. Perdida. Veinticuatro horas después estaba desayunando en la cocina cuando había oído el chirrido de la cama y entrado a tiempo de ver cómo los puntos de referencia volvían a materializarse en su cabeza.

¿Estás despierta?, Erin, ¿estás despierta? Ella sonrió al reconocerle y le abrazó sin fuerza. Ivo le pidió que esperase y se afanó en la cocina, trayéndole una taza de té humeante y muy azucarado. Le levantó la cabeza y le introdujo con cuidado el líquido en la boca, un calor que la calmó. Luego volvió a la cocina para prepararle algo de comer haciendo oídos sordos a sus negativas, e incluso se quedó para cerciorarse de que no dejaba una miga. Erin seguía sin explicarle nada y no quiso herir su susceptibilidad; la dejó en la habitación intentando comprender algo, reanudar lo que fuese que se había interrumpido. Ella se quedó el resto del día encerrada y fumando, mirando en ocasiones telenovelas venezolanas dobladas al serbio. También dormía a intervalos, sin soñar; en su cabeza no dejaban de reproducirse centelleos de imágenes y palabras turbulentas, añicos. Luchaba contra la certeza del absurdo, y por su integridad mental debía olvidar, beber las aguas amargas del Leteo y sustituir la voluntad de abandonarlo todo por el instinto vital de supervivir. Ya había pasado por todo aquello. A media tarde sintió la necesidad, la sed de hablar con su familia, de besar y tocar a Alex, de abrazar a Alvin. Es importante que recuerdes que estamos a tu lado, promételo. También pensó en su madre, esa madre que ya no reconocía a su hija, que iba paulatinamente perdiendo la memoria, volviendo a la infancia, a la nada tras las diferentes máscaras. En cuanto regresase la peinaría, pasearía con ella, le contaría intrascendencias. Sin ellos no había posibilidad de futuro, de resurrección; no se podía conjurar la soledad, no se podía ocultar de la muerte.

Cuando escuchó la voz de Alvin se colocó inmediatamente una máscara, supo que jamás le contaría nada, que se limitaría a recibir sus palabras, que le hablaban de la ternura, de la intimidad, de las segundas oportunidades. Luego se puso Alex, que le contaba que la echaba de menos y las actividades que ese día habían hecho en el colegio. Su voz abrió el alma de Erin como un cuchillo el corazón de una fruta, se bebió su voz a manos llenas, se impregnó de ella, y pudo contener a duras penas ese temblor en las mejillas que antecede al llanto. Luego llegaron las risas y la promesa de que jugarían inmediatamente una partida al World of Warcraft. Erin encendió el ordenador y entró en su avatar, aquel término sánscrito que definía las distintas encarnaciones de Vishnu. Su Mago de la Alianza se encontró con Alex el Guerrero y volvieron a sumergirse en una ilusión, en la sensación de fuerza y autonomía que les proporcionaban los gráficos. La pared entre lo real y lo virtual adelgazó tanto que acabó por no distinguirse, y hombro con hombro avanzaron en medio de una orgía de magia y violencia, abatiendo enemigos, estableciendo coaliciones, hasta llegar a un desfiladero pespuntado por afilados árboles. Allí, esperándolos en el borde, se había materializado un colosal adversario. No era una de las figuras a las que estaba acostumbrada, sino una creación extraña, como si los administradores del juego hubiesen decidido sublimar una nueva máscara del mal. Fueron acercándose con cautela, cerrando una pinza que pretendía atraparlo en un fuego cruzado. El enorme guerrero forrado de acero mantenía su espada enfundada, como si no tuviera que gastar un gramo de energía de más para manifestar su amenaza, su sola presencia era una contundente demostración. La cabeza no estaba protegida por un casco, sino por una máscara bruñida. Aquello paralizó a Erin. Los gritos de Alex animándola a atacar sonaron mudos, había algo que la inmovilizaba. Su avatar era incapaz de dar un paso mientras era testigo de cómo un imprudente Alex desafiaba a aquel formidable adversario contra el que, en solitario, no tenía ninguna posibilidad. Demos un rodeo, Alex, gritó Erin, debemos rodearle, pero Alex el Guerrero desnudó su acero y se lanzó hacia la portentosa figura con ese opio del optimismo, con la ceguera de la irracionalidad. Pero Erin no podía seguirle, era un miedo que la paralizaba y protegía a la vez, que la dominaba y la cuidaba. Alex, detente. Erin fue incapaz de continuar y se desconectó con violencia. Tenía el gesto desencajado y el sudor brillaba en su rostro. No quería buscar una explicación a su ataque de pánico, ahondar en las raíces más primitivas de su miedo. Cerró su portátil y se levantó de la cama. Volvió a ducharse, comprobó la evolución del daño en su rostro. Después se vistió con unos vaqueros y un jersey y salió a ver a Ivo. Le encontró en la sala de estar leyendo un libro. Cuando la vio entrar sonrió y cerró el volumen.

—No tengo muy buena pinta —se adelantó Erin para no obligarle a mentir.

—Tienes el aspecto de algo conservado en formol —contestó con una sonrisa amable.

Erin le devolvió la sonrisa y se sentó a su lado. Se sorprendió al ver sobre la mesita un búcaro lleno de rosas frescas. Ivo siguió su mirada.

—Te he comprado unas flores.

—Ya no están de moda.

—Las flores nunca pasan de moda.

Erin se inclinó hacia delante y acarició los tallos, los pétalos, aspirando el aroma.

—Muchas gracias, olvida lo que he dicho. —Le dio un beso en la mejilla.

—¿Quieres comer algo? —le ofreció Ivo.

—No, gracias.

Erin observó cómo las pesadas manos de su amigo buscaban un paquete de tabaco que se esquinaba en la mesa, lo golpeaban contra el dorso de una mano, extraían un cigarrillo y lo encendían. Ivo buscó un cenicero y a continuación la atravesó con sus ojos transparentes; respiró hondo, se aclaró la garganta.

—¿Y ahora qué vas a hacer?

Con aquella pregunta comprendía todos los interrogantes que hablaban de la necesidad y de cómo se reaccionaba ante ella, resumía la inutilidad de luchar contra el caos irreparable del mundo. Erin le quitó el cigarrillo, le dio una calada y se lo devolvió. Esquivó descaradamente su pregunta.

—¿Por qué no funcionó lo nuestro?

Ivo arqueó las cejas, sinceramente sorprendido.

—Me dejaste tirado en Sarajevo, ¿recuerdas? Te escapaste como una novia ante el altar, arrepentida en el último instante.

¿Seguro?, ironizó mientras recordaba cómo tras hacer las fotos había vuelto directamente a la casa de Ivo, esquivándole, para hacer la maleta en un estado entre el éxtasis y la desmoralización. Metía sus cosas como si fuesen los restos mortales de alguien, con los dientes apretados, sintiendo el frío tictac de un reloj histórico con el miedo de que en cualquier instante Ivo entrase por la puerta. Ajena a todo, como si ya no compartiera la realidad de aquella ciudad condenada que hacía solo unos días había adoptado como patria, registró por última vez la habitación, como la Reina Cristina de Suecia de la película, porque también en el futuro pasaría mucho tiempo en ella. Por un momento pensó en dejar unas líneas, incluso cogió una hoja de papel y un bolígrafo, pero lo que escribió le pareció un cliché, muy lejos de todo aquello que hubiera querido compartir con él, y rompió el papel. A continuación salió a hurtadillas del piso, y escapó de portal en portal hasta llegar al Holiday Inn. Allí hizo valer su estatus de manera que en un par de horas se encontró sentada en un vehículo blindado blanco que la llevó al aeropuerto. Unos soldados la acompañaron hasta la escalerilla del aparato; subió, y en cuanto estuvo acomodada cerró la cortina de la ventanilla, no tenía fuerzas para mirar la ciudad, cómo el aparato se iría elevando y descubriendo el mortífero valle que la rodeaba al tiempo que ésta se alejaba y se convertía en un pasado que no volvería.

—Pero lo intentamos de nuevo —susurró Erin.

Ivo revivió el encuentro meses después de su huida; para entonces ella ya había comenzado su carrera hacia el abismo. Aquella costa en Senegal, al norte de Dakar, donde fantasmales baobabs se elevaban en un paisaje lunar, con una inmensa playa barrida por poderosas olas que depositaban sobre una arena ocre y sedosa copos de espuma que el viento hacía flotar en el aire. Colonias de cangrejos la cruzaban en paralelo, y ellos, en aquella ribera atlántica, eran protagonistas de una despedida, del acabamiento de una relación. El hechizo, la compenetración en todos esos niveles secundarios de la vida que los había unido en Sarajevo, había sido liquidado. Sus cuerpos no se tocaban, algo les impedía acercarse, sobre todo a Erin, que se hallaba aislada no solo de él, sino del mundo.

—Aquella playa era bonita —concluyó Ivo.

—Sí, sí que lo era.

—¿Recuerdas la foto que nos sacamos allí?

—No, no nos sacamos ninguna foto.

—¿No? Me acuerdo que en la arena había una proa de barca embarrancada. Colocamos la cámara encima de unas piedras, pusimos el temporizador y nos fotografiamos juntos, al lado de la barca.

—Debes de estar confundiéndote con algún otro momento. Allí no sacamos ninguna foto. Ese día no llevamos la cámara.

Ivo experimentó una mezcla de ansiedad y confusión; había reaccionado ante un recuerdo falso, no vivido pero quizá deseado. Miró a Erin con intensidad, el movimiento de sus labios indicaba que estaba probando diferentes arranques, hasta que terminó por echar una calada y expeler el humo al techo.

—Pues si no la hicimos, deberíamos haberla hecho —dijo. Luego dejó que el silencio se depositase en capas.

—Tengo un sueño, Ivo —confesó Erin de repente—. Siempre el mismo. Lo tengo desde aquellos días.

—¿Qué sueñas?

Le describió el sueño. Ivo descubrió cómo Erin descendía varios niveles y se convertía de nuevo en una niña que cuenta cómo es perseguida por los pasillos de sus pesadillas.

—Al final —completó—, el tirador me dice siempre algo, una frase.

—¿Qué te dice?

—Nunca lo recuerdo cuando despierto.

Ivo chupó el cigarrillo.

—Hay tres elementos básicos en el teatro trágico griego: primero viene la Hubris, la soberbia, por atreverse a romper las leyes divinas; luego la némesis, la venganza o el castigo, y después la catarsis, la purificación que experimentamos los espectadores cuando asistimos a la escenificación con sentimientos ambivalentes de piedad y temor por el escarmiento, que ha de servirles a los culpables para volver al camino de la virtud.

El mutis consecuente deshizo temporalmente los nudos que aseguraban la realidad, mesas, sillas, hasta las butacas parecieron flotar.

—Por lo tanto —continuó—, tú aún crees que debes buscar una expiación, cosa que por otra parte encuentro inexplicable. Ya has pagado más que suficiente.

—Yo solo quiero sacar una foto.

—Ya, ya me sé la cantinela, hemos hablado mucho en el pasado y tus obsesiones no han cambiado, mirar lo que oculta la máscara, capturar el enigma, un talismán de verdad... partir de un pedazo de la realidad para comprender el todo mejor que si hubieras sido testigo, que la decencia debe estar a la altura del talento a la hora de sacar las fotos... el respeto por lo que fotografías, la ideología de la imagen, el arte feroz en batallas puras no adulteradas por el éxito... pero en realidad lo que quieres es convertirte en una mártir, y los mártires solo les sirven a aquellos que quieren reafirmarse placenteramente en una dulce inactividad.

Erin endureció el gesto.

—Ivo, en el futuro querrán saber cuáles fueron nuestros sueños y nuestras pasiones, por qué matábamos y moríamos, qué rostros tenían nuestros héroes y villanos, querrán saber todo esto y nosotros ¿qué les responderemos?

—Que siempre son iguales. No hay mucho más. La imagen es un recipiente de cenizas; ¿de qué te sirve hacer más máscaras mortuorias?

Por cómo frunció los labios, Ivo supo que sus palabras no tenían para ella más sustancia que el humo con que estaba acabando su cigarrillo. Hizo un último intento.

—Ese tipo tiene una solitaria dentro, es el instrumento de sus propias frustraciones, ya no manda en él. Es un extraterrestre que somatiza su debilidad con un simulacro de leyenda, ¿qué misterio quieres fotografiar? Además no tienes por qué buscar obligatoriamente una explicación para cada acto del ser humano, toda la verdad no nos es necesaria, cierta dosis de ceguera nos ayuda a levantarnos cada mañana.

—Para mí sí es necesaria.

Ivo hizo un gesto desesperado con sus brazos, abriendo su colosal envergadura, y después los venció.

—Eres un pájaro Dodó, una empuñadura sin sable… quieres la iluminación y después el infierno. —Su voz estentórea se dramatizó, como si estuviese recitando sobre unas tablas; Erin sonrió débilmente—. Está bien, está bien, si deseas ayudar al triunfo de la mayoría, ser rigurosa con la calidad de la información, respetar la dignidad del hombre, promocionar los derechos humanos… todos esos cuentos de hadas de la democracia occidental… sea. Yo te ayudaré. Cuéntame, mi pequeña Juana de Arco.

La sonrisa de Erin se amplió cariñosamente mientras recapitulaba todas las etapas de su investigación, la conversación con el agente del KOS, los días en que Viktor había estado desaparecido, sus tatuajes, el encuentro con su némesis, los estragos causados en Nueva York, el síndrome Atila, la entrevista con su familia y la voluntad de acero quirúrgico de Viktor a la hora de renunciar a sus raíces, la victoria pírrica de Slavenka y su hermano Goran, Radomir Prcac, Olena Vodianova… Buscaba desesperadamente reinstaurar aquellas rigurosas unidades dramáticas de los teatros atenienses, el ciclo catártico de principios y conclusiones sabiendo perfectamente que las consumaciones justas y perfectas no eran más que una ilusión humana. Cuando terminó, Ivo aplastó la punta de su cigarrillo contra el cenicero y estudió los moratones y marcas amarillas como margarina reseca. No tuvo la certeza de si Erin estaba reorganizando su vida alrededor de aquellos síntomas o sencillamente estaba derrumbándose otra vez.

—Ese Radomir Prcac es tu siguiente carta, hay que jugarla —concedió—, pero, aunque no lo creas, yo le he dado vueltas a este asunto. No sé si lograrás sacar esa maldita foto de tu animal salvaje en medio de la naturaleza, pero podrías hacerlo en el zoológico. No será lo mismo, pero…

Los ojos de Erin se redondearon.

—Antes —prosiguió—, cuando estaba viendo la televisión, se me ocurrió cómo se puede capturar a ese Viktor.

—Estás bromeando.

—En absoluto. Al final, lo quieras o no, la nacionalidad es parte de tu destino —prosiguió Ivo—, y más tarde o más temprano todo el mundo quiere ir a casa, aun cuando sepan que no deben. Por lo que me has contado, a ese Viktor le gusta el fútbol. El Partizan va a hacer una gira por Canadá y Estados Unidos, acaban de anunciarlo. Y jugará en Nueva York un partido exhibición contra los New York MetroStars. Puede que haya tenido la voluntad suficiente para destetarse de su madre, pero no creo que quiera perderse ese partido. Es una oportunidad única. No habría más que vigilar ese estadio.

—Es demasiado fácil. Él ya habrá hecho ese razonamiento.

—Pero esto no tiene que ver con la razón, a ese tipo solo lo cazaréis por el azar o por los atavismos. Y el fútbol es algo que tiene que ver con la infancia, es una pasión. Y seguro que conoces ese caso de la psicología en que si pones a un tipo a repartir billetes de quinientos euros en un aeropuerto, nadie los cogerá creyendo que está loco o es una broma, incluso le tendrán miedo. Pero tú tienes que probar a coger ese billete, quizá sea de curso legal.

Erin se imaginó la respuesta que podría darle Daniel.

—¿Quién sabe? —concluyó.

Se sostuvieron la mirada.

Había una dependencia primitiva entre ellos.

Como de las horas de luz.

Ella le acarició la barba.

Él ocultó la pena que le producía el color oscuro de sus moratones.

Que iban degradándose en granates y alimonados.

9

La maniobra Heimlich

Miércoles, febrero, 8.57 h

La muerte no entra por los espejos, sino por las costumbres. Eso podría deducirse del trágico episodio sucedido en el Upper Midtown, en la Primera Avenida con la Cincuenta y siete. Era un inesperado día de primavera en pleno invierno.

Las nubes se movían como si tuvieran una grande y noble inteligencia.

Indios mohawks colgaban de paredes verticales soldando piezas sin descanso.

Un coche de caballos iba de un sitio a otro envuelto en el tintineo de las campanillas de los arneses.

Un rostro extraordinariamente grande vendía algo desde una pantalla en la fachada de un edificio.

Conductores con ansiedad de cazador buscaban un sitio donde aparcar.

Filas de coreanas solícitas cortaban, limaban, limpiaban y barnizaban cientos de uñas en salones de manicura.

Ochocientas lenguas, muy vivas o medio muertas, sonaban al mismo tiempo.

La ciudad se movía al compás de la agitación eterna de la

humanidad, el incesante movimiento del deseo y la envidia y el odio, donde nadie, ni un solo hombre, ni una sola mujer, se sentaba inmóvil bajo una arboleda de satisfacción. Valeri Lomidze era un verdadero teórico de la organización como fuente de poder, que sustituía a la propiedad. Siempre comentaba a sus allegados que Roma había dominado el mundo no porque tuviese mejores hombres, sino porque se habían creado una serie de instituciones para sistematizarlo. Consecuentemente, sus actividades diarias estaban coordinadas al milímetro. Valeri Lomidze pertenecía a una nueva generación de Vor que ya no tocaban las dagas, sino que se limitaban a navegar entre la legalidad y la ilegalidad de manera virtuosa, individuos formados en las mejores universidades que tanto daban la orden de ejecutar a otro Vor como organizaban una infraestructura comercial y financiera para blanquear dinero. Sus negocios legales, fábricas, nightclubs, galerías de arte, concesionarios de coches, casinos… se habían pagado con ganancias ilegales, y denunciaba por acoso ante los juzgados al mismo Estado que trataba de saquear. Ahora se definía como un simple hombre de negocios. Y uno de sus rituales era ir cuatro días a la semana a las ocho de la mañana —a las ocho en punto, como le gustaba señalar— a un gimnasio de Sutton Place. Rodeado siempre por esos tipos configurados para interponerse en el camino de cualquiera, todos los hilos de la tela de araña que conducían a él tenían pegamento, pero al igual que en la naturaleza, uno de ellos estaba limpio, y era el que la araña recordaba siempre y sobre el que caminaba cuidadosamente para no quedarse también ella atrapada —la paradoja era que desconocía el hilo limpio de otras telas, por lo que podía quedar prisionera de otras arañas—. Era ese hilo el que había buscado y encontrado Viktor, lo que el hombre del KOS llamaba el eslabón débil: conocía el gimnasio, conocía la hora, conocía las entradas y las salidas, sabía dónde le esperaría el coche y dónde le cubrirían sus guardaespaldas. Nuestro hombre salió del gimnasio recién duchado, vestido con uno de sus trajes irreprochablemente cortados, espigado, alopécico y cetrino, con una perilla rubia, y se detuvo unos momentos a escuchar a un músico callejero tocando una lacrimógena melodía. Valeri Lomidze escuchó atentamente y luego se santiguó con rapidez, a la manera ortodoxa. Posiblemente fue eso lo que le salvó la vida, ese extraño en su rutina, porque el intervalo que separaba la puerta del gym de la oscura limusina blindada era lo bastante amplio para que las armas de Viktor hubiesen dejado su pecho picado de balas. Eso y cierta anticipación al escuchar el chirrido de unos neumáticos unos decibelios por encima del resto, ver cierto movimiento de zigzag con el rabillo del ojo. Algo debía de notarse las horas pasadas en un trabajo mental de anticipación intuitiva de los adversarios, el cálculo veloz de las posibles respuestas, probabilidades que una vez ha comenzado el combate no da tiempo a pensar. Se agachó con la elasticidad de muchas jornadas de deporte, y en ese segundo un abanico de ráfagas segó toda la calle justo a la altura que había dejado de tener. Se dio la vuelta a gatas y sin ningún sentido del ridículo comenzó a gatear hacia la puerta del gym a toda velocidad, casi escarbando en el suelo. Un chorreo de proyectiles impactaba en cristales, mármol, ciudadanos pasmados ante sus propias heridas, arbustos, un puesto de bebidas. A pesar de todo, Lomidze no pudo librarse de una esquirla de bala que se fragmentó alcanzándole en la nalga izquierda, un mordisco que le hizo ponerse en pie y acelerar su huida gimnasio adentro, hasta refugiarse en una de las salas de spinning. De repente, el fuego cesó, no más tiros, solo una oleada de chillidos, gritos desesperados y lamentos de dolor. Los soldados fueron a buscarlo al interior, aliviados por encontrarlo vivo, pero atribulados por las posibles represalias ante su incapacidad para hacer frente a aquella emboscada. Solo cuando Valeri Lomidze empezó a caminar notó la línea de dolor que le recorría el glúteo, como si alguien le hubiese hundido un alambre al rojo en la carne.

—Jefe, está sangrando —le avisó uno de sus hombres, sin atreverse a especificar dónde.

Valeri hizo caso omiso a su advertencia, solo podía concentrarse en que seguía vivo, y eso era lo único importante. Le daba igual la destrucción de su orgullo por haber sido obligado a recorrer el suelo a gatas con un disparo en el culo, eso no era de lo que se alimentaba su ego. Lo primordial era que estaba vivo para planear, para recuperarse, para devolver el golpe. Cada calle escondía un asesino y cada día era una batalla, en el mundo no existe la paz, a lo sumo es un armisticio, un intervalo para reparar defensas, y aunque cuando se montó en la limusina no quiso coger nada con las manos para que no se volvieran traidoras por los nervios, ni ordenar cosa alguna salvo que se dirigieran a lugar seguro para que su voz no temblase, él sabía que continuaba vivo. Y en la vida, quien gana es el último que se despeña.

Por la noche

—¿Qué te parece? —se interesó Agnes en un murmullo.

—Hum… —Daniel consideró un momento su respuesta— no hace demasiado daño a la vista.

Ella le observó con una de esas muecas de quien descubre un insecto raro que faltase en su colección. Su cuerpo y sus rasgos tallados a cuchillo, su corte al cero, el ligero encorvamiento al que tienden cuando se sientan los muy altos, incluso aquellas incongruentes zapatillas de deporte New Balance —quién llevaba todavía New Balance, se maravilló—, le resultaban un aliciente, le atraían al punto de que cada vez que le miraba le parecía que alguien hubiera metido sus sentimientos en una batidora y apretado el botón. No obstante, se sentía un poco frustrada por no poder compartir con él aquella idea de belleza que en su mente coincidía con lo noble, lo limpio, sin alcanzar nunca un umbral de palabras y que a veces la embriagaba.

—No entiendes el arte…

—Tampoco él me entiende a mí.

Esta vez le pegó una patadita en los tobillos, pero sin poder reprimir una sonrisa entre la resignación y la admiración por su genuina falta de interés. Le había convencido para que fuesen al montaje que André van der Berg había hecho de *El innombrable*. Su teatro experimental, siempre clandestino, nómada, que se representaba sin anunciarse, en locales insólitos, y que debía buscarse en el boca oído de la calle era el regalo que le había querido hacer a Daniel aquella noche. La sala era un viejo almacén de ladrillo en Morningside Heights con un aforo mínimo y unos recursos baratos y en ocasiones surrealistas que a ella le producían el mismo placer que una temporada completa en la ópera. Sin embargo, Daniel era refractario a cualquier sentimiento estético, aunque no pensó que aquello pudiera afectarla. Resultaba inmaduro molestarse por no poder compartir el misterio que se celebraba en el interior de cada uno de los personajes, que era directamente *su* misterio. Al fin, estaba claro que Daniel no tenía un doctorado sobre el arte santo en la antigua Bizancio ni editaba revistas de arte, pero la cortejaba, reservaba mesas en los restaurantes, follaba con entusiasmo, le compraba bollería por las mañanas, antes de que se despertase, no llegaba tarde a las citas y no se olvidaba de llamar cuando decía que lo haría. También sabía sus límites y no se avergonzaba de ellos. Y utilizando un lugar común, la hacía reír, proporcionándole una felicidad peligrosamente parecida al amor. En suma: la hacía sentir guapa. Aguardaron a que la obra terminase, y sin aplausos, en un silencio ritual, uno de los actores hizo una rifa para redondear el maltrecho presupuesto de la compañía, en la que Daniel, para compensar su indiferencia, compró una papeleta que finalmente no obtuvo premio.

Salieron a la gélida calle cogidos del brazo; en un paso de cebra les dieron un claxonazo que casi les revienta el corazón y dejó a Daniel maldiciendo en medio del asfalto, provocando otro brutal concierto de los vehículos aledaños. Terminaron dando un paseo por Riverside Park, bajo la noche entoldada a lo largo del río. Las luces se reflejaban en el agua negra como si contuviese bancos de peces fosforescentes. La oscura mole gótica de Riverside Church se levantaba gigante en cualquiera de sus aspectos. Daniel se mantuvo en silencio con la mirada fija en la punta de sus zapatos, que Agnes interpretó acertadamente como irritación, pero no contra ella, sino contra él mismo. Contra aquel deseo de descubrir, de entender ese mundo de plenitud que a veces ella dejaba entrever, ya fuese la historia de los etruscos o los cuadros de Wyndham Lewis, leer lo que ella le indicaba alguna vez, hacer lo que le dijera, enfrentándose a su obstinado miedo a dejar que se acercase a él, a ese tacto de su piel que no le abandonaba. A ese malestar se sumaba el recuerdo culpable de la ansiedad por no volver a verla que sufrió el día del tiroteo. Tragó una especie de acidez. En el ínterin, Agnes estudió sus ojeras, la barba endurecida de la que de un tiempo a esta parte no lograba desembarazarse.

—Nunca dejas de trabajar, ¿eh? —comentó con cariño—. No todo el mundo es un asesino…

—Pero cualquiera puede convertirse en uno.

—*Touché*. —Agnes soltó una carcajada—. Es evidente que ves el mundo de una manera distinta. —Señaló discretamente a la corriente de personas que venía en su dirección—. ¿Qué más ves?, cuéntame.

Daniel se reflejó en sus ojos color barro y aceptó el embite para aliviar cualquier malentendido.

—Estas noches son buenas para los carteristas. El frío y la oscuridad provocan que busquemos la luz, el calor y el contacto humano.

Agnes se detuvo, se recogió un mechón detrás de la oreja y se quedó extremadamente seria. Al principio Daniel creyó que había dicho alguna inconveniencia, pero luego se dio cuenta de que ella le estaba tomando el pelo. Se sonrojó y ella volvió a reírse. Se detuvieron a la altura de la Low Library, ella agarrada a su brazo —más cerca de él que su vena yugular, recordó del Corán— mientras veían pasar la silueta verdiblanca con letras rojas de la Circle Line, la nave que, como un autobús circular, en tres horas circunnavegaba la isla de Manhattan en sentido opuesto a las agujas del reloj. Durante unos minutos pareció como si la realidad les hubiese retirado sus embajadores. El profundo instinto de Agnes no temía a los hechos desagradables ni a las malas noticias, quería estrechar la confianza con Daniel aunque las consecuencias de las revelaciones fuesen horribles; ése era su sentimiento, lo que deseaba hacer. Le preguntó por su día a día, por su familia, y él le habló de aquella vida familiar en la que quería creer aunque no existiera, de la manera en que Lis colgaba el teléfono abruptamente, muchas veces sin despedirse. A veces le gustaría que su hija la añorara más. La familia, matizó Agnes, ese mito lleno de errores, infidelidades, malentendidos... una brillante comedia de situación, el triunfo de una superstición. Después le tocó el turno a ella, que le contó entre sonrisas que de pequeña tenía dos obsesiones, la primera era ser bailarina. ¿Y la segunda?, preguntó Daniel; cortadora de cadáveres, contestó Agnes. Eran preguntas directas al corazón, rituales curativos. Al final llegaron a la conclusión de que el gran fracaso o consuelo de la vida no era que uno se diera cuenta de todas sus equivocaciones, sino pensar que no había otra manera de actuar más que equivocándose. La otra opción era instalarse a vivir en un panteón sin ventanas, rezumante, mohoso, donde nadie te tocaría nunca la piel.

—¿Y cómo va el caso? —se decidió Agnes cuando reanudaron el paseo.

—Va.

—¿Puedes contarme algo más?

Daniel no tuvo reparo en hacerle un dibujo de trazo limpio pero grueso, omitiendo el almacén de las armas o aquellos días en que Viktor había desaparecido, pero descubriéndole el síndrome de Atila, la redada, el indescifrable Tora o las teorías de Sailesh acerca de la identidad y la capacidad de autoengaño. También volvió a rememorar la escena en que Viktor se había enfrentado con Artyom Zhivkov: soy yo... qué significa eso.

—... para Viktor la realidad no tiene importancia, parece que solo le importa la percepción de la realidad. Sailesh dice que proyecta un personaje que provoca miedo, admiración, desprecio... pero que debajo de esa imagen hay una parte sumergida, como un iceberg, ésas son sus palabras, que le confiere estabilidad a la parte superior, y que la única posibilidad de cazarlo es mirar debajo. El eslabón débil.

Agnes se apercibió de que su amante perseguía sombras

con desespero. Quería ayudarle, deseaba aliviarle, realizar pequeños gestos y palabras como quien echa céntimos en un tarro, que se iban sumando, y al final puede que alguno le salvase la vida.

—No hay que hacer distinción entre el oponente y tú —comenzó a recitar Agnes—, porque el oponente no es sino la parte complementaria, no la opuesta. No hay conquista ni lucha ni dominación, la idea es encajar armoniosamente tu movimiento en el de tu oponente.

—¿Quién ha dicho eso? —se animó Daniel.

—Bruce Lee, en una entrevista.

Se devolvieron la sonrisa; a su lado pasó una chica con uno de esos perros asmáticos cuya piel parecía quedarles grande.

—¿Recuerdas la obra de teatro? —le preguntó Agnes.

—Sí.

—Puede que no te haya gustado, pero estuviste atento.

—Por educación —apuntó con un gesto malicioso.

—Da igual, Beckett tiene una interesante trilogía novelística: *Molloy*, *Malone Muere* y la que hemos visto hoy, *El innombrable*. En todas juega con las identidades, el yo y el él, el *doppelgänger*…

—¿El qué? —la interrumpió.

—El doble. Como te decía, Beckett juega con la memoria, con la ficción, los protagonistas inventan historias continuamente para aliviar su incertidumbre y angustia, se mienten, se autoengañan recreando otras vidas para defenderse de sí mismos, o sufren directamente. Viene a decir que si las conciencias pasasen el suficiente tiempo contemplándose, descubrirían un vacío horroroso, indefinible. Por ello construyen discursos, máscaras, imágenes que finalmente aparecen en una sucesión vertiginosa, sustituyéndose unas a otras, cada vez más poderosas, más emblemáticas, más independientes, pero por ello más efímeras y sin sentido, porque el narrador se va dando cuenta de que su intento es ridículo, no puede eludir su nada...

«Soy yo... qué significa eso...» Se detuvieron, mirándose con intensidad. Cualquiera que los hubiera visto consideraría que estaban compartiendo algo importante o que un problema se había arreglado.

—¿Qué piensas? —se interesó Agnes.

—Que lo malo de vuestra vida contemplativa es que nunca dejáis de contemplar, no tenéis líneas donde podáis decir que de aquí en adelante habrá acción.

Ella soltó una carcajada que la convirtió en una mujer más joven.

—Eres un crío —le reprochó con una caricia.

—Es más —abundó Daniel—, a pesar de todo, creo que Viktor es muchísimo más valiente, porque vosotros cambiáis vuestras imágenes, y cada una niega la anterior, pero él se define a través de acciones directas y radicales.

Agnes abrió los ojos exageradamente.

—Hum... no está mal, pequeño saltamontes, al final lograremos hacer de ti un buen sofista. Pues, como te decía, ésa es la idea, ahondar en nuestra singularidad para enfrentarnos a la muerte, como los indios navajos, por ejemplo, que les ponían los nombres a los recién nacidos atentos a los rasgos determinantes de su personalidad, a la esencia de la imagen, el que habla con el viento, la que duerme sin párpados, e incluso cuando morían también te bautizaban con un nuevo nombre, tu nombre de muerto, para que no desaparecieras del todo. ¿Qué es la muerte más que la pérdida de la identidad, su negación? En los sueños de Lancelot, la visión de la muerte es simplemente un camposanto de lápidas y en una, la suya, falta su nombre, y Epicuro decía que la muerte no pertenece a la gramática de las cosas; ¿y sabes cuál es actualmente el mayor esfuerzo humano por enfrentarse a la nada, el más ecuménico, y por ello el más desesperado, nuestro grito de soy yo, aquí estoy, en medio de mi páramo existencial?

—¿Ecué? —preguntó melindroso.

—El más global.

—Ilumíname.

Agnes se regodeó en una larga pausa, pero su gesto de rechifla le hizo augurar un final didáctico.

—La sustitución del ente trascendental, de la religión, de la omnisciencia, omnisapiencia y ubicuidad es… Facebook. Ya sabes, cada uno en su casa y Facebook en la de todos.

Al principio Daniel se mofó de sus delirios, pero aquellas ideas fueron abriéndose paso en niveles profundos de su conciencia, estableciendo enlaces, cruzando referencias.

—Mírame —le dijo clavándole las pupilas—. Creo que acabas de darme una clave de algo muy, muy interesante.

—¿Acaso esperabas menos, nene?

De improviso, a Daniel le dio un vuelco el corazón, sintió que había sido elegido. Era hermoso. Un regalo que cambió la luz y el sonido. Y que le proporcionó súbitas oleadas de deseo. Maldita sea, todo esto no es razonable, pensó. Pero qué deseo lo era.

5.47 h

La luz que empezaba a dilatarse, esa desolación que precede al amanecer. En esas horas fúnebres, Nueva York ya era recorrida por torbellinos helados que descendían del Labrador. Cielo de cuarzo, cielo a muchos grados bajo cero, con la cellisca azotando la plata de los rascacielos y las corrientes árticas helando el interior de los ríos. A la altura de Times Square la urbe todavía no era la ciudad de los sueños y las quimeras, pero, aunque el cuerpo estuviese dormido, su sangre, su respiración continuaban en las cotizaciones de las cremalleras digitales que pregonaban que el dios calvinista seguía de parte de América. En un puesto callejero recién abierto, Daniel se tomó un café y un trozo de tarta de manzana. Había dejado a Agnes en la cama tras levantarse más temprano que de costumbre, invocado por la fuerza de sus conjeturas al igual que por esas manos neblinosas que arrastran las narices de los cartoons. No había dormido en toda la noche obsesionado con una idea. Cuando acabó de desayunar, continuó su paseo hasta el Samovar. Las cintas amarillas de la policía se retorcían en el suelo como reptiles dorados o flotaban en el aire a rafagazos de viento. Entró en la planta en forma de ele pisando con cuidado cristales rotos y cortinajes achicharrados. El tufo a quemado persistía, y aunque los rescoldos estuviesen fríos, se producía una acogedora sensación de útero frente a la crudeza del exterior, un sortilegio que fue haciéndose añicos a medida que todo remitía al horrible censo de muertes e intrigas en el que se hallaba encajonado. Aquel local carbonizado no era más que una demostración de que la voluntad estaba hipervalorada, y que creer en la omnipotencia era una ilusión, nos movíamos siempre en poderosos y preexistentes campos de fuerza. Por eso su linterna seguía dibujando cenefas de luz, porque aquella incertidumbre universal siempre traía oportunidades. Paseó con cuidado entre el fruto indefinido de la letanía del fuego, la sangre negra de los charcos de agua, el olor a cosas quemadas que no están hechas para arder. La boca se le llenó de saliva cuando descubrió lo que había ido a buscar. Horas antes, cuando Agnes había hecho aquella broma con Facebook, su lógica había corrido como plomo líquido, urgente, ocupando las cavidades de un molde. De inmediato había recordado dónde podría haber visto los rostros de aquel hombre y aquella mujer que habían salido tras Valeri Lomidze en Coney Island. Apuntó con la luz a una serie de retratos que aún colgaban de las paredes de Chevengur con famosos, amigos o conocidos, una iconografía emocional salvada a duras penas por la espuma de los bomberos, pues casi todos estaban derretidos o calcinados. De entre los vestigios empezaron a brotar fotos de grupos, parejas, individuos; de pie, sentados, arrodillados, sonriendo en la mayoría de las ocasiones, siempre alrededor y junto a Chevengur. Infinitas combinaciones con un puñado de rasgos, como en una partida de ajedrez de la identidad, entre los que dos en concreto, un hombre de mirada dura —con reflejos rojizos por el flash— y una mujer pelirroja y elegante le miraban sonrientes rodeados por los brazos de Ilya Mihailev, cuyos gruesos anillos lanzaban destellos de technicolor hollywoodiense. La fotografía no se hallaba en perfecto estado, el cristal del marco estaba roto, y parte de la superficie chamuscada o con ampollas, pero no cabía duda: eran ellos. No hay nada como salir adelante de potra, pensó Daniel. Descolgó con precaución el marco metálico, y quitando las cuñas de cristal que aún se agarraban a los márgenes, extrajo la cartulina. La suerte continuó de su lado cuando, al estudiar el reverso, descubrió una fecha y dos nombres en tinta azul: Ellen Köberer, Michael Gladney.

—Vamos a ver quiénes sois —susurró.

Justo en ese instante sonó su móvil dándole un susto de muerte. Reconoció el número. Descolgó.

—Hace tiempo que no hablamos, Daniel.

La áspera voz de Erin le hizo rememorar su curioso parecido con Sasha Gray si ésta no se hubiera dedicado al porno y tuviera veinte años más.

—Erin, qué gusto oírla. ¿Sigue alquilando habitaciones junto a parejas recién casadas?

—No, mi suerte está mejorando.

—Me alegro.

Daniel percibió algo en su tono que no había antes, algo esquivo, muy afligido, casi siniestro. Intentó inyectar un poco de ánimo.

—¿Ha sacado alguna foto buena? Si no siempre puedo enchufarla en la empresa de un amigo, bodas, comuniones… ya sabe.

—Todavía no he encontrado lo que busco —contestó sin jovialidad.

—El mundo no da las cosas con facilidad.

—Lo sé.

—¿Y sabe lo que tengo en la mano ahora mismo?

—¿Está seguro de que seguiremos siendo amigos si me lo dice?

Daniel sonrió. A pesar de su hosquedad, la ironía seguía siendo la arteria principal de su inteligencia.

—Tengo una foto.

—¿He de felicitarle?

—Todavía no lo sé. Creo que puede significar algo, pero es pronto para saber su importancia.

Al otro lado hubo un silencio.

—Erin, ¿me escucha?

—Seguimos en línea.

—La noto un poco desanimada.

—Cansada —replicó demasiado rápido.

—A lo mejor debería tomarse un respiro.

—Pasará. —De nuevo aquella determinación carnívora: en aquella mujer, de la tristeza a la amenaza solo había un paso—. Tengo información fresca.

Y comenzó a hablarle de la envergadura de su enemigo, un enemigo con capacidad para renunciar a su familia —en la mejor tradición fronteriza americana, comentó Daniel: deshacerse de tus orígenes si eso contribuye a tu felicidad—, un oponente cruel y mezquino, pero también enérgico, decisivo, que hacía más densa la incógnita que ella anhelaba fijar en una fotografía: ¿aquel secreto era solo un matiz de su fuerza o todo su ser?, ¿sufría aún por su decisión o se encontraba a gusto en su piel?, ¿sus errores eran maneras codificadas de su conciencia para confesar su culpa o simples descuidos? Aquella concepción heroica, aquel avance imparable —no solo hacer las cosas sino querer ser capaz de hacerlas—, esa plenitud del exceso, esa conciencia histórica, esa capacidad de alteración del destino. Y continuó refiriéndole a Daniel su intención de visitar a Radomir Prcac en su cárcel de La Haya —una pieza que encajaba con el síndrome de Atila, por lo que necesitaba que el FBI le echase una mano con la burocracia, cosa que Daniel prometió resolver—, además de la peregrina especulación de Ivo acerca de la potencia del fútbol como red para cazar asesinos. Asimismo y respetando su trato, Daniel le habló del depósito descubierto, de las redadas, de Valeri Lomidze y se disculpó por no tener aún nada acerca de los días en blanco de Viktor. También la interrogó sobre la palabra Tora y si sabía algo que la desentrañase, obteniendo una negativa.

—¿Y dónde está ahora, Erin?

—En Belgrado, en casa de un amigo.

—¿Y cuándo piensa ir a los Países Bajos?

—En un par de días.

—Hum… ¿sabe que la palabra *yankee* procede del más común de los nombres holandeses: Jan?

—Tiene sentido, ellos llegaron primero.

Daniel empezó a escuchar música clásica de fondo. Recordaba haberla oído en alguna ocasión en el apartamento de Agnes. Comparó aquel sonido argentino, puro, con el ruido sordo, de fondo, que nunca cesaba en la ciudad: su efecto balsámico, el ritmo…

—¿Quién es?

—¿Cómo?

—La música.

Erin escuchó durante unos instantes las bifurcaciones y réplicas del cedé que Ivo acababa de poner.

—Creo que es Pergolesi.

—Ah.

—A mi amigo le gusta el barroco.

—Parece seda.

—Es una buena manera de describirlo. ¿Y cómo sigue Nueva York?

—Interponiéndose entre uno y el resto de las cosas, como siempre.

—Sí, nunca cesa, y tampoco de incentivar el deseo de las formas más extrañas.

Daniel no acabó de encontrarle sentido a la frase, pero tampoco pidió una explicación. Hubo un silencio, pero no fue incómodo. Parecía como si Erin no quisiera colgar todavía, imposible saber que en ese momento arañaban su recuerdo la humillación, el daño, la vejación, aquellas manos hurgando, los golpes, la ajenidad del cuerpo, la irracional lucha por la supervivencia.

—¿Recuerda el apagón de 2003? —La voz de Erin sonó con impaciencia, atajando toda aquella sangre.

—Sí, claro.

—¿Estaba en la ciudad?

—Me pilló en una fiesta, en casa de un amigo. Todo el edificio acabó subiendo a la azotea. Continuamos allí, con velas.

—El noroeste del país se quedó sin luz, la gente creía que había sido un nuevo ataque, pero solo fue un colapso en una central eléctrica del Niágara. Yo estaba en mi antigua casa y recuerdo que me asomé a la ventana y vi el tráfico inmovilizado, el pánico en la calle, como si fuera a repetirse el caos del 77. Mucha gente quería abandonar la isla, como fuese; también hacía mucho calor, y eso tampoco ayudaba. Las líneas telefónicas sobrecargadas, el miedo contenido… se habló de que nos volveríamos unos salvajes, que habría atracos, asaltos, vandalismo, violaciones… el mundo se volvería chiflado mientras durase la oscuridad… Pero no ocurrió nada de eso, ¿no es así? La policía ocupó las calles, los bomberos se hicieron cargo de todo, y la gente se limitó a volver a sus casas. Muchos se enfrentaron a la terrorífica oscuridad que cayó sobre la ciudad con linternas y los faros de sus coches, dirigieron la circulación, se ayudó a los extraños, se dio de comer a aquellos que no podían regresar a sus casas… una ola de responsabilidad cívica…

Silencio. Aquello era una imagen trascendente para una sensibilidad abierta a ello. Daniel tuvo ganas de reírse, pero no supo si era conveniente. Seguía sin saber qué motivaba aquellas reflexiones. Se mostró diplomático, evasivo. Una señal titilante en su móvil le indicó que estaba recibiendo otra llamada; se disculpó con Erin, pero ésta ya no requirió más atención.

—No se preocupe, hablaremos pronto.

—Entonces cuídese mucho.

—Claro, ¿por qué no?

Su voz, su presencia al otro lado del mundo se escurrió en el éter, y Daniel dio paso a otro fantasma hertziano.

—Diga.

—Daniel, soy Dimitri.

El tono apremiante de su confidente le persuadió para saltarse las cortesías.

—¿Qué hay?

—Han tiroteado a Valeri Lomidze.

Daniel apretó los labios, se pasó la mano por la mejilla y se rascó en la nuca.

—¿Cuándo ha sido?

—Hace nada, saliendo de su gimnasio.

—¿Viktor?

—No se me ocurre otro.

—¿Cómo ha podido enterarse tan rápido?

La pregunta había sido dirigida a Dimitri, pero luego devino en un punto clave para resolver el caso. Se le ocurrió una apuesta parecida a esas tarjetas con capas plateadas de rasca y gana.

—Concierta una cita. Quiero hablar con él.

—Un Pakham solo hablaría contigo con un abogado delante o con una pistola detrás.

—Claro.

No obstante, cuando le expuso a Dimitri los siguientes pasos que debía ejecutar, supo por su silencio que todo su arsenal de réplicas mordaces había quedado neutralizado. Lo remató todo con la oferta que debía proponerle al ruso, lo que debería darles acceso a él. Dimitri cloqueó, lo más parecido a la risa que era capaz de articular.

—¿Qué estás comiendo últimamente? —inquirió sin disimular su admiración.

—Bebo menos.

Se despidió con laconismo, guardó el móvil y permaneció observando la fotografía que no había dejado de sostener en la mano. Limpió algunos trazos de hollín, le dio la vuelta para memorizar los nombres y volvió a estudiar sus rostros sonrientes.

Lunes, febrero, 10.11 h

En los tiroteos se mata poco para lo mucho que se dispara. Ésa fue la manera que tuvo Sailesh de resumirle a Daniel el zafarrancho que se había formado frente al gimnasio, tras explicarle la acción con rápidos y vigorosos movimientos mientras caminaban abrigadísimos por Spring Street en dirección a Crosby. No había habido muertos, solo heridos leves, desperfectos por un montón de dinero y el susto inherente a que una parte de Manhattan se hubiese transformado en la llanura de Gaugamela. Los testigos apenas habían tenido tiempo de ver nada aparte del asfalto sobre el que se habían arrojado o el metal de los vehículos tras los que se habían escondido. Evidentemente el dueño del gimnasio no había presentado ninguna denuncia, los georgianos parecían haber llegado a un acuerdo con él. Y ahora Valeri Lomidze se hallaba en paradero desconocido. Paradójicamente, Sailesh se lo contaba todo con entusiasmo, incluso alborozado, no parecía el mismo Sailesh angustiado y doliente de días atrás. Quizá había estabilizado la relación con su mujer o a lo mejor le había tocado la lotería. Fuese lo que fuese, Daniel se alegraba de que la roca sobre la que estaba construyendo su vida no estuviese floja, se lo merecía y además sentía mucha pena cuando le veía deshecho, aunque no más de la que sentía por él mismo. Locuaz, sonriente, en continuo ademán, Sailesh parecía disfrutar realmente cuando le narró cómo habían desmantelado dos pisos más de chicas. Incluso le había instado a detenerse en un puesto de helados para comprarse un inmenso cucurucho con sus bolas como bulbos de catedrales ortodoxas. Me gustan los helados en invierno, afirmaba entre lametón y lametón. Aprovechó ese momento para invitarle a cenar, a Agnes y a él, un poco de vino, una noche diferente, celebremos el amor, casi gritó. A Daniel le pareció algo precipitado, pero ya había rechazado demasiadas invitaciones de Kavita y en esa ocasión prometió que haría todo lo posible por ir. Se lo comentaría a Agnes. A su alrededor las diferentes miradas del turista, del inmigrante y del residente se mezclaban, la voluntad de poder de las corporaciones desplegaban sus anuncios con total impunidad, la vida hervía en todos sus desconcertantes aspectos. Daniel no podía adivinar la huida hacia delante que había efectuado su amigo, la decisión de ocultarse tras su máscara de jovialidad; vivía en ese limbo para neutralizar a las hermanas malvadas del amor, la envidia, la ira, la pérdida, que le producían su obsesión por la presunta infidelidad de Kavita, a la espera de que el detective confirmase o impugnase su instinto. También ayudaba que la investigación progresase de tal forma que no había sido complicado identificar las fotografías del Samovar, dos abogados de un gabinete en el Upper, lo que abría una inesperada vía. La suerte estaba de su lado, aunque lo único que significaba aquello era que estadísticamente dejaría de estarlo.

—¿Y se puede saber adónde vamos? —insistió Sailesh.

—Vamos a intentar meter la cabeza un poco más en este asunto.

—Pero ¿me dices adónde vamos o no?

—A ver a Valeri Lomidze.

Sailesh se atragantó con su propia saliva.

—¿Has conseguido que un Pakham te reciba? —preguntó con sincero asombro—. ¿Cómo…?

—Me bastó con una palabra: Suki.

Sailesh anduvo unos instantes desorientado hasta que dio con la transcripción del ruso.

—¿Traidor?

—Sí, le ofrecí un trato a través de Dimitri, mi confidente: resulta literalmente imposible que Viktor intentase liquidarle tan rápido si no tiene algún informador, yo se lo puedo entregar, y a cambio su ayuda puede darnos un empujoncito a la hora de cazar a un rival. Ya lo dijo Dimitri: la Malina no es lo que era, los nuevos líderes se saltan lo que haya que saltarse si es útil para el negocio.

Sailesh le golpeó la espalda con buen humor.

—Tú no tienes ni idea, te estás tirando un farol y se dará cuenta.

—¿Y tú qué sabes?

—¿Qué sé acerca de qué?, ¿si es verdad que te estás tirando un farol o que se dará cuenta?

—Si quieres ver el espectáculo tendrás que pagar la entrada.

Sailesh soltó una carcajada que removió toda su corpulencia. *Tathastu*, repitió una y otra vez, que así sea. Siguieron caminando a través de un aire ártico y bajo un cielo grisáceo que hacía pensar en algo pudriéndose. Tenían la boca un poco seca y el corazón acelerado, pero no era alarmante, la adrenalina era necesaria. Aunque no lo pareciese, aquella era una ocasión histórica: una de las escasísimas veces en que un representante de la ley y un Vor se entrevistasen fuera de una sala de juicios, una habitación de interrogatorios o la celda de una cárcel. Emanaciones de una Rusia posglasnost en que la juventud apenas sabía ya quién había sido aquel viejecito con una mancha en la calva, los espías se habían reconvertido en cantantes de Eurovisión o presidentes de clubes de fútbol, y las calles se llenaban de tiendas de lujo. Valeri Lomidze había recorrido un camino muy largo desde ser reos de los gulags hasta comprar sus títulos de Vor z Zakone y conformar las eficientes redes empresariales que hacían tan complicado fijar una cabeza a la que disparar. A medida que se acercaban al lugar de la cita, la cara de Sailesh fue pura excitación.

—No me digas que hemos quedado… ahí… —espetó Sailesh.

«Ahí» era el Children's Museum of the Art, una sala dedicada a sacar el máximo potencial creativo de los niños, ofreciendo multitud de actividades y talleres para que los niños pudiesen explayarse a gusto. Sailesh no cayó del guindo hasta que consideró que aquél era uno de los mejores lugares donde citarse para un sujeto en perpetuo trance: no se solía disparar en sitios donde había niños, madres, toboganes y monopatines. La presencia frente a su entrada de uno de esos coches negros rodeado de armarios roperos ya indicaba que aquél no iba ser el típico día de zumo y palomitas. Fueron identificados de inmediato, llevados a un discreto aparte para registrarlos y acompañarlos al interior, donde los recibieron más armarios roperos que los guiaron entre un mundo multicolor de globos, piscinas de pelotas de goma, salas de disfraces, y paredes llenas de pinturas de críos de todo el mundo. Niños multirraciales recorrían los pasillos enmascarados como superhéroes, se sentaban en semicírculos alrededor de cuentacuentos, saltaban sobre las teclas luminosas y gigantes de un piano, como en un fotograma de Big, intentaban subirse a una cebra de madera o se disputaban sartas de gominolas. Sailesh recordó lugares de la India en los que nadie mendigaba porque la pobreza era tan absoluta que nadie tenía deseos, y los niños se paralizaban al ver a los extranjeros porque no aspiraban a nada, ni siquiera a una limosna. Valeri Lomidze se hallaba en medio de una sala, con un abrigo caro y oscuro y tocado con una boina, acosado por un grupo de ávidos críos, una estampa que de no mediar unos acontecimientos tan trágicos hubiera despertado la hilaridad de los dos. Incluso el Pakham sonreía ante la situación; minutos antes, para su sorpresa, había descubierto la figura plastificada de Cheburashka, la estrella de la televisión infantil soviética, una amorosa y asexual criatura marrón que soñaba con unirse a los jóvenes pioneros y construir la casa de la amistad para todos los animales solitarios. Se sumió entonces en la contemplación de sus ojos líquidos y sus enormes orejas, perdido en remembranzas de su infancia,

otoños heladores en Tbilisi y Moscú,

inviernos congelados

primaveras fabulosas de cielos azules y sauces plateados

Toque de campanas en los templos, el lento, Llovest; el melódico, Tresvon; el triste, Peresvon

por qué, por qué acudían aquellos recuerdos

cuando se vio rodeado por aquella marea de rostros inquisitivos e indoblegables en su curiosidad. La única defensa consistió en coger el muñeco y explicarles su historia y diversas anécdotas de la serie a fin de que aflojasen el asedio. Algunas madres se apercibieron del acoso al que estaba siendo sometido y acudieron en su auxilio, dispersando aquella tropa cándida. Solo cuando Valeri Lomidze los vio recuperó su aire de habitante de novela rusa.

—Ésta ha sido una de las situaciones más peligrosas de mi vida —dijo con inesperada ironía, devolviendo el muñeco a su hornacina.

Sailesh y Daniel lo interpretaron como una bienvenida.

Ya a su lado, Daniel se fijó en los anillos de plata de su mano izquierda, y Sailesh, en que a pesar de su madurez su piel lucía tersa y limpia.

—Gracias por venir —añadió—. Síganme, por favor.

Subrayó su proposición con un ligero ademán y se dirigió hacia un ascensor que los llevó directamente a la azotea del edificio, también acondicionada como un pequeño universo de juegos y lecturas —aunque los críos raleaban debido al frío—. Sus pretorianos se situaron a pocos metros. Desde allí podía disfrutarse un perfil de torreones, jardines flotantes, abadías sobre el abismo, cornisas y depósitos de agua. Lamentablemente, uno de esos nuevos edificios pretenciosos de tan vanguardistas rompía todo el equilibrio, más obsesionado con proporcionar una foto al turista que de conectar con el entorno. Valeri Lomidze —el arquitecto— se quedó unos segundos valorando con extrema concentración el autismo en el que flotaba aquel pastiche, para luego ejecutar una rápida señal de la cruz al modo ortodoxo, no se sabía si por aquella infamia o por el recuerdo de otras que debía expiar.

—No me miren así —argumentó al darse cuenta del interés de sus invitados—, soy un creyente, un viejo oscurantista, se podría decir. —Torció una sonrisa y se rascó un ojo por debajo de las lentes—. Creo en esas cosas, en que Caín fundó la primera ciudad y la belleza no es solo aterradora sino también misteriosa y que Dios y el Diablo luchan en ella y su campo de batalla es el corazón del hombre.

Sailesh creyó reconocer el fragmento de algún autor eslavo.

—Esta ciudad también es una religión —prosiguió—, ¿dónde están los límites entre la ficción y la realidad?, incluso el nombre original de la isla, el Manna-hatta de los indios algonquinos significa «lugar de las innumerables alturas».

—Visionario —subrayó Sailesh.

—¿A ustedes les gusta su ciudad?

Daniel y Sailesh se miraron y hablaron a la vez, interrumpiéndose. Su respuesta fue afirmativa con matices. Valeri asintió y habló como si no estuviera del todo allí.

—Rusia no dispone de piedras para construir edificios monumentales, palacios, catedrales, obras suntuosas... casi todo se construyó con ladrillo, madera, yeso, estuco y escayola... por eso olvida pronto sus tradiciones. La tradición tiene un sentido de la continuidad, necesita vivir del espíritu y éste se cincela en piedra. —Señaló un edificio—. ¿Lo ven?, lleva ahí desde 1911, para ustedes eso es una eternidad. La arquitectura crea las naciones, y esta ciudad se levantó con esa intención, su iconografía, sus santuarios, sus palacios... Al cabo, todo es artificial, solo depende de la seguridad con que se haga. Ustedes son seguros, en esta ciudad han señalado bien sus lealtades, sus aspiraciones, sus ambiciones, su manera de intimidar a sus enemigos. Ésta es la capital que hubiera querido Stalin, su nirvana socialista, cada pináculo, cada tótem habla del poder, de lo perdurable, de la memoria; celebra la virtud de la raza americana, la enardece, conmueve, glorifica y aclama. Ciertamente, han logrado conciliar lo inconciliable, el capitalismo, la moral, el comercio, la estética, pero, sobre todo, nos mienten acerca de nuestra mortalidad, intentan acorralar a Dios entre estos acantilados. —Hizo un aspaviento abarcando los grandes mástiles de los edificios—. Créanme: me gusta su ciudad y no tengo nada contra ustedes.

El sonido de un móvil interrumpió su lección magistral. Valeri lo sacó sin excusarse y comenzó a hablar en ruso. Daniel y Sailesh sabían que aquel era su perfil lisonjero, el amigo poderoso que todos quieren, la *grissa*, la protección. Pero ninguno olvidaba que aún faltaba por exhibirse el látigo. Inconscientemente, buscaban marcas, tatuajes bajo los resquicios de ropa, aunque estuviesen al tanto de que aquél era un requisito que las nuevas generaciones no tenían por qué respetar. Cuando guardó el teléfono, dio un paseo por la terraza, como si necesitase un escenario diferente para sus siguientes palabras. Se quitó las gafas, doblando cuidadosamente las patillas. Una súbita frialdad se había adueñado de él: la frialdad del verdugo.

—¿Quién es el topo? —inquirió con una brusquedad que no admitía soluciones intermedias.

—Estamos aquí para una negociación creativa —le contuvo Sailesh.

Valeri se sorprendió por la rapidez con que había reaccionado.

—Primero quiero saber su nombre.

—Señor Lomidze —intervino Daniel—, en toda relación hay un intercambio.

—Si ustedes no me dicen quién es el topo, me dirigiré a la puerta de ese ascensor y solo nos volveremos a ver en la cola del día del Juicio.

Elevó la barbilla unos grados. El tono había sonado comedido, desapasionado, sin amenaza: a título informativo. Sailesh disimuló su nerviosismo y observó a Daniel, aguardando el conejo que debía tener escondido; sin embargo, éste pareció quedarse en blanco, como narcotizado ante la presencia de Valeri Lomidze. Sailesh se disponía a descubrir el farol proponiéndole llanamente una colaboración para retirar a Viktor de la circulación, cuando el ruso se dio la vuelta bruscamente y se encaminó al ascensor. Su decisión los disuadió de detenerle; los soldados permanecieron frente a ellos, vigilando sus movimientos; el jefe desapareció tras las puertas plegables.

—¿Qué te ha pasado? —preguntó Sailesh entre el asombro y la fatalidad.

El rostro de Daniel era de confusión o disgusto. Su voz sonó ronca a causa del nerviosismo.

—No lo sé, Sai, de verdad que… no lo sé.

Un puñado de niños corrieron entre ellos, todo ruido y calor. En la mente de Daniel las ideas simplemente pasaban, sin transformarse en dudas, juicios o pensamientos; era un saco de arena emocional. El miedo físico. Una oleada depresiva. Gotas de sudor en su frente. Un tic que comenzó a hacer vibrar uno de sus párpados. Sailesh estaba a punto de preguntarle que si se sentía bien, cuando las puertas del ascensor se abrieron y Valeri Lomidze entró de nuevo en la terraza con los lentes puestos. Comprobó que sus soldados no se habían movido de sus puestos y se acercó a Daniel y Sailesh con los labios temblando, como quien intenta no sonreír.

—Convincente, ¿eh? Si no hubiera sido lo que soy, seguro que habría hecho arte dramático. De hecho, ¿saben lo que me sucedió durante mi primera noche en la ciudad? No se lo creerán, era un sábado y llovía a mares, entré en un cine, era un agujero de arte y ensayo, cuatro gatos esparcidos en las butacas, pero resultaba confortable con la que estaba cayendo fuera. Proyectaban *El rostro*, su espléndido blanco y negro, Ingmar Bergman, Ingrid Thulin, Max von Sydow… Me encontraba bien, a gusto, y a mitad de la proyección fisgué a un lado y a otro, en la penumbra, hasta que de repente le vi, estaba allí, surgido de la nada, de la noche del fondo del cine, como un fantasma, como un dios, iluminado intermitentemente por la luz del proyector… Era Brando, el mismísimo Marlon Brando, ya inmenso, con toda su castigada intensidad, despatarrado en una mínima butaca… ¿Se imaginan? Brando, a diez asientos de mí, real, tan real como para poder tocarle, hablarle, amarle, engañarle, odiarle… Fue emocionante.

Sailesh y Daniel se hallaban extraviados en los zigzags de Valeri Lomidze que, sin solución de continuidad, hizo un leve gesto con los dedos poniendo en movimiento a uno de sus hombres. Éste se les unió y sacó una cámara digital no mayor que una lata de refresco, abrió una aleta, giró la pantalla en su dirección y aguardó la orden de su jefe. Valeri dio su consentimiento y el pretoriano puso en marcha una grabación, un primer plano sin sonido en el que apareció una magullada, moqueante y desesperada Dimitri. Le habían tapado la boca con cinta adhesiva y sobre ella habían dibujado una sonrisa.

—¿Qué nos motiva a traicionar? —fue Valeri quien le puso el sonido—, el orgullo, la insatisfacción, el riesgo, el dinero…

Ante la crispación y la sorpresa de Daniel y Sailesh, se fueron sucediendo imágenes como pequeños cuadros de Caravaggio, oscuras, crudas e hiperviolentas: Dimitri insultada, Dimitri golpeada ferozmente, Dimitri colocada de rodillas ante un verdugo enmascarado que apuntaba a su cabeza con una reluciente automática, cuya empuñadura estaba envuelta en tiras de esparadrapo viejo.

—… al final, siempre es peligroso medir la realidad a través de nuestros deseos, a tus pies acaba llegando la resaca de actos cometidos lejos, en el pasado…

Sus palabras encajaban en las escenas, sin hostilidad, solo con cierta incredulidad cansada. El disparo no sonó, pero la cabeza estalló en un borbotón de sangre, recibiendo un segundo disparo ya en el suelo.

—Razborka… no seríamos humanos si no nos tomásemos venganza. Así es como yo lo veo.

La grabación hizo un fundido en negro, el soldado cerró la cámara y se retiró. Valeri los observó como lo haría un tribunal inapelable, evaluando sus reacciones.

—Dimitri creía que únicamente ella podía mirar. Y miraba mucho y a demasiada gente. —Estudió a Daniel—. Espero que aquella cerveza en Coney Island estuviese a su gusto. —Daniel endureció la mandíbula aunque no contestó—. Pero cuando miras tan de cerca también puedes ser mirado. Vigilancia, contravigilancia. Aquí tienen a su traidor, ¿iban ustedes a entregármelo? —inquirió con sorna—. Si se portan bien incluso puedo decirles dónde podrán encontrar su cuerpo. Y ahora debemos ir a lo que nos ocupa, a lo que realmente han venido ustedes aquí: a ofrecerme la cabeza de Viktor.

Sintieron como si les estuvieran serrando la espina dorsal, pero reevaluaron sus respectivos miedos y odios y actuaron con una máscara profesional.

—Todos podemos salir ganando —confirmó Daniel.

Valeri juntó las manos como almacenando toda la buena voluntad contra los desastres seguros del futuro.

—Bien, me parece bien que cada uno reciba según su necesidad y dé según su capacidad —dijo sin sarcasmo—. Lenin también afirmaba que lo importante no es derrotar a alguien, sino eliminarlo; ya no es saludable pensar en Lenin, pero es innegable que él lo deseaba todo, ergo lo planeaba todo, con audacia, era un analista de situaciones, y eso le colocaba por delante de los demás. Lenin sabría qué hacer en este momento, concluiría algo, ¿o son ustedes como aquellos pobres mencheviques? Buena gente, tipo serios e irónicos, que escribieron libros inteligentes y fueron devorados y desperdigados por Lenin.

Cuando concluyó su argumentación, se llevó la mano a la boca y estornudó. Perdón.

—Negociación creativa —sugirió esta vez Sailesh—. Usted recuerda y nosotros olvidamos.

—Bien, bien. —Elevó la voz—. Ustedes se olvidan por una temporada de mis negocios, de mis hombres, de los pinchazos telefónicos, de las investigaciones y la cárcel, de los juicios... Y a cambio...

A cambio hubo un toma y daca de información. Valeri Lomidze demostró con creces que era parte de su tiempo, donde el poder no era ya un atributo, sino una relación, todo flujo, una hidra de múltiples cabezas mediante la que fingía no haber escuchado las preguntas que no le convenían, adoptaba rígidas expresiones cuando salían cosas que eran más de lo que estaba dispuesto a admitir o mezclaba imprevistas digresiones en su discurso, ¿saben que fue el ascensor lo que hizo posible los rascacielos? Viktor es solo un peón, insistía, no le den más importancia de la que tiene, pero a continuación intentaba averiguar la mayor cantidad de detalles, mostrando una velada transversalidad. Resultó especialmente flagrante su interés por el episodio de Olena; aunque no fue algo tangible, sus instintos, las descargas magnéticas que orientaban sus brújulas se dispararon ante el sutil tanteo que inició el ruso, excesivas prestezas, voces exentas de inflexión, pequeñas elipsis, desconocimiento fingido de determinados términos en inglés... Cada pregunta era una amenaza, cada respuesta una clave a descifrar: la palabrería del chamán para que te sientas especial antes de abrirte en canal. Nada sabía acerca de Tora. Se perdía en un mar de conjeturas hablando de su reunión en Brighton Beach, de los abogados o las muertes de Ilya Mihailev o Zakhar Yaponchik. Ni idea sobre la desaparición de Viktor entre el 23 y el 27 de mayo del 99. Y ellos fueron filtrando la información sin desvelarle nada acerca de la investigación de Erin o el peregrino cepo del fútbol. No obstante, Valeri Lomidze aventuró una idea interesante.

—Quizá su eslabón débil no sea la ansiedad por el reconocimiento, sino los impulsos por los que se mueve. Viktor parece estar siempre barajando sus cartas, ésa es una fuerza, la imprevisibilidad, pero una fuerza frágil, ya que se basa en la improvisación.

Era casi la misma conclusión de Ivo, solo el azar o los atavismos podían hacer caer a Viktor. Al final, todos se dieron cuenta de que aquella reunión no había sido más que una forma de calibrar al enemigo, medir su capacidad de cabildeo, y terminaron estrechándose las manos de una manera amable, civilizada, pero con la promesa de una futura conflagración, como hacen los boxeadores cuando se tocan mutuamente los guantes antes del combate. Luego Valeri arqueó la espalda, estiró los brazos hacia atrás, sonrió pletórico, e hizo una de sus inesperadas salidas.

—Sí, les aseguro que si tuviera aquí un caballo lo montaría y me pondría a saltar vallas.

Su expresión solazada se tornó bruscamente en guardia vigilando lo que fuese que se hallaba a las espaldas de Daniel, algo que también los soldados captaron y que, paradójicamente, no les hizo echar mano a sus armas, sino que los paralizó. Tanto él como Sailesh se dieron la vuelta para ser testigos de una escena que puso a prueba su capacidad de juicio. En un principio no acertaron a averiguar qué era lo que mantenía en suspenso a los georgianos entre el grupo de niños que hacía de las suyas por la azotea. Hasta que se centraron en la única figura que permanecía quieta en medio de los juegos y batallas de los críos. Era una criatura delgada, morena, con un anorak gris perla, que tenía atada a su muñeca el hilo de un globo de color verde fluorescente suspendido sobre su rostro, una cara absolutamente congestionada. La piel había empezado a degradarse del rojo a un morado mate, mientras sus ojos amenazaban con salírsele de las cuencas, las venas se marcaban en su cuello y todo su cuerpo temblaba como si un espíritu maligno le hubiese poseído. Nadie más parecía haberse dado cuenta del hecho, ni una cuidadora que en ese momento reprendía a otro chico ni una madre que charlaba con otra cigarrillo en mano. Fue en ese instante cuando Valeri Lomidze se movió deprisa y se colocó detrás del crío, le abrazó por la espalda con ambos brazos, y presionó sobre el abdomen con fuerza. Repitió la maniobra varias veces, ya con el público advertido entre expresiones de ansiedad y horror. Por fin entre la séptima y la octava vez el niño vomitó un caramelo de gran tamaño; empezó a llorar y sus berridos tranquilizaron a todos. Valeri le dijo algo en su lengua y luego se lo entregó a la nerviosa cuidadora que vino a hacerse cargo deshaciéndose en agradecimientos. En ese momento se soltó el nudo que ancoraba el globo a la mano del niño y se elevó culebreante; mientras todos observaban cómo iba perdiendo tamaño, Valeri aprovechó para despedirse con un gesto y desaparecer rodeado de sus pretorianos.

El globo aún tardó unos segundos en perderse de vista.

10

La seducción de Siracusa

Miércoles, febrero, 9.52 h

L a Haya era una ciudad de calles adoquinadas, malos restaurantes y constantemente azotada por el mar del Norte. Aquel también era un día desapacible, con un cielo soldado en gris y súbitos verdugazos de viento. El tribunal se hallaba sito en la plaza Churchill, un frontis con grandes cristaleras, no muy lejos del cementerio donde descansaban los restos mortales de Baruch Spinoza. El edificio era una obra maestra de la mediocridad, con un ladrillo color arena mojada y una imponente verja de metal cercándolo. A la izquierda se hallaban las entradas a las oficinas del tribunal, y Erin, tras salvar los detectores de metales y el control de la policía, se encaminó por una escalera de mármol que acabó transformándose en otra metálica. Su destino era la sala número tres del Tribunal Penal Internacional para la antigua Yugoslavia, donde aquel día proseguía el juicio de Radomir Prcac. Cuando Erin llegó a la puerta tuvo que salvar el registro de otro policía —que miró con curiosidad las marcas de su cara—, y pudo entrar en una sala aséptica y funcional, dividida en dos por un tabique de cristal antibalas. En la zona del público podían sentarse cómodamente unas cien personas en sillas de plástico azul, pero a pesar de que la entrada era libre, aquel día apenas había unas veinte, punteadas aquí y allá. Erin se sentó en la primera fila para tener una buena perspectiva; enfrente, sobre una tarima, había tres jueces, a su izquierda se hallaba el acusado y sus defensores; a su derecha, los abogados de la acusación. Radomir Prcac estaba sentado a la izquierda de sus defensores; era todo lo contrario del biotipo serbio que cualquiera pudiese imaginar, un individuo regordete, con una sonrisa amable, doble mentón, y un pelo espeso y brillante como piel de nutria. Tenía eso que le hacía a uno sentirse seguro si le encontrase en una calle solitaria. El único indicio de su condición aparecía cuando respondía las preguntas de la acusación, un tono de voz con esa sempiterna inflexión de la autoridad que te aconseja lo que debes hacer. Erin conocía el modelo a la perfección: había tenido algunos jefes así. Hablaba inglés razonablemente, pero había exigido traductores y se aplicaba en escuchar los cascos que llevaba puestos, dedicando de vez en cuando su atención a la estenotipista. Los interrogatorios eran largos, sistemáticos y concienzudos, y Erin comprendió por qué la sala estaba medio vacía: los juicios eran aburridos. Pero de aquel tedio salían las cifras y los hechos, las atrocidades, las muertes, la sangre que se le imputaban a aquel individuo. Durante más de una década Radomir Prcac había ocupado una cátedra de sociología en la Universidad de Belgrado, era miembro de varias academias, escritor de columnas periodísticas, y autor de dos novelas interesantes por descarnadas, nada maniqueas al describir la guerra. Aquel currículum irreprochable había dado la vuelta cuando se hizo cargo del Ministerio de Información. Su primera acción había sido librarse de todos los directores de periódicos importantes y jefes de televisión y emisoras de radio, controlando estrictamente los medios de comunicación. Se le acusaba de ser uno de los inductores intelectuales de la guerra, de intoxicar, de mediatizar, de animar a usar cucharas oxidadas para vaciar los ojos al enemigo. Radomir Prcac continuaba respondiendo con exactitud y calma lo que le convenía; aseguraba no saber nada de la limpieza étnica, de las violaciones, de los asesinatos y los desaparecidos, de las metáforas biológicas, de aquellos errores genéticos en el cuerpo serbio. Y la expresión de su rostro, su lenguaje corporal, incluso los detalles de su ropa —chaqueta bien cortada, camisa inmaculadamente blanca, una banderita metálica de Serbia en el ojal—, lo confirmaban. Él no era más que un profesor de universidad que en un momento dado había respondido a la llamada de la patria y dado soporte al hambre emocional del país. El oportunismo político, la demagogia, la manipulación de los sentimientos nacionalistas, nada de eso le era posible reconocer, y los días que acompañó a Viktor en Grapko no habían sido más que una mera inspección del frente, emocionante en cuanto él no era más que un ratón de biblioteca. Había en sus ojos algo que te obligaba a no volver a mirarle, testimoniaban algunas mujeres, te daba miedo, venía con Viktor y escogía a las víctimas, no pronunciaba sus nombres, no hacía veredictos, no lanzaba acusaciones. Algunas veces las ejecutaban allí mismo, otras se las llevaban, cuanto más terror sentían más se demoraba, más disfrutaba. Veo que estás asustado, testificaba que les decía uno de los supervivientes, me gusta que estés asustado. Y ejecutó a una chica joven. Y ejecutó a un viejo. Y ejecutó a un soldado. Ahogamientos fingidos, amenazas, ruletas rusas…

A medida que Erin se familiarizaba con gestos y tics, estudiaba la máscara de Radomir Prcac: quién o qué se ocultaba tras ella, qué dimensión se abría. En un momento dado sus ojos se cruzaron, una mirada que te hacía sentir incómodo o culpable, ya fuera por una mancha en la camisa o por una estupidez que hubieras dicho, y Erin sintió un sudor frío, porque aquella mirada le trajo a la memoria a Slavenka mientras buscaba en su interior cámaras secretas donde librarse del horror vivido, de la conciencia de sí misma, y de repente Milo en su cabeza, y el dolor lacerante, el dolor sordo de los golpes, dolor infligido, dolor que devora, y el odio que crece como un tumor, y la sangre viscosa, y la repugnancia, y el ensañamiento, y ella era Slavenka, y Slavenka era ella, sus identidades trocadas, superpuestas, y... señorita, señorita... se encuentra bien... Erin se encontró de repente con la cara del policía que media hora antes la había parado en el control a centímetros de su rostro, sosteniéndola por los hombros... estaba cayéndose, señorita, ha sufrido un mareo... Erin asintió, pálida, ojerosa, un bajón de tensión, señorita, venga conmigo, necesita un poco de azúcar, agua, aire... Erin se dejó levantar y sacar de la sala hasta uno de los pasillos, donde la atendieron hasta que comenzó a sentirse un poco mejor.

Pasó el resto de la tarde en la habitación de su hotel, hacía demasiado frío para pasear y tampoco le apetecía. Pidió algo de comer y comprobó en los periódicos que no se tenían noticias de ningún cadáver o incidente en Grapko. No sabía qué pensar. Por último decidió preparar la entrevista que tan dificultosamente le había conseguido Daniel para ese mismo día. Era algo práctico que la ayudaría a combatir la tristeza, la melancolía, la desesperación, la locura o lo que fuese que pudiera crecer en su interior. Erin consideraba que lo fácil era hacer periodismo con las víctimas, resultaba cómodo establecer una empatía, una solidaridad, las historias de los perdedores y sus desgracias eran bien aceptadas por el público. Lo peliagudo era hacer periodismo con los verdugos. Y más atractivo, mucho más atractivo. Porque se necesitaba un plus de autocontrol, hipocresía y disimulo, para preguntarle a uno de esos cabrones por qué hacía lo que hacía, a fin de buscar una causa para cortar cabezas con un machete, o volarle la cabeza a un inocente, o despellejar a un enemigo, o volar una pizzería llena de niños. Y si no se entendían sus razones, al menos exponerlas con coherencia. Y aquél era uno de esos casos, una frontera caliente, la pelea contra esa ausencia de forma, sentido o significado. Presumía que la puerta de entrada sería la vanidad, el síndrome de Atila que parecía afectar a aquel tipo de personalidades, la jactancia de quien exhibe su poder o su inteligencia, esa delectación onanista ante el campo magnético de una cámara. No obstante, iba a ser una disputa extremadamente difícil, porque Radomir Prcac era una autoridad en la intoxicación y la mediatización, el diablo que te acompaña hasta la cima de la montaña y te muestra los reinos que podrían ser tuyos a cambio de una simple humillación. Definitivamente, solo podía contar con que estuviese envenenado por el poder, ese poder que hace cambiar la inteligencia sumarísima por el recreativo hedonismo de la degustación. Atila, Atila, tu caballo sigue amenazando la hierba…

Nueva York

Recibieron la llamada muy de mañana. Fue Sailesh quien levantó el auricular y recibió las noticias de Lyon. Uno de los jefes de departamento de la Interpol le comunicó que por fin habían logrado seguir los rastros electrónicos que había dejado un pasaporte el 23 de mayo de 1999 en el aeropuerto de Surčin, Belgrado, a nombre de Zoran Feric, el mismo que horas más tarde fue registrado en el aeropuerto de Ben Gurion, Tel Aviv. Casualmente, fue el mismo ciudadano que realizó un viaje de regreso a Serbia el 27 de mayo, coincidiendo con las fechas que les había proporcionado Erin Sohr, vía agente del KOS. Pero había más. Ese mismo pasaporte había sido fichado en un control rutinario de la policía israelí en la carretera a Eilat. Aquello no era una solución, sino dos problemas, parecieron decirse cuando se miraron. ¿Qué demonios hacía Ratko Zuric, Viktor, en el aeropuerto de Tel Aviv el 23 de mayo de 1999? ¿Y hacia dónde se dirigía después por el desierto del Negev? Aquella tela de Penélope parecía no tener fin; una gigantesca orquesta de jazz en la que todo parecía estar reinventándose continuamente. Soy yo, recordaron a Viktor apuntando a Artyom Zhivkov, qué significa eso. El pasado no cesaba de ocurrir un solo instante, así que decidieron contactar primero con el FSB, y luego con los israelíes. Debían hurgar en sus ordenadores sobre la actividad de las mafias rusas —que era mucha— en la zona y especialmente en la época.

En medio de todo ese trajín, Sailesh se quedó mirando por la ventana; desde sus oficinas en Federal Plaza la panorámica neoyorquina era la misma que había ilustrado minuciosamente Werner Kruse a tinta y pluma. Su estado de ánimo era contradictorio; por un lado habían tenido un nuevo éxito en la desarticulación de casas de acogida de chicas en el Bowery, pero por otro una conversación con el detective que había contratado no había despejado sus dudas sobre Kavita. El detective se había negado a confirmarle o negarle nada hasta que hubiera terminado sus informes, debía esperar unos días más para poder completar el dossier. Y entretanto el amor en su interior, como un carbón que candente quemaba y frío ensuciaba. No era posible, Sailesh quiso creer que no eran más que pensamientos delirantes; se apoyó en el segundo pilar del autoengaño para soslayar una mezcla de emociones irreconciliables: la pena por el fracaso matrimonial, la cólera por su responsabilidad en la disolución, la ira por la reacción de Kavita, la gratitud por los años de amor compartidos. No acababa de asimilar tantas contradicciones, aunque era consciente de que eran ellas las que le daban forma. Le gustaría saber si Kavita sentía algo parecido o había logrado simplificar aquella situación atendiendo únicamente a su serenidad.

Daniel le observaba desde su mesa; tenía la impresión de que Sai acababa de trazar un círculo invisible alrededor, holgado al principio, y que con los segundos se iba estrechando. No quiso estorbar su ausencia y se concentró en el café que tenía enfrente; cogió un terrón y lo mojó en el oscuro líquido permitiendo que subiese por capilaridad azucarillo arriba. Él también tenía qué rumiar, porque todo iba bien pero nada era satisfactorio. ¿Qué le había ocurrido en la azotea con aquel sátrapa?, ¿qué se estaba cocinando en su interior?; aquel miedo vivo y tenaz, que le amaestraba y le protegía, que le dominaba y le cuidaba. Creía conocerse, pero una máscara, la suya, últimamente se derretía y adoptaba formas desconocidas.

—Sai…

Su voz sonó débil.

—Sai… —repitió con más vigor.

Sailesh se dio la vuelta: sus ojos negros estaban aún más oscuros si cabía. Daniel se tocó la aleta de la nariz para mostrar que debían seguir indagando.

—Tenemos una cita con los abogados dentro de cuarenta y cinco minutos —le recordó.

—¿Cómo se lo han tomado? —reaccionó Sailesh.

—Se han quedado un poco perplejos, pero no estaban sorprendidos. Son muy profesionales.

—Lo imagino.

—El gabinete se llama American Accountancy and Legal Services, está en el Upper West.

—Pues ahora son la columna vertebral del caso.

—Espero que no, o no solo. Nos queda ese partido de fútbol...

—...

—A lo mejor descubrimos qué cojones es Tora o Ator o Atora o lo que sea.

—Al final será un puto trineo.

—O Erin Sohr da con algún cabo más en Europa.

Daniel se quedó como a la espera de que un hallazgo repentino cobrase fuerza por sí mismo y les indicase el camino a seguir. Pero lo único que quedaba era Olena, una puta fresca de ojos claros y piel palidísima para ex nomenklaturistas, su belleza sublime y abrumadora, aunque por algún motivo no la mencionó.

—Hoy el tráfico está fatal —concluyó Sailesh—. Deberíamos ir yendo.

—Todavía no he desayunado.

—Yo tampoco. Comemos algo por el camino.

Daniel asintió. Lila. Bespredel. El Gran Juego. En el agua todavía se respiraba calma, no había movimientos de caza, todos estaban liberados de la carga de comer y ser comidos. Momentáneamente.

Scheveningen

Desde muy antiguo, los intelectuales han tenido la funesta tentación de cambiar el mundo en vez de ejercer su tarea, que es comprenderlo y explicarlo. Han sufrido la manía de querer influir en la opinión, de dictaminar, de ser algo para lo que no están capacitados: políticos. Los resultados a menudo son decepcionantes, cuando no espantosos. Radomir Prcac pertenecía a este último grupo: una *intelligentsia* que pretendía iluminar al resto de los mortales, pero cuyos artificios y estafas son finalmente descubiertos. Era la filotiranía, la fascinación por los despotismos de izquierda o derecha y quienes los acaudillan; la nómina de quienes habían afilado los lápices bajo la égida de cualquier iluminado era larga, inaugurada siglos antes por Platón en los tres viajes que hizo a la isla de Siracusa, regida por el tirano Dionisio, a fin de hacer que éste entrara en razón. Ambos fracasaron, Platón y Dionisio, pero no menos que los cientos que vinieron después. Erin barajaba aquellos pensamientos frente al centro de reclusión de Scheveningen. Los holandeses habían bautizado aquella cárcel como el Hotel Naranja, debido a que durante la guerra mundial los nazis habían recluido allí a la resistencia. El cielo era de un azul gélido, como un lago lleno de diferentes paletas de añil; al fondo se veía un mar grisáceo planeado por gaviotas, se respiraba un intenso olor a salitre. Había confirmado con una llamada que Radomir Prcac había accedido a su petición, pero lo más importante era que las autoridades habían aceptado las «recomendaciones» provenientes del Departamento de Estado americano. Cuando llegó ante sus puertas ya había recobrado los reflejos de no dejar espacios a la impunidad, de comerse el asco, aunque todavía sentía cierta aprensión, contrarrestada por su curiosidad. Tuvo que recordarse que, como había afirmado el agente del KOS, a la persona temida se le dota de ese miedo, era la veneración y no la persona la que tenía el poder. Un policía joven y con desparpajo le ayudó a salvar los controles —me encanta Nueva York, no cesaba de repetirle, *very cool*— descargando un poco la atmósfera pesada e insípida de la prisión.

A medida que recorría los pasillos, Erin se dio cuenta de que Radomir Prcac no estaba exactamente en la penitenciaría, sino en un módulo anexo, un centro de reclusión, junto con otros acusados de diversa condición, todos relacionados en mayor o menor grado con crímenes de guerra. A medio camino le estaba esperando un oficial del ejército danés, director del centro, un individuo con uno de esos rostros de antiguos atletas, idealistas y radiantes. La recibió con mucha educación y tras un ejercicio de corrección política en la descripción de los objetivos y la dinámica de Scheveningen —es un ambiente agradable, recalcaba como si Erin fuese una inspectora de alguna ONG, incluso está permitido fumar y tienen una «habitación del amor»—, la condujo hasta la sala común. Repentinamente, Erin se quedó atónita: allí, compartiendo partidas de ajedrez, periódicos, libros, comida y programas de televisión en aparente fraternidad, había caras y nombres que durante la guerra se habían despellejado, serbios, croatas, montenegrinos, bosnios. El oficial danés subrayó con cierta ironía que allí ya no había nacionalistas; salvo algunos incidentes aislados los primeros días —una agresión al difunto Milosevic por parte de uno de los antiguos jefes musulmanes—, eran presos modelos. Y resultaba sorprendente el grado de sociabilidad alcanzado teniendo en cuenta las diferentes nacionalidades, extracciones sociales y profesiones. Un logro, remató. Erin se solivianó por unos momentos, aquellos hombres acusados de los peores crímenes cometidos desde la Segunda Guerra Mundial, aquellos hombres que se habían combatido, odiado, torturado, quemado, habían llegado a un compromiso que les permitía convivir, algo que sus compatriotas no podían ni siquiera soñar. Aquella unidad, incluso solidaridad, la hizo reflexionar sobre la burla que significaba para los muertos y sus familias, la ofensa, el ridículo.

—Su hombre está allí —le indicó el oficial.

Erin descubrió a Radomir Prcac sentado en un sofá con las piernas cruzadas, leyendo un periódico tras unas estrechas lentes, con una Coca-Cola light en una mesita, junto a un libro lleno de señales de papel. Pasaba una hoja lentamente, asegurándose de que el conjunto del diario no perdiese su homogeneidad. Se acercaron y el oficial hizo las presentaciones. Radomir se levantó con inusitada agilidad, incluso con gracia, empleándose en el obligado besamanos sin mención alguna a sus heridas. Su cara ancha, unos labios finos, la gravedad tirando con fuerza de su piel conformaba un conjunto incongruente pero afable, incluso simpático. No obstante, Erin percibió el olor que exhalaba su cuerpo, un aroma como a grasa rancia, y notó su mirada, la mirada del político que observa a la gente pero no ve personas, sino votantes, consumidores, minorías o grupos de interés. Se sentaron y el oficial los dejó a solas tras ofrecer a Erin alguna bebida que ella rechazó.

—¿Sabe que cumplo años el mismo día que Robbie Williams? —le informó Radomir, señalando el periódico.

—Vaya, felicidades. Si lo hubiera sabido le habría traído algo.

—Ah, temo a los griegos aunque traigan regalos, dice Lacoonte por mano de Virgilio... —Sonrió—. Descuide, su presencia es suficiente regalo. Desde que me dijeron que quería entrevistarse conmigo, no veía el momento de conocerla.

—Muchas gracias. Es mutuo.

Radomir se tomó su tiempo para echar un trago de su refresco y volvió a colocar el vaso sobre un pulcro círculo de cartón.

—Cuando sus amigos norteamericanos me comunicaron la razón por la cual deseaba hablar conmigo, apenas pude reprimir mi entusiasmo y... curiosidad.

—Es de suponer.

—Resulta difícil de creer que Ratko siga vivo.

Erin se fijó en la familiaridad con que se refería a su hombre.

—Todo apunta a ello.

—Evidentemente, si no usted no estaría aquí.

Radomir dejó vagar su mirada unos segundos por el techo, luego se concentró en Erin; había dejado de ser el objeto de estudio para ser él quien estudiaba. Erin se sintió algo indefensa, como si pudiese ver sus cicatrices.

—A mí me fascina la fotografía... —recalcó Radomir— es un campo muy atractivo. Y más con el paso de lo analógico a lo digital, una foto es testimonial y la otra, discursiva: a partir de ahora será cada vez más difícil distinguir entre realidad y ficción, serán territorios confusos.

Erin intuyó que su dialéctica había comenzado a colocar cuidadosamente sus trampas.

—No creo que existiese nunca esa diferencia, es decir, ya no la había cuando Meliés y Lumiere filmaban la salida de una fábrica: hacían veintiuna tomas con su puesta en escena.

Radomir sonrió con placidez.

—Entonces, según usted, ¿en qué podremos basar hoy en día la credibilidad de una fotografía?

—Sinceramente, ya no depende de la foto, sino de la credibilidad de quien la toma.

—Certero, certero...

Radomir cruzó los brazos.

—¿Y cuál es exactamente su papel en todo este teatrillo?

Erin cerró el circuito entre ambos explayándose acerca de

su coalición con Daniel y Sailesh a raíz de los sucesos acaecidos frente al Samovar, ligándolo con su trabajo de una manera impersonal, como si fuese un encargo más.

—Es decir —compendió Radomir—, si entiendo bien quiere que yo le hable de Ratko.

—En efecto, sería en la más absoluta confidencialidad.

—Obviamente… —teatralizó sus dudas con un amasijo de expresiones encontradas—, y también resulta innegable que desde el momento en que yo le cuente algo no será una verdad, sino una versión.

—Claro.

Descruzó los brazos.

—Viktor, el *Dux Bellorum*, o Ratko Zuric, el hombre. Solo es posible acercarse a él de una manera indirecta, desmenuzándolo en fragmentos. Por otra parte, como a cualquier realidad. Llevará tiempo…

—¿Tiene algún sitio donde ir?

Erin se arrepintió de inmediato de aquella frase: ¿cómo había podido ser tan descuidada? Radomir Prcac se inclinó hacia delante sonriendo para demostrar que no era susceptible.

—Al patio, quizá —respondió—, para dar un paseo. Tiene razón, si ahora mismo dispongo de algo es de tiempo. Por lo que he sacado en claro, usted quiere poseer lo fotografiado en la mejor tradición alquímica, algo que le explique lo que es Viktor. Me parece razonable, debemos intentar comprender el mundo; ahora bien, si consiento en darle algo que se lo facilite, yo también debo recibir algo a cambio.

Si Erin creía que aquel hombre rehuiría el debate o únicamente intentaría sermonearla, se estaba llevando una sorpresa. No obstante, ocultó su desasosiego; ahora se hallaban justo en ese momento en lo alto de la montaña y a uno se le mostraban todos los reinos del mundo y su esplendor. «Todo esto te daré si te postras y me adoras.» ¿Qué le pediría Radomir Prcac?

—Es justo —resolvió.

Radomir se disponía a responder cuando vino a saludarle un antiguo enemigo, un musulmán bosnio especializado en ejecutar presos serbios. Erin, tan fascinada como escandalizada, fue testigo de la familiaridad de su trato, el bosnio era un excelente cocinero —le aclaró más tarde Radomir— y le invitaba a cenar después una receta de pescado. Solo nos falta un poco de vino de Dalmacia, sugirió su hombre, agradeciendo el convite y despidiéndose entre parabienes.

—¿Y por dónde empezamos? —rehiló con Erin.

—La pregunta es: ¿dónde acabaremos?

En ese momento, Daniel y Sailesh salían del metro de la Veintitrés, muy cerca de la entrada de American Accountancy and Legal Services. Desde ese ángulo lo primero que vio Daniel fue la torre del Edison Headquarters, con su reloj dorado que siempre le recordaba a Harold Lloyd colgado de unas agujas gigantes. Luego un camión de bomberos, rojo, cuadrado y masivo, pasó a toda velocidad con su sirena disparada, más grave que la de la ambulancia que le seguía. El aire era realmente gélido.

—Si tú crees que Valeri Lomidze tenía la conciencia de un cadáver —murmuró Sailesh—, verás a estos…

Daniel sonrió y le recordó que sus estómagos no comprendían el cariz moral de las cosas; se acercaron hasta un café y llenaron el tanque de combustible, como asertó Sailesh en medio de una orgía de muffins y café con leche casi hirviendo. A continuación se dirigieron a uno de esos edificios mastodónticos en cuyos ladrillos negros adornados con terracota dorada se mezclaban estilos antiguos de Oriente Próximo, egipcios, griegos y art déco. Una hilera de banderas nacionales restallaban en la fachada por el viento, con el contrapunto del tintineo metálico de las anillas de los mástiles. En cuanto traspasaron el portal, el ruido y la prisa de la calle se extinguieron, penetrando en un tiempo distinto, uno económico y globalizado, mucho más veloz que el político. En un vestíbulo abovedado, con el techo policromado en bronce, y las pilastras y el suelo trasterrado de alguna villa europea, los inevitables controles de seguridad los acompañaron hasta la jaula dorada del ascensor que los subió a la planta decimosexta, en la que fueron recibidos por un tipo con un traje que bien podía valer su sueldo de un par de meses. Éste los condujo con cierta adulación por los pasillos de mármol flanqueados de puertas tras las que trabajaban hombres capaces de guiarte con los ojos cerrados por la legislación fiscal de una veintena de países. American Accountancy and Legal Services se vendía oficialmente como una compañía de planificación preventiva e inversiones, lo que hablando en plata significaba la transferencia de activos extraoficiales a paraísos fiscales. Cruzaron áreas de administración, contabilidad, una sala de reuniones con una enorme mesa de palo de rosa… Todo hablaba de dinero a borbotones, ese dinero que podía ser derramado sobre la voluntad de los demás para colmar, para abastecer todos los deseos. La pelirroja con aire distinguido y su alterego, que era de los que no cambiarían su expresión ni aun viendo agonizar a su madre, los estaban esperando en un despacho. Lo primero que les llamó la atención fue la alfombra que pisaban, de trenzados simétricos, muy antigua, con un mihrab en el centro; después los diversos cuadros con toda la apariencia de la escuela prerrafaelita, interrumpiendo un continuo de estanterías con libros de leyes encuadernados en piel que ya nadie leía. Por último pudieron concentrarse en Ellen Köberer, cuyos ojos grandes y azules miraban directamente, al contrario que su compañero, cuya mirada permanecía suspendida. Allí parecía haber un interesante intercambio de virilidades. Les ofrecieron asiento y la hospitalidad de rigor, y de los dos únicamente se sentó Michael Gladney, tras una mesa en forma de media luna; acariciándose mecánicamente la corbata se puso a su disposición. Daniel y Sailesh eran conscientes de que aquella visita solo significaba un disparo al aire, pero no estaba de más que los malos estuvieran al tanto de que los sabuesos estaban arrugando el morro para olfatearlos. Aunque por el momento lo único que sacaran en claro fuese una loción de afeitar demasiado intensa.

—Le reitero nuestro agradecimiento por recibirnos —comenzó Sailesh muy suavemente—. Y sí, les acepto ese café —confirmó primero con Daniel—, para ambos, por favor.

No tardó en aparecer alguien con tazas humeantes y el acompañamiento necesario para servírselas. Sailesh y Daniel se tomaron su tiempo mientras daban vueltas al azúcar recién vertido en las tazas, a fin de ser sometidos a un segundo escrutinio que podía sembrar más dudas o inquietud en sus anfitriones. Era una técnica vieja, pero todavía efectiva.

—Bien —prosiguió Sailesh tras un primer sorbo—, estamos aquí por una cuestión estrictamente rutinaria.

—Nuestro deber es proporcionarles la ayuda que necesiten —corroboró Michael Gladney—. Lo que no acabamos de comprender es el motivo de su visita.

—Es sencillo: estamos preocupados por ustedes.

Ellen Köberer y Michael Gladney se miraron significativamente. Gladney se tocó los gemelos en otro movimiento reflejo.

—Es gratificante la idea de que el Estado cuida de sus ciudadanos, sí, resulta indiscutible. No obstante, no alcanzo a entender qué peligro puede acechar a una empresa sólida y legal como la nuestra —enfatizó los adjetivos sólido y legal.

Los ojos de Daniel se entrecerraron y rozó el brazo de Sailesh pidiendo el turno.

—Ilya Mihailev. —Dijo el nombre sin más, calibrando el efecto que producía.

—¿Sí?

—¿Les suena?

—¿Debería?

Esta vez fueron Daniel y Sailesh los que intercambiaron una mirada.

—Ilya Mihailev, alias Chevengur, nos consta que era uno de sus clientes —prosiguió Daniel sin dar importancia a la respuesta—. Y como ustedes sabrán, falleció recientemente en circunstancias violentas.

Los abogados permanecieron en el interior de su ciudad amurallada. Sailesh dio un segundo sorbo a su café y decidió animar el cotarro.

—¿Conocen la ley RICO? —preguntó con inocencia.

—Somos abogados —respondió tácitamente Gladney.

—Eso facilita muchas cosas. Entonces sabrán que dicha ley es aplicable en toda su extensión al difunto Ilya Mihailev.

—Creo que eso es solo una presunción —intervino por primera vez Ellen—. El señor Mihailev era, efectivamente, uno de nuestros clientes, pero al margen o no de sus presunciones, nosotros tratamos negocios estrictamente lícitos.

—No soy yo quien lo pone en duda, señorita. Sencillamente le estoy informando de la situación tal y como la vemos nosotros. Y nuestro deber es también ponerlos al día de los riesgos que van a correr a partir de ahora.

—Nuestra relación con el señor Mihailev ha quedado desgraciadamente interrumpida.

—Pero en todo movimiento siempre queda una inercia.

—¿Qué quiere decir?

—Los negocios creados por el señor Mihailev tienen un heredero: Valeri Lomidze.

De nuevo un silencio ambiguo, cuidadoso de no dar pie a interpretaciones.

—Ustedes conocen al señor Valeri Lomidze, de hecho han tenido una reunión de negocios con él en Brighton Beach.

Otro silencio congestionado.

—Comprenderá que los asuntos de nuestros clientes sean tratados con el máximo de confidencialidad.

—Es obvio. Y no podemos estar más de acuerdo. La sociedad se basa en la confianza.

—Una confianza que nuestros clientes depositan en nosotros.

—Y estoy seguro de que con buen tino, a juzgar por cómo protegen sus intereses, pero… cómo decirlo… ustedes son conscientes como nadie de que el dinero es un imán… —Se dispuso a terminar su café, pero lo dejó al comprobar que ya estaba helado—. Por ello es inevitable que si colocas un montón de oro al final del arcoíris, la gente correrá hacia él.

Ellen Köberer irguió la espalda, sonrió.

—Nuestros arcoíris terminan en cajas de seguridad.

Daniel colocó las yemas de los dedos sobre la mesa y comenzó a tamborilear sobre la madera, como si telegrafiase mensajes. Sus ojos observaban su taza de café, que permanecía intacta. Toda la atención se concentró en él.

—¿Y sus vidas? —preguntó de sopetón clavando los ojos en la abogada; iba a continuar pero se apercibió que no recordaba su nombre.

—Ellen —despejó ella por propia iniciativa.

—Por supuesto, Ellen —rehiló sin rubor—, ¿y sus vidas, Ellen?, la suya y la del señor Gladney, ¿también puede asegurarme que sus vidas están lo suficientemente protegidas?

A miles de kilómetros de esa pregunta, Radomir carraspeó, sonrió y abrió las manos como si se dispusiera a pronunciar un sésamo que abriera todas las puertas.

—La primera vez que vi a Ratko Zuric me di cuenta de que él sería bueno para mi literatura, eso fue lo primero de lo que me apercibí. La personalidad de Ratko era extrema, un límite, y eso siempre es bueno para las letras, una situación dramática necesaria, una especie de encarnación del destino. Es la atracción de un civil puro como yo por el hombre de acción puro, si se me permite la expresión.

Se detuvo demorando sus ojos acuosos en una de las ventanas.

—Vino a verme a mi despacho —prosiguió—, la guerra ya había empezado, y el personaje de Viktor se hallaba en un estado muy avanzado de construcción, si entiende lo que quiero decir. Pero Ratko no era únicamente un mercenario, Ratko deseaba aprender, preguntar.

—¿Qué preguntaba?

—Acerca del poder, evidentemente, ya que la gente está muy, muy equivocada. La gente confunde poder con influencia, ¿sabe? El poder es algo real, sobre la vida y los bienes de las personas… pero no es solo eliminar o fiscalizar vidas, sino crear directamente su realidad. Por eso yo siempre me he resistido al poder, es mi obligación como intelectual.

Erin no comentó nada ante tamaño embuste. Radomir dio un trago a la Coca-Cola; el posavasos se le quedó adherido y lo despegó con cuidado, colocándolo sobre la mesa y volviendo a encajar el vaso en él.

—Es decir, que Ratko buscaba alguien que le enseñase una magia nueva… —le alentó Erin, imaginando el momento en que ambos olieron su ambición como dos perros se huelen el culo.

—Ratko hacía tiempo que la había descubierto, la guerra ya era para él una caza de las apariencias, el envite no era solo por la conquista de territorios, sino también de los espíritus.

—El mayor crimen de Viktor, su mayor éxito, no fueron sus masacres —Erin recitó de memoria a Slavenka—, sino mostrarnos lo que somos, obligarnos a vivir por encima de las emociones, a sobrevivir condicionándolo todo a lo que recibíamos a cambio de nuestros actos. Nos robó nuestra piedad, nos arrancó las máscaras para que comprobásemos que no éramos más que unos monos aterrados luchando por el siguiente plato de comida.

—Vaya —la sorpresa de Radomir fue genuina—, ¿de quién es?

—De una de sus víctimas.

Asintió admirativamente.

—Entonces resulta innegable que Viktor dejó la huella que pretendía.

—Entonces resulta innegable que tuvo un buen maestro.

—No, no, señorita… —Radomir fingió espanto— no me involucre en los tejemanejes de Viktor. Además yo ayudé a mucha gente antes de la guerra, durante y después, y no solo a serbios; gente que luego dijo cosas terribles de mí. En su momento me limité a atender las consultas de quien era un héroe. No hubiera sido elegante negarme a sus requerimientos.

—Y tampoco resultaba educado negarse a visitar Grapko.

Radomir sonrió y unió las yemas de sus hermosas manos

en un gesto muy calibrado, como dándole a entender que comprendía perfectamente sus intenciones.

—Señorita, la ingenuidad puede ser atractiva, pero solo hasta que es seducida, luego resulta patética.

—No entiendo.

—Creo haber comprendido que no estamos aquí solo para hablar de Viktor, sino también de nosotros, para remover un poco la escoria de nuestra conciencia, el morbo, el narcisismo, la paranoia, la grandilocuencia… —aguardó a que Erin insinuase algo, pero ante su silencio, pasó la mano por su vigoroso cabello y acabó la frase—: en realidad me temo que no se puede hacer una cosa sin la otra.

Allí estaba de nuevo, el demonio de labios finos, directo, sonriendo aviesamente al mostrarle los reinos.

—¿Y qué podemos hacer?

—Podemos contar un cuento. Un artista no informa de cosas reales, sino de cosas posibles, verosímiles. Podemos contar no lo que fue, sino lo que pudo haber sido.

Sí, allí, frente a ella, estaba la máscara, las diferentes encarnaciones del avatar, la sugestión, la potencialidad, el vértigo. Se hallaba dispuesta.

—Me parece bien.

—Excelente, excelente… Llenemos entonces nuestros cabellos de ceniza e imaginemos un Reino acosado por sus enemigos, un reino que para defenderse debe cobrar conciencia de sí mismo, un reino que para unirse y luchar debe volverse dependiente y sumiso, emocionalmente cautivo. ¿Y qué es lo necesario?, ¿qué es lo que debe hacerse? Hay que contar las historias que los unan, leyendas que les oculten no solo la realidad que los harían débiles, sino las que susciten creencias comunes, la adhesión, las que despierten las emociones, las que creen los mitos. Porque son los mitos los que nos implican, los que hacen que reaccionemos, los que nos movilizan mucho más eficazmente que el control y la disciplina. Símbolos y emociones, ésa es la clave de todo. Además ese Reino vive en una época perfecta para hacer uso de ellos, una época de decadencia en la que se confunde el lujo con lo necesario, la estética con la ética, la transgresión con la elegancia... una infantilización que crea magníficas condiciones para el fanatismo, para los actos profundos de miles de voluntades, porque al no preocupar la repetición de lo sucedido, al desconocer o no recordar el pasado, desaparece el sentido de defensa de las libertades civiles... pero creo que me estoy desviando de mi cuento...

—No lo creo. Le sigo perfectamente.

—Eso no lo dudo —Radomir sonrió con satisfacción—, por eso está usted aquí, conmigo, porque desea eludir la infinita imbecilidad del hombre al reaccionar ante los símbolos, quiere saber lo que hay detrás, retratar el particular carácter de la soledad que nace de ese miedo en la guerra entre uno mismo y su imagen en el espejo...

Radomir estiró los dedos de sus manos, los separó, los admiró.

—Entonces, dónde íbamos, ah, sí, estábamos barriendo, hay que barrer el humus histórico para que crezca el mito mediante los himnos nacionales, la conversión del prejuicio en ideología, chetniks y ustachas... Existe toda una panoplia de recursos que los brujos del Reino utilizan para blindar a su pueblo. Y el pueblo responde, y de entre el pueblo surgen los líderes, los ejecutores de los brujos, cada uno con sus particulares demonios, obsesiones, vacilaciones, llenos de vanidad y ansia de realizar la Idea... Y de entre ellos, hay uno en especial que se comunica con uno de los brujos, interesado en ese nudo inextricable entre las palabras y la realidad, y se produce un trasvase, le ofrece un intercambio de experiencia, y el brujo intuye que puede salir de la protección de su máscara por unos instantes, ser testigo de los efectos de la Idea, sus múltiples potencialidades, sentir su vértigo, y cualquier resquicio moral que pudiera quedarle es liquidado por su conciencia de que en una o dos generaciones todos los imperios y los hombres desaparecen, y con ellos todos los testigos que podrían recordar, y una oportunidad como aquella solo se tiene una vez en la vida, que es tan, tan corta…

Radomir guardó silencio y estudió a Erin haciéndole sentir que no podía ocultar nada, que todo saldría de su interior con las manos en alto. A continuación terminó su refresco y la miró a través del culo del vaso.

—Pero antes de seguir —apostilló—, cuénteme algo de usted, Erin. ¿Qué ocurrió aquel famoso día en Sarajevo?

La intervención de Daniel había dejado fríos a los picapleitos. Hubo un tenso silencio. Michael Gladney arrugó su expresión en un gesto de exagerada concentración.

—¿En calidad de qué vienen hoy a nuestro despacho, señores? —Era una evasiva obvia, consideró Sailesh.

—Nos limitamos a cumplir nuestro trabajo: proteger. En este caso de una situación que se les puede ir de las manos. Ustedes tienen clientes, y esos clientes hacen sus negocios y vienen a pedirles consejo profesional, pero en muchas ocasiones desconocen qué clase de negocios son los que manejan ni tienen por qué saberlo. No están al tanto de dónde proceden esas cantidades de dinero que tienen que invertir, no son sus confesores, solo manejan el timón en la fe que desde la cabina de mando de toda esa maquinaria nada puede afectarlos. Pero eso no es exactamente así. A veces, alguno de esos clientes obtiene su dinero de negocios feos, muy feos; unos negocios que provocan necesariamente conflictos, y cuando menos se lo espera uno, se ve involucrado en medio de una guerra. ¿La causa de esta que nos atañe? Yo no la sé, señores, ¿y ustedes?

Tanto Ellen Köberer como Michael Gladney no se inmutaron, manteniendo todas las mentiras en su sitio.

—Pues si ustedes no conocen las causas, yo solo puedo especular acerca de la ambición o la envidia, sobre incidentes aislados, pero que van sumándose. Y donde antes había confianza ahora hay recelo, y alguien que se empieza a dar cuenta de que su dinero, el dinero que, pongamos, le ha encargado organizar aquí a alguien, la estructura financiera que debía custodiar, empieza a tener coladeros. En un negocio como éste las casualidades no existen, por lo tanto este señor, pongamos Spectra, pide explicaciones a su valido, pongamos Ilya, y éste vacila o no da las aclaraciones adecuadas. Es entonces —Sailesh simuló sobrecogerse— cuando las cosas empiezan a pintar muy negras. El señor Spectra decide enviar a un embajador, podemos llamarle Viktor, para que ponga las cosas en su sitio. Y vaya si las ha puesto. Sin embargo, lo insospechado en toda esta elucubración es por qué Viktor amplía sin venir a cuento una guerra privada. De improviso, el fuego alcanza a Zakhar Yaponchik, el jefe de un grupo georgiano que también opera en la ciudad. En un principio creímos que era un Bespredel, un juego sin reglas, una forma de crear el caos entre los adversarios. Digamos que el señor Spectra, ya que se ha visto obligado a enviar a alguien para optimizar su sección de negocios neoyorquina, de paso aprovecha para liquidar a cierta competencia. Es factible, ¿no creen? O por lo menos eso pensábamos…

Sailesh buscó la aprobación de los abogados para continuar, obtuvo un evasivo gesto de asentimiento.

—Bien, bien —sonrió a Daniel—, pero en medio de todo esto aparecen ustedes: American Accountancy and Legal Services. ¿Qué hacen de repente los abogados de Ilya Mihailev, alias Chevengur, reuniéndose en una dirección de Brighton Beach con Valeri Lomidze, el sucesor de Zakhar Yaponchik al frente de la organización georgiana? —Se encogió de hombros; los abogados desoyeron una pregunta tan perspicaz—. Vaya... a lo mejor es que también llevan los asuntos económicos del señor Lomidze, por otra parte un muy respetado arquitecto de la ciudad. Sin embargo, como ya he dicho antes, en este negocio la casualidad no existe, y por lo tanto nosotros, nuestro trabajo, nos obliga a establecer hipótesis, a jugar con las variables. Barajamos unas cuantas, pero la que parece más probable es que el señor Mihailev tuviese algún tipo de enfrentamiento con el señor Spectra, puede que porque el señor Mihailev no jugase limpio o porque tuvo alguna diferencia o sencillamente, y digo siempre acaso, el señor Valeri Lomidze le hizo una oferta que no se podía rechazar para traicionar al señor Spectra. Todo esto sucede continuamente, me refiero a las luchas de poder, feroces, subterráneas.

—Tiene usted una imaginación excelente —encomió la abogada.

—Muchas gracias, pero deberían considerar seriamente nuestros consejos. Operaciones bursátiles, carteras de valores, cuestiones fiscales... sí, todo eso está muy bien, pero tantos muertos... yo creo que los sobrepasa.

—Veo la fuerza de sus argumentos —dijo Ellen—, pero sigo sin poder establecer ningún tipo de relación con nuestra empresa.

—¿No han recibido recientemente mensajeros, ultimátums?, ¿alguna llamada?

—Si se refiere a algún tipo de amenaza, mi respuesta es taxativamente no.

Aquello fue un jaque mutuo, las miradas cortaron como un filo de papel. Y los agentes hubieran tenido que mantener el teatro si la voz de Ellen Köberer, cuando les respondió, no hubiera enronquecido imperceptible. Había sido un desfallecimiento minúsculo, casi inapreciable, pero para quienes llevaban años lidiando con culpables e inocentes, aquello era un indicio. Daniel entrelazó las manos sobre la mesa y adoptó un tono varios grados bajo cero.

—Hay épocas en que todo el mundo está nervioso, épocas en las que basta un fósforo para que arda todo. Ahora mismo cabe esa posibilidad. —Sacó una tarjeta y la cuadró sobre la mesa—. Éste es mi número, sinceramente espero que no lo tengan que utilizar, pero consideren también que cuanto más tarde se decidan, menos podremos hacer por ustedes.

Aquello era una despedida, y así lo entendieron todos. Se levantaron, se despidieron y el hombre del traje carísimo los volvió a acompañar dieciséis pisos abajo hasta el vestíbulo abovedado y policromado para salir al frío vítreo de Nueva York, a la perspectiva elevada, ingrávida de sus edificios —desde cuyos vértices los vigilaban las esculturas de bronce de Romanticismo Kamikaze—. Bocinazos, autobuses frenando y rechinando, los golpetazos en la puerta de los taxis, oleadas de personas con abrigos recios o gorros de piel con orejeras, en tránsito, ateridas, separadas entre ellas como por campanas de vidrio.

—¿Qué crees que van a hacer? —Daniel formuló la pregunta mirando de soslayo, cuando se detuvieron al lado de un semáforo.

—Ni idea —dijo Sailesh tirando hacia arriba de la cremallera de su anorak—, todo depende de la presión a la que se los someta. —Dio con el tope de la cremallera—. Habrá que esperar.

¿Qué ocurrió aquel famoso día en Sarajevo? Erin se removió inquieta, pero sonrió para disimular su desasosiego. Radomir exigía su tajada, cruda, sanguinolenta. Quería ver lo que había bajo su máscara, descubrir quién era Erin cuando estaba sola y creía que nadie la observaba. En tiempos sucios, los tratos también lo eran.

—Ocurrió lo que tenía que ocurrir. O lo que no tenía que ocurrir.

—Usted seguía buscando el enigma de la luz, una realidad, algo puro y severo, sencillo y claro. Directo.

—Era mi trabajo.

—Pero usted iba siempre más allá. Ahora mismo también lo está haciendo.

—Quizá esté enferma.

—Heridas, por supuesto. —Se acarició la mandíbula, pensativo—. Todos somos seres heridos, algunos sacan fuerza de la herida y otros dejan que la herida acabe con ellos. —Erin pensó en su pobre madre—. Hábleme de la suya.

Radomir entrecerró los ojos, tenía la certeza de que quien ha huido mucho de la memoria es quien siente más alivio al abrazarla. Lo sabían bien los curas, los psicoanalistas, no hay olvido verdadero que no comience con el recuerdo, es la necesidad de respuestas, los porqués, las causas. Erin le habló del cieno de autocompasión y odio que había habitado; de la ataraxia, esa ausencia de deseo, de la angustia, del descontento, de la ambición que proviene de la amenaza de esa nada que nos acecha. La misma que le había llevado hasta Sarajevo, hasta los extremos impredecibles de la insensatez: el ansia por lograr «la imagen».

—Quien estuvo en la ciudad durante aquellos días nunca va a poder salir, y quien no estuvo jamás va a poder entrar —compendió.

La entiendo, créame que la entiendo, señorita, murmuraba Radomir. Repetir las penas conocidas actuaba como un narcótico, un lenitivo, igual que esas películas antiguas en las que te tranquiliza ver los gestos y las palabras que te sabes de memoria, todo acompañado por su discurso suave, culto y ligeramente depresivo. Radomir dejaba que Erin hablase y solo la detenía de vez en cuando para aclarar algún punto. Hasta que llegó el momento en que los dos estuvieron junto al francotirador, aquel individuo rubio, tan delgado que parecía que el esqueleto se le transparentase bajo la carne, sentado en una silla desvencijada, con un Dragunov apoyado sobre una tronera abierta en la pared, entre sacos terreros, y fueron ambos quienes le pagaron para que les permitiese acompañarle, y fumaron con él y charlaron sobre su terrible oficio en el que una vida humana costaba cien marcos alemanes, acerca de lo incómodos que se sentían los demás soldados a su alrededor porque él miraba a los hombres antes de matarlos; tenía esa frialdad, esa parsimonia, elegía cómo hacerlo, cuándo, dónde, dominando sus emociones, la tensión que era capaz de soportar, e incluso compartieron alguna sonrisa mientras el *spez* vigilaba de cuando en cuando por su mira telescópica el trastorno inconcebible del orden natural que se desplegaba ante él, lo increíble acumulándose sobre lo increíble, y fue en ese devenir cuando el tirador se atiesó y adaptó su cuerpo al arma, la tocó como si fuera un instrumento musical valiosísimo y se hizo uno con ella, su ojo derecho soldado al visor con una devoción lenta, artesanal, y entonces aquella cría que brotó de la nada, con un bidón de plástico blanco en una mano, cruzando la calle y deteniéndose en los pasos de cebra, como si los semáforos todavía funcionasen o hubiese algún coche que pudiese amenazarla en los cientos de metros vacíos que la rodeaban, y el rifle adaptando su tempo al tempo de la niña y la cámara de Erin adaptado el suyo al tempo del rifle, y qué sintió, le preguntó implacable Radomir Prcac, indignación, respondió Erin sin dudarlo, una indignación a una escala que podría interpretarse como locura, y aun así no dudó en sacar foto tras foto, con frialdad, con aplomo, siguió contando sobrecogida de nuevo por su propio relato, y continuó presionando el disparador cuando el spez alcanzó a la niña hasta lograr algo parecido un haiku visual, algo grande, sucinto, porque aquél era el momento que todo profesional esperaba o temía, lo terrible como fuente de lo sublime, la mirada intentando alcanzar lo absoluto, la tempestad de Turner o el color abisal de Rothko, la katarsis del mundo, y lo explicó sin ahorrarse la descripción del placer viscoso y oscuro que experimentó al margen de su discurso oficial, el poso de lujuria y complacencia que la había embargado por ser consciente de ser ella y no otra quien lo había logrado: mostrar un mundo más allá de la sensibilidad y la razón, una agonía infantil que sublevaba y ofendía, sin atemperar ni ocultar, sin magnificar ni consagrar. Era la emoción más fuerte. El escalofrío metafísico. La paradójica delicia de la contemplación del terror o la carroña. El deseo de destruir la belleza.

—Agón —sentenció Ramodir con un ligero asentimiento—, la condición humana es un puro agón en el sentido griego, una lucha permanente contra uno mismo, la batalla que la razón acepta contra los humores y la locura. En esa lucha el corazón puede morir y el cuerpo seguir viviendo.

Erin no respondió. Radomir se dio pequeños golpes con el

índice en su labio superior. A su alrededor la sala continuaba plácida como la superficie de un lago en calma, peinado circunstancialmente por leves brisas, mientras ellos se sumergían en su gélido, vasto, oscuro, turbulento e impredecible seno.

—Y desde entonces… —añadió por último Erin— tengo el mismo sueño…

Un ritornelo. Un circuito cerrado. Noche tras noche, moliendo su conciencia en círculo. Siempre las mismas imágenes oníricas, con una fidelidad en los detalles que posiblemente solo podría hallarse en el tacto. El francotirador separándose de su arma antes de disparar, en esa rara intimidad igual a la que se crea entre dos personas que hablan sin motivo a una hora inexacta de la noche, penetrándola con sus ojos, una mirada ajena a la moral, la autoestima o la dignidad, sus labios pronunciando las palabras, una frase muda, sílabas que no sonaban, pero que se adivinaban masivas, irrevocables.

Se miraron.

Habían llegado a lo que semejaba uno de esos nudos marineros, que parecían fuertes, seguros, pero que resultaban fáciles de desatar.

—¿Realmente le dijo algo? —preguntó Radomir.

—No…

—¿No?

Erin frunció los labios.

—No lo recuerdo. Si me lo dijo, no lo recuerdo en absoluto.

—Pero lo sueña cada noche.

—Sí.

—Sueña que le dice algo… algo importante.

—Sí.

Radomir Prcac asintió y se miró las manos, se las frotó lentamente. A través de las ventanas, el mar gris.

En sístole y diástole.

Sístole y diástole.

—… y fue entonces cuando algo surgió de aquel encuentro entre el soldado y el brujo en aquel Reino asediado —retomó su monólogo como si la confesión de Erin no hubiera existido—, algo parecido a cuando eres un muchacho y crees que has encontrado a un amigo y te sientes atraído por la fuerza del cortejo y actúas más abierto de lo que quieres, más efusivo, con ganas de complacer, de explicarte, de implicarte. Y el brujo fue invitado a un lugar real, un lugar donde la guerra palpitaba como un corazón y se apoderaba de uno y le concedía todos los deseos. «La gente evitaba mirarle a los ojos, porque multiplicaba tu miedo, elegía al azar, sin nombres, sin acusaciones, sin veredictos.» Y el mundo cambió para el brujo, solo hizo falta un arma, nunca había tenido un arma en la mano, y disponer de ella resultaba erótico, su posesión, la convicción, la disuasión, el miedo. «Y los hacía arrodillarse, y los ejecutaba allí mismo, dejándoles antes que rogaran durante un minuto o dos, cuanto más terror sentía la víctima más disfrutaba.» Y su mundo se convirtió en algo ciego, sordo, hermoso como una tormenta. Una forma verdadera y pura del conocimiento, una condensación, una máxima intensidad. «Y ejecutó a una chica joven. Y ejecutó a un viejo. Y ejecutó a un soldado… ahogamientos fingidos, amenazas, ruletas rusas…» El poder, querida Erin, antes hablábamos del poder. Pues bien, yo puedo definírselo bien, de una forma precisa: el poder no es más que la obsesión por uno mismo y el desprecio inevitable de los demás.

Unos años atrás a Erin le habría costado impedir que sus emociones la traicionasen, pero en ese momento fue capaz de absorber aquella revelación sin pestañear. ¿Cómo podía uno equivocarse con tanta sofisticación, con tanta erudición, con tanta profundidad? A su lado cualquier verdad parecería insípida, incolora.

—Y ahora usted está aquí —Radomir sonrió—, buscando comprender al monstruo, pero cuando me mira no acaba de entender que no pueda ver ninguno, ¿no es cierto, Erin? No ve a alguien a quien odiar, sino únicamente un espejo; creemos odiar al espejo, pero solo nos reconocemos, nos odiamos a nosotros mismos en él, y cuando le disparamos nos disparamos a nosotros mismos, nos suicidamos, y si le matamos nos quedaremos solos.

«Soy yo, qué significa eso…» Radomir Prcac tenía razón, él no estaba loco, de hecho estaba cuerdo, mucho más cuerdo que los psiquiatras que quisieran tratarle. Él se había mirado en Viktor, ella en Radomir; querían entender, explicar cómo cambia la guerra a las personas, el modo inconfundible en que lo hace, sus actos indescriptibles, que no eran en absoluto inhumanos, sino humanos, muy humanos. «Soy yo, qué significa eso.» Erin estudió a Radomir, su cabello abundante, sus carnes opulentas derramándose alrededor, su agradable sonrisa… cuanto más lo estudiaba más normal le parecía y más miedo sentía, porque Radomir no era una excepción, sino la norma. Y tal vez la única diferencia entre ellos fuese que Erin no había estado en su lugar.

—Todavía quiero esa foto —decidió en voz alta Erin.

Radomir pareció divertido.

—Aún cree en el misterio… Pensándolo bien, tiene razón, la necia ilusión humana de un principio, un medio y un fin en el gran teatro de la vida, la catarsis, la conclusión, la consumación justa y perfecta no es más que eso: una ilusión necia. No hace falta solucionarlo todo, basta con participar en el misterio. Queremos creer en el misterio, debemos creer. —Cerró los ojos y dio un par de aplausos flojos—. Si no cómo explicarse, en medio de toda aquella falta de empatía, el amor que Viktor sentía por Ator.

Ator. Atora. Tora. Atoratoratora. Todas las alarmas comenzaron a chillar en la cabeza de Erin, pero se obligó a pasar de puntillas sobre aquella pista porque sabía que si Radomir intuía que aquello podía ser un poderoso elemento de negociación, no dudaría en utilizarlo. Debía ser él quien se decidiese a aclarárselo, Erin adoptó un mohín distraído.

—¿No me diga que tenía su corazoncito?

Radomir se regocijó.

—¿Recuerda cuál es la foto más conocida de Viktor?

Erin rememoró la instantánea en la que Ratko Zuric aparecía con un arma automática en una mano y un pequeño cachorro de lobo en la otra, apoyado contra un blindado al que se habían subido un montón de encapuchados armados hasta los dientes.

—Sí, la recuerdo, esa en la que sale con Los Lobos Blancos.

—Buena memoria; Ator es el nombre con el que bautizó al cachorro. Fue su mascota durante mucho tiempo, iba con él a todos lados. Debería haber visto el amor que le tenía, si alguien le hubiera hecho daño a aquel animal…

—Reconforta pensar que incluso él tenía sentimientos —se mofó Erin, al tiempo que su mente giraba como un diábolo buscando las posibles consecuencias de aquella revelación.

Radomir adoptó un inconfundible aire de escepticismo y saludó sonriendo a alguien que pasaba por detrás, dedicándole unas palabras en serbio. Aquella era la escenificación de que ya se habían dicho todo lo que tenían que decirse, y Erin dio definitivamente por sentado que Radomir Prcac no era ni un convencido ni un corrupto ni un monstruo, sino un simple cínico que flotaba entre la mierda. Se disponía a levantarse cuando Radomir la detuvo cogiéndola suavemente del antebrazo.

—Por cierto, ya que busca hacer fotos, ¿no quiere una mía?

—Lo siento, no he traído la cámara.

Radomir cerró los ojos con una mímica de dolor.

—Lástima. ¿Sabe? Adoro sentir sus ojos en mí...

Las horas siguientes en la habitación del hotel fueron una búsqueda frenética de respuestas. No cabía en su cabeza que el tartamudeo terminal de un mafioso ruso y el nombre de una mascota fuese una coincidencia. Y si esa relación existía, sus dedos corriendo frenéticamente sobre el teclado acabarían dando con él. Erin utilizó la inteligencia y la intuición a partes iguales, la mezcla era como un perro al que lanzabas un palo y traía cualquier cosa, y ella debía repetir con paciencia con lanzamientos hasta que volviese con algo que tuviese sentido. Ator, atora, tora, atoratoratora... fotos, datos, chismorreos, crónicas, reportajes, blogs, foros... en aquel universo concatenado, entrelazado, donde todo era emisor y receptor al mismo tiempo, ella cavó profundamente, entre las apariencias digitalizadas y los simulacros, buscando huecos en la vida de Viktor donde pudiesen encajar aquellas sílabas. Fue prescindiendo de todo lo que no era verosímil, sus conjeturas fueron dando círculos más y más cerrados hasta que solo quedó un precipitado, un concentrado, un hecho que provocó que Erin apretase las mandíbulas y después esbozase una sonrisa de triunfo. Era aquello. No podía no serlo.

En ese instante, un hombre tomaba un slivovice en la terraza de un café colgado en lo alto de una colina; se sentaba en una mesa azul, alrededor había cuatro sillas de plástico. Embutido en ropas paramilitares, rondaría los cincuenta, una madurez que le había ido resecando como un viejo roble expuesto al fuego. Su rostro era afilado, áspero, con las venas de la frente muy marcada, el cabello cortado al uno, rubio, sus miembros nervados, los ojos claros, casi luminosos. A pesar de que el sol había abierto temporalmente los oscuros farallones de nubes, el frío arañaba fina pero dolorosamente, como las uñas de un gato. Su aliento humeaba. A sus pies se extendía Pale, la capital de la república serbia Srpsk, el corazón mismo de la locura balcánica. Bebió de un trago el vasito de licor y pidió otro más a un dueño que estaba viendo un partido de fútbol, y que atendió rápidamente la seña del hombre. No estaba borracho, pero había bebido lo suficiente como para sentirse amodorrado. Le ayudaba a conjurar ciertas imágenes que sin previo aviso asediaban su mente. Eran recreaciones de un tiempo y unos hechos que en su momento le habían parecido naturales, pero que ahora le asaltaban una y otra vez cuando menos se lo esperaba, y no eran agradables.

En ese intervalo, un coche aparcó cerca de la escalinata rota que conducía hasta la terraza; de su interior salieron tres individuos que la subieron. Dos eran recios, musculosos, aunque con un poco de barriga, y el tercero, alto, más joven pero ya canoso, tenía un vendaje que le cubría la mitad de la cara, mientras que en la otra mitad aparecía el rastro amoratado de un accidente serio. Era la primera vez que los veía, pero los reconoció; siempre sabía quién había estado en la guerra, por cómo se movía, su lenguaje corporal, actitudes que siempre los delataban. Le saludaron y él devolvió el saludo. Se sentaron a una mesa cercana. La televisión continuaba emitiendo el partido de fútbol recogido perfectamente por una sofisticada antena parabólica, un artefacto insólito en medio de aquel café ruinoso. Quizá la habían colocado en el pasado, para asueto de los turistas. Pero ahora hacía años que no aparecía ninguno por allí. El hombre echó un sorbo de *slivovice* que le inflamó la garganta. Pale comenzaba a desaparecer parcialmente entre la bruma; las nubes volvieron a cerrarse, feas y mugrientas como montones de basura. Un trueno lejano rodó hacia el este. Entre los comentarios del partido se fueron filtrando las palabras en serbocroata de los recién llegados, voces secas, roncas por el tabaco de los Balcanes. Era una conversación repetida con una arrogancia infantil mezclada con un fulgor demente en los ojos; un runrún archisabido acerca de la traición de los europeos, la maldad de los norteamericanos, causas perdidas y lugares donde sería peligroso excavar, odios abstractos, autocompasión, nacionalismo exacerbado… No había nada peor que recorrer los mismos lugares con un estado de ánimo antagónico al inicial; los anhelos, los sueños se enfrentaban a la realidad y si se insistía se convertían en delirios.

El hombre se aburría y calentó su interior con el resto del licor sin decidirse a pedir otro. En esas estaba cuando la conversación cambió súbitamente de cariz y derivó hacia terrenos inesperados. Los tres individuos comenzaron a hablar de una mujer y de lo ocurrido días atrás; enfatizaban la atrocidad, la venganza, el desprecio, el discurso del depredador a quien se le ha escapado una víctima, en especial el que llevaba el vendaje, que en cada ocasión que se refería a la mujer parecía que le clavasen un cuchillo y le escarbasen con él. El hombre aún permaneció un tiempo escuchando, hasta que cogió el vasito de licor, lo liquidó con un golpe de muñeca, se levantó lentamente y se dirigió hacia la mesa de los individuos. A medida que se acercaba sus rostros giraron como torretas de tanque y le apuntaron. El hombre guardó una distancia prudencial y les dijo unas palabras. Entonces los hombres no dudaron en invitarle a sentarse.

11

El suave canto de las ballenas dentadas
en las noches cálidas, bajo la luna
llena, a cincuenta y dos megahercios

Sábado, febrero, 21.32 h

El anochecer es la hora en que la civilización resulta más reconfortante. El momento en que agradeces un lugar donde cobijarte de las tormentas que avanzan desde cuadrantes de inimaginables alturas, de la brutal asimetría entre los hombres y la naturaleza. Agnes contemplaba con una copa de vino blanco los cientos de gotitas de agua que perlaban las ventanas del salón de los Mathur, mientras Sailesh y Daniel conversaban animadamente en el sofá y picoteaban los entrantes. Fuera llovía y hacía frío, lo ideal para aquella cena con una suave música flotando que te estimulaba, junto al delicado paladar de aquel caldo y los efluvios de los platos a los que Kavita estaba dando los últimos toques. La anfitriona había rechazado cualquier tipo de ayuda, pero aquella había sido la única negativa que había recibido Agnes; la acogida había sido cálida, cercana, se había sentido arropada en todo momento, cuando le mostraron la casa, al despedir a los niños, que remoloneaban con preguntas para evitar irse a la cama, en el brindis posterior. Kavita le había parecido una de esas mujeres fieles a su estilo, que no se preocupaban por las tendencias ni las estaciones, sencillas, divertidas e inteligentes.

Qué mayor demostración de elegancia. Y Sailesh era sencillamente un encanto. Lo suyo significaba un compromiso, la construcción sobre algo para descubrir una verdad; con ellos podía entender lo que era asentarse, el arraigo, sentirse de un lugar. Dio un sorbo al vino y observó a Daniel, ¿cómo podrían ser los actos diarios junto a él?, levantarse por las mañanas, elegirle la ropa, observar juntos la noche, permaneciendo despiertos en su negra orilla mientras millones de personas dormían, acurrucados unos contra otros, desnudos, relajados, indefensos. Desleyó esas ideas con otro sorbo y se acercó de nuevo a la cocina para un último ofrecimiento protocolario que Kavita agradeció pero declinó con una sonrisa, avisándole que no quedaba nada para cenar. En cuanto Agnes dejó de asomar la cabeza, Kavita dio los últimos toques al pollo tanduri de color arcilla y a los ramali rotis; mientras disponía su presentación no podía dejar de tener presente el sexo que apenas unas horas antes había tenido con Lautaro. Desde la primera vez en el Plaza, la primera que lo hacía con otro hombre desde que estaba con Sailesh —tras la que había llorado y de la que a punto estuvo de arrepentirse por teléfono, para colgar en el último segundo—, había quedado otras veces. Y no se descubrió porque si no hubiese tenido que contarle también los orgasmos, la sensación plena de disfrutar después de mucho tiempo, de sentirse deseada, escuchada. Resultaba perturbador desear tanto a alguien; era en cierta manera una necesidad, acrecentada por la culpa de un matrimonio debilitado, en el que rechazaba los besos, incluso las miradas de Sailesh, para aislarse de sus deseos y expectativas. Ya no soportaba esa transformación de la pasión en fidelidad en comparación con el deseo que había aflorado a su piel, tan profundo que no tenía nombre, aquellos flujos subterráneos de líquido ardiente que habían estallado sin previo aviso.

Borró una repentina línea de amargura en los labios, cogió una bandeja y empujó la puerta de la cocina con el hombro, animando a todos a sentarse a la mesa. Se fueron acercando entre expresiones de gozo y exuberantes elogios a la cocinera, que sugirió a Sailesh que hiciese los honores. Éste cogió los cubiertos y sirvió abundantes raciones con la mente en otro lugar, uno en el que había estado con una mujer de voz ronca, de lujoso pelo liso, muy cara, pero que al acostarse con ella no había podido tocarla, y había empezado a llorar, no sabía por qué; había bebido mucho, ella se asustó en un principio y luego le consoló. A partir de aquel episodio no hacía más que sufrir bruscos cambios de humor, de la duda acerca de si debía abandonar lo que ya no amaba para que otro lo rehabilitase, al suplicio por la ofensa, pasando por el deseo más acuciante, el ansia por follar de una manera tempestuosa, casi teatral, para hacerse pedazos, agujerearse, y convocar a base de orgasmos que les subiesen por los hombros y les dejasen paralizados todo aquel amor que se había evaporado. Había recibido otro correo del detective y éste le había asegurado que en un período inminente tendría un informe completo de las actividades de Kavita y unas conclusiones que darían o no la puntilla a su matrimonio, lo que significaría un alivio, un bálsamo para la tensión que soportaba. En esos momentos Daniel estaba alabando la comida, le fascinaba aquella manera tan solemne de las mujeres en las pequeñas tareas, la seriedad femenina en los ritos de lo material: el mundo, estaba seguro, avanzaba hilvanado por aquellos trabajos. Le pidió a Sailesh la cesta del pan; aunque parecía el más despreocupado de todos, en su interior nada andaba en su sitio. Aquel contrasentido de sentirse bendito por esas miradas que cada tanto recibía de Agnes, que no se podían comprar porque estaban fuera del mercado, tocarla, oír su voz, encontrarla al despertarse, los gestos desprevenidos del deseo, el profundo deleite de sentirse vulnerable, un sentimiento tan asociado al miedo. Al tiempo procuraba controlar la demostración de ese sentimiento en la mesa ante el presentimiento de la pena amorosa de aquel matrimonio; había algo que le indicaba que la soberanía y la invulnerabilidad de aquella pareja se había desvanecido, la intuición de un entramado de mentiras, buenas formas y fingimiento. Y el secreto temor de que aquel virus se le contagiase, que lo suyo no persistiera, que no pudiera salvarse. Era algo indefinible, pero que se hallaba en medio de ellos con la contundencia de un tanque en la plaza central de un pueblo.

La cena se desarrolló naturalmente, tejidos brumosos de conversaciones, entonaciones, gestos, titubeos, el vino llenando las copas, la sucesión de platos, los tibios vínculos de la amistad que parecían desplegarse livianamente, esa ausencia de temor a ser juzgado, envidiado o superado. Con los postres de mishtis casero, una mezcla almibarada rellena de crema, Kavita recibió un brindis unánime alabando su mano para la cocina; seguidamente fue a sacar de la nevera una botella de champán que Sailesh había comprado esa tarde para servirla más cómodamente en sillones y sofás. Al otro lado de las ventanas palios de agua cubrían el mundo; el helado champán escanciado en las finas copas las fue cubriendo instantáneamente con un velo mate y estrechas hileras de burbujas ascendieron como perlas diminutas hacia la superficie. Se había creado un clima espiritual y Sailesh aprovechó un intervalo en que las chicas se ayudaron mutuamente a retirar los platos para buscar la connivencia de Daniel.

—Esta tarde han entrado en la casa de Olena Vodianova. La han vuelto a poner patas arriba.

Daniel degustó el champán con un rictus concentrado.

—¿Valeri Lomidze?

—Podría ser.

—¿Y qué te parece?

—¿Qué me parece? Pues no tengo ni idea de lo que pueden buscar.

—No, no, me refiero a Agnes.

—Ah, eso. —Apretó los labios—. Enhorabuena, pero creo que no te la mereces.

Daniel sonrió. Degustaron pensativamente sus copas, y cuando Kavita y Agnes regresaron se apercibieron de la cercanía conspirativa de los hombres.

—Nada de trabajo —les conminó Kavita apuntándoles con el dedo.

Ellos levantaron las manos admitiendo su culpabilidad y se separaron un poco, como queriendo borrar todo rastro físico de connivencia. Agnes se sentó en un sillón y encendió un cigarrillo con lentitud y concentración. Kavita eligió una silla y tomó su copa, aprovechando para llenar el resto antes de sentarse. Las conversaciones siguieron fluyendo como la música, creando un tiempo distinto del de los relojes. La lluvia de aliento monzónico en los cristales. El alcohol bien medido, favoreciendo la relajación, el entusiasmo. Los chistes, las imitaciones. La vida. Extraña. Frágil. Sofisticada.

—¿Os apetece algo más? —inquirió Kavita en un silencio.

—Un poco de champán. —Daniel acercó la copa a la botella en hielo.

—A mí también me apetece una cosa —dijo Agnes.

—¿Te has quedado con hambre? —preguntó Kavita con cierto desamparo.

—No, por Dios, la comida ha sido… demasiada. No, me refiero a que quiero hacer una pregunta.

—Pregunta lo que quieras —ofreció Sailesh con un gesto de dadivoso pachá.

—Es una curiosidad… lo que yo querría saber, si no es mucha indiscreción… es ese momento que tenéis grabado, a veces es importante y a veces no tiene relieve, ese instante que no se os va de la cabeza y no sabéis por qué.

Daniel manifestó cierta desaprobación; Kavita, sorpresa, y Sailesh, interés. Este último no lo pensó mucho y contó una extraña historia sobre una flor de pétalos azules que sobrevivía en los desiertos de Sonora, en ciclos de muerte y resurrección de diez años. Todos celebraron el cuento, y Agnes, tras una larga calada al cigarrillo y exhalando con pericia el humo por la nariz y por la boca, apuntó a Daniel. Éste comenzó un relato sobre una mujer que había visto desnuda en un hotel de Memphis. En un momento dado se vio interrumpido por el sonido de su móvil y pidió un atribulado permiso para contestar ante la queja y desilusión de su auditorio. Abrió el teléfono, era un número privado, pero cuando daba paso a la llamada ésta se cortó. Guardó el teléfono con un gesto abatido y luego sacó un pañuelo para sonarse. Terminó el relato y Agnes sonrió y se levantó para acariciarle la mejilla; Kavita supo que lo amaba por cómo lo hizo, y algo la arañó por dentro, porque aquel tiempo vital y dorado en que ella hacía esas cosas quedaba lejos. Agnes volvió a sentarse e hizo patente que era su turno. La suya fue una historia honda, existencial, sobre una culpa del pasado, que hacia el final le resquebrajó un poco la voz, con la emoción acumulándosele en los ojos y la garganta. Al terminar sintió una imperfección profunda, casi dolor, pero aquella confesión que había surgido naturalmente la ayudó a enfrentarse de nuevo a aquel remordimiento. Esta vez fue Kavita quien se acercó a ella y le agradeció la confianza que había depositado en ellos.

—Ahora mismo estás tan adorable que te podría poner en la punta del *Titanic*, como DiCaprio a la Winslet —dijo Daniel.

—No seas hortera —le respondió Agnes sonriendo.

Sailesh terminó su copa y volvió a repasar su pasado reciente, las oportunidades perdidas, los dramas, los desaires, las expectativas frustradas. Todo eso, la suma de nimiedades que llevan al desastre, se reflejó en sus ojos cuando le preguntó a Kavita: ¿y el tuyo?, ¿cuál es tu momento? Kavita le devolvió una mirada vacía, un silencio que podía significar una irritación o sencillamente que no tenía nada que decir. Ambos compartiendo el sentimiento de culpa que implica el rechazo. ¿Cuándo? ¿Cuándo se había disipado toda aquella energía? Pareció como si algo frío y antiguo se hubiese sentado con ellos en el salón, algo terriblemente hostil, hasta que sonó una palabra que fue capaz de borrar todo aquel aire tenso, lastimado.

—Mami.

Se giraron hacia la puerta del salón. Allí, pequeñito y somnoliento, estaba el hijo menor de los Mathur, con un pijama verde y la firme determinación de no moverse hasta que su madre no fuese a rescatarle. Todos rieron y dijeron las cosas que se dicen cuando se es testigo de lo vulnerable. Kavita se levantó con determinación y cogió al chiquillo, que inmediatamente se acurrucó en el hueco de su hombro y se dejó llevar a su dormitorio. Le acostó en la cama y le remetió las sábanas. Luego se quedó allí, sentada, serenándole con esos sortilegios que únicamente conocen las madres, y considerando todas las veces que se había ocupado de sus necesidades, lo indefenso que se veía, lo necesitado, todo el trabajo y el amor que implicaba su vida, y también pensó en lo que le aguardaba en un futuro cercano, cuando poco a poco ella dejase de ser todo su mundo y la necesidad se disipase y fuese transformándose en un extraño, impaciente, siempre con ganas de marcharse y al que ella no podría proteger más del deterioro que implicaba la existencia, de la decadencia de los matrimonios, de la empresa perdida que significaba traer hijos al mundo. Entretanto, en el salón sonó un móvil, era de nuevo Daniel. Esta vez la llamada no se cortó; en cuanto oyó aquella voz conocida se levantó y se puso a pasear por la estancia. Sailesh escuchaba monosílabos y expresiones de asentimiento y sorpresa, veía suaves sonrisas, miradas neutras o concentradas, resoplidos, pero solo estaba atento al regreso de Kavita, ¿por qué tardaba tanto? Las mínimas burbujas del champán caliente que seguían ascendiendo como diminutos globos sonda. La lluvia que percutía con fuerza en los cristales, densa, primitiva, aumentando la sensación de cobijo. El cedé que se termina y un susurro electroestático como un hilo de arena ocupando su lugar. Agnes, intuyendo algo, se puso en pie y anunció que iba al cuarto de baño. Daniel, cada vez más excitado, redoblando la intensidad de su paseo, arriba y abajo. Sailesh apretando la mandíbula. Agnes avanzando por el pasillo, oye un llanto mudo, se detiene en el umbral de la habitación de los críos, contempla a Kavita sentada en el borde de la cama, con su hijo mirándola fijamente, asustado, mientras por su rostro arrasado caen lágrimas diminutas como esmeraldas. Nada podía protegerlos, ni los años, ni la experiencia, cuando uno se veía reducido a la parte más vulnerable, la más verdadera de sí misma. Y el fragor insomne de la lluvia atravesando la noche. Y las burbujas en procesión interminable. Y Sailesh que observa cómo Daniel termina su conversación y guarda el móvil y se acerca electrizado, con una amplia sonrisa, y coge su copa de champán, la llena hasta forzar las últimas gotas de la botella y la eleva a la altura de su nariz.

—Se trataba de Erin Sohr —le explicó a Sailesh—. No hemos podido hablar mucho, estaba a punto de coger un avión, pero era urgente.

—Sí, ¿y qué quería?

—Agradecernos que le hubiésemos facilitado la reunión con Radomir Prcac. A cambio tenía algo para nosotros: ha descifrado lo que significa Ator.

Aeropuerto Ben Gurion, unas horas después

Cada vez que llegaba a Israel, Erin experimentaba cierta ingravidez, una elevación gozosa, como si escuchase una cantata. A pesar del retraso por un incidente en un enlace que la había dejado colgada en un aeropuerto, era inapelable que la llegada al país excitaba su parte trascendente. La noción de una tierra de profetas lapidados y salvadores descuartizados, las áridas cadenas de montañas, los desfiladeros y las cuevas, los desiertos alcalinos, la sal y las víboras, los cuchillos ensangrentados, los volúmenes sagrados, todo se ligaba en su mente produciendo un efecto lenitivo. Aunque ese sentimiento se diluía con rapidez en cuanto tenía que pasar los exhaustivos controles que alambraban su entrada. Había llegado de madrugada y tenía un sabor a hongos podridos en la boca; su mente solo estaba ocupada por una ducha y un desayuno continental, así que cuando logró franquearlos, cogió un taxi, le dio la dirección del hotel y se recostó en el asiento. Hacía una temperatura razonable para febrero, y en el trayecto pudo admirar el amanecer magnético, casi místico, en el que las fronteras de color iban gradualmente transitando del negro al gris claro y luego al violeta en un deslizamiento emocionante que te atraía, te rodeaba, te implicaba. La entrada en

Tel Aviv, la mezcla de Bauhaus, reminiscencias soviéticas y rascacielos, las extrañas coronaciones en forma de pagoda de algunos edificios, los solitarios minaretes que recordaban su fundación sobre las ruinas de siete aldeas palestinas; el laberinto de calles curvas en las que resultaba difícil orientarse si se perdía la referencia del mar, el discurrir del vehículo por el paseo marítimo aún con las farolas encendidas, con apenas gente salvo uno o dos que habían madrugado mucho o prolongado la noche crápula, atropellada e intensa de Tel Aviv. El mar ronroneando. Israel, Israel, quién añora el orgullo de David, ahora que posees la soberbia de Goliath.

Llegaron al hotel y tras dejar las maletas al botones, subieron a la habitación; le despidió con una propina no sin antes encargar un desayuno pantagruélico. Puso la televisión y comprobó que las telenovelas sudamericanas hacían tantos estragos en el país como en el resto del mundo; también aprovechó para encender su portátil y ya que no sería razonable hacer una llamada por el desfase horario, envió unos mensajes a Alvin refiriéndole sus andanzas y diciéndole lo mucho que le apetecía que la follase durante unas cuantas horas y que luego le diese un besito de buenas noches. Cuando llegó el desayuno se aplicó a él con fervor misionero, y entre las tostadas con miel, el zumo, la fruta, los huevos revueltos con jamón y suficiente café shajor como para levantar a un muerto, se puso al día con los periódicos, haciendo un especial hincapié en la actualidad del país. Cuando se cansó, fue al baño con la idea de darse una ducha demorada e hirviente, pero al estudiar en el espejo las bolsas grisáceas bajo los ojos, la gradación de colores de sus moretones, junto con el chorro de agua impactando en la bañera, tuvo un virulento acceso de recuerdos y cerró el agua. Salió a la terraza, un generoso mirador que daba directamente a la línea de playa; podía respirar el salitre, oír el palpitante hervor de la pleamar, contemplar la superficie rugosa y blanquecina de la arena. Volvió a entrar en la habitación, cogió su cámara y regresó a la barandilla para sacar algunas fotos, básicamente paseos vacíos, como en esos primeros daguerrotipos en que las calles aparecen sin un alma debido a que las largas exposiciones requeridas no alcanzaban para impresionar el movimiento en las placas. Así pasó el tiempo hasta que los destellos fugaces del sol en ascenso sobre el agua le provocaron un deseo, una necesidad apremiante. Regresó a la habitación, cogió una de las toallas del baño —ni siquiera se acordó de montar su trampa virtual—, y desde la puerta principal del hotel cruzó directamente al paseo, bajando a la playa y extendiendo la toalla con pulcritud. Luego se desvistió hasta quedar en ropa interior, toda su piel erizada; aquello era vivificante y no vaciló, se encaminó hacia el agua e hizo una carrera final lanzándose a las pequeñas olas. Sintió la violencia de un instante tónico; estaba embriagada, reía sofocada por el esfuerzo, extendía los brazos para alargar la brazada, buceaba concentrada en aquel rito purificador que se bastaba para cuartear toda la suciedad que había acumulado. Tiritando, salió del agua y se dirigió hacia el bulto de ropa. A su lado había una mujer que la vigilaba con seriedad; vestía pantalones y un abrigo oscuro que custodiaban unas formas redondeadas y generosas como en esos cuadros de serrallos orientales, una cara de maestra, bronceada, con unas gafas de montura negra, y una larga y pesada melena negra con canas naturales recogida en una cola.

—*Shalom*. Está prohibido bañarse en ropa interior —recibió a Erin secamente.

Había personas cuya voz no tenía nada que ver con su apariencia, y aquel era un ejemplo.

—*Shalom*. Disculpe, acabo de llegar y no tenía bañador. Y el agua era muy apetecible, hace mucho que no me bañaba en el mar, y mucho más que no visitaba el país.

—Tendré que multarla.

Erin extendió las manos con resignación.

—¿Me permite vestirme antes? Hace frío.

—Vístase.

Se escurrió el pelo haciendo un tornillo con las manos, con la cabeza de lado, casi horizontal, y luego se secó vigorosamente con la toalla, castañeteando, para ponerse la ropa trastabillando con el pantalón. Cuando estuvo lista, le indicó el hotel.

—Tengo el equipaje allí.

—Lo sé.

—¿Cómo lo sabe?

—El Estado de Israel lo sabe todo de las personas que han sido invitadas alguna vez a abandonar el país.

—De eso hace ya mucho tiempo.

—En Israel todo ha sucedido ayer.

Ese ayer eran los tiempos de la Primera Intifada, un poco antes de los acuerdos de Oslo, cuando Erin había llegado a Gaza haciendo que los palestinos sustituyeran en su imaginario de mártires a los sarajevianos. En aquella época ya había comenzado su irrevocable ruina, y ella había mezclado razón y sueño para amarlos y crear un ideal que imantó su vida, ciega a un levantamiento que había comenzado como algo heroico y terminado en una sucesión de asesinatos mutuos, fanatismo y violaciones. Fue Miriam, una compañera periodista —que también trabajaba para el Shabak, la agencia para la seguridad interna de su país— quien la había puesto en tela de juicio, contando todos los muertos que habitaban su interior.

Ambas dejaron de fingir.

—Eres una de las personas a las que tenía pensado llamar, Miriam.

—No me digas. La última vez dijiste unas cuantas cosas de esas que no se pueden retirar.

—Era más joven y era otra época… Ahora esto parece el club Med en comparación.

—Son solo apariencias.

—¿Me vais a poner en un avión?

—Depende.

—¿Depende de qué?

—De si solo has venido para darte un baño.

Erin recogió uno de los calcetines y empezó a caminar hacia el hotel. Miriam la siguió. Entraron en el hall y Erin le rogó que la esperase, se cambiaría y bajaría lo más rápido posible. Cuando regresó, Miriam la esperaba en uno de los sillones hundiendo una bolsita del té en una taza humeante. Erin se sentó en una silla a su izquierda.

—¿Y bien? —le preguntó Miriam.

—¿Cómo te ha ido en estos años?

—No fui una buena madre judía, y ahora soy una estupenda abuela judía, para compensar —resumió—. ¿Me vas a contar a qué has venido?

—¿No tienes curiosidad por mi vida?

—Luego. Primero quiero saber qué haces en Israel.

—Es privado.

—¿Te apetece coger un avión esta tarde?

Erin levantó la mano para pedir un agua mineral con gas. Después le hizo un resumen sobre Ratko Zuric.

—Además de ser antisemita, sigues estando como un cencerro —concluyó Miriam, satisfecha con su juicio.

—Lo más antisemita que se me ocurre es un sándwich de mantequilla con jamón…

—No te gustamos, nunca te hemos gustado.

—¿Es no gustarme querer que los otros tengan una casa, que no haya muros jodiendo?

—No empecemos con toda esa mierda relativista.

Miriam tomó un sorbo de té.

—Bravo, acabamos de volver al punto donde dejamos la discusión hace años.

—La gente no cambia.

Erin dio un trago de agua. Las burbujas de gas le picaron en la garganta. Ambas estaban más alteradas de lo que querían aparentar, pero guardaron silencio; en un hall casi vacío, solo se escuchaba el mantra del mar, su rezo infinito. En realidad, Erin discutía con una Miriam a la que en el fondo comprendía; ella era seca, dura, una de esas mujeres fuertes que han tenido que luchar más que los hombres y cuando llegan lejos les gusta demostrar su poder. Y siempre había sido complicado desenvolverse en aquella maraña de desinformación, emocionalismo tribal, oportunismo político, fragilidad, contradicciones míticas... No obstante, aquella era la gente que había hecho nacer flores en el desierto. No le apetecían más pugilatos emocionales. Alargó la mano con su palma hacia arriba.

—*Mazel tov.*

Miriam se encaró con ella sin ceder en su mirada áspera, como madera sin pulir; estaba irritada pero reflexionaba, acabó por bajar los ojos a la taza de té y tocar la porcelana como si albergase dudas sobre su consistencia.

—*Mazel tov* —concedió.

—Bien, y ahora me puedes poner un poco al día sobre la comunidad rusa de Israel o me obligarás a ir por ahí abriendo matrioskas.

Miriam quedó un poco aturdida, como si le hubieran preguntado por el color de su ropa interior, pero comenzó a desplegar un relato a medias conocido por Erin. A partir del 89 los judíos de la antigua URSS habían disfrutado de un privilegio valiosísimo: optar por la ciudadanía israelí sin tener que responder a demasiadas preguntas y perder así de vista la peligrosa, empobrecida y en muchos casos espeluznante Rusia. Los primeros centenares que habían solicitado el pasaporte pronto se convirtieron en miles, y esos miles en centenares de miles; en menos de una década el país se vio invadido por un millón de judíos rusos, era la *aliyah*, la vuelta a casa. Entre las diversas contrariedades que surgieron destacó la maciza identidad cultural y secular de los inmigrantes, que chocaba contra el judaísmo y el sionismo, así como su elevado nivel educativo. Las tensiones sociales, el resentimiento, la dificultad de la integración no tardaron en aparecer, provocando que los inmigrantes rusos estableciesen un Estado dentro del Estado. Como suele suceder, la mayoría eran honrados, pero si el uno por ciento de un millón no lo eran, la cantidad de malos resultaba considerable. Los problemas se habían concentrado sobre todo en Tel Aviv —la Ciudad del Pecado, como la denominaban los periódicos—, una ciudad más permeable que el resto del país debido al boom de las inversiones extranjeras y el turismo, que la globalizó a marchas forzadas. En todos los sentidos. Un nuevo mundo sórdido y clandestino de burdeles, proxenetas, secuestros, extorsiones… que afectaban a toda la sociedad israelí.

—En cuanto aprendieron a pedir una pizza a domicilio con champiñones o sin ellos —apuntó Miriam—, no les fue demasiado complicado pedir luego una puta con el pelo rubio o pelirrojo.

Le dijo aquella verdad como quien tira un trozo de estropajo al suelo. Ambas pusieron cara de circunstancia. Un camarero se acercó para preguntar si necesitaban algo, y luego volvió a ejercer el adictivo arte de hacer todo lo que no fuera el trabajo que debía hacer.

—Así que —prosiguió Miriam—, en estos momentos tenemos a un montón de ratas que se nos han colado, muchas ni siquiera judías. Además Israel es un lugar ideal para invertir y blanquear dinero, porque el sistema bancario está diseñado precisamente para fomentar la *aliyah* y facilitar la entrada de capital. Los mismos jefes criminales que se instalaron llegaron a un acuerdo entre ellos para no poner en aprietos al Estado; éste era un lugar para descansar, lavar algunos billetes y, sobre todo, un pasaporte, una puerta para viajar al resto del mundo. El problema es que lo llevaron todo de una manera tan discreta que para cuando las autoridades se dieron cuenta del problema, ellos ya se habían enquistado en la sociedad. Tienen recursos financieros de sobra para defenderse legalmente y lavar su imagen, lobbys de influencia en la Knesset y el gobierno, apoyo del *stablishment* ruso...

—Un buen panorama.

—Tenemos más frentes que el palestino, aunque no parecéis entenderlo.

Se disponía a continuar su alegato cuando comprendió que en aquellas circunstancias sería frío, doloroso y repetitivo. Aunque cualquier otro tema parecía un pretexto para no abordar aquel. Cambió el sentido de su argumentación.

—A eso súmale la falta de presupuesto de la policía por la crisis, y que la delincuencia organizada nativa tiende a copiar lo peor, judíos que matan judíos, y da como resultado una cama muy grande con una colcha muy pequeña que hay que ir moviendo, si cubrimos una parte destapamos otra, y así vamos tirando.

—Entonces, ¿no tienes ni idea de qué podía hacer Viktor

aquí entre el 23 y el 27 de mayo de 1999, y hacia dónde se dirigía por la carretera de Eilat?

—Puede que sí, puede que no.

Erin no esperaba una solución rápida.

—¿De qué depende?

—Habría que echar un vistazo, lo detuvieron en las afueras de Be'er Sheva. Lo que no sabes es que ese día se había decretado una alerta general por una amenaza de atentado, y había otro control unos cien kilómetros más adelante. Pero a ése no llegó, en ese intervalo tienes tu respuesta.

Miriam quedó absorta en sus reflexiones; durante un instante pareció que iba a revelarle algo, pero fue tan efímero como los destellos que saltaban en la superficie del mar.

—Creo que alquilaré un coche e iré a Be'er Sheva —decidió Erin.

—Podemos ir en el mío.

—Muchas gracias, pero no te molestes, seguro que tienes que hacer un montón de cosas más importantes.

—Mientras estés aquí, no.

Se sostuvieron la mirada, estaba claro que no la iban a dejar sola. Erin experimentó una especie de ligereza, como si hubiera vuelto al principio de su carrera, cuando las certezas eran duraderas y había una manera de ordenar las cosas, de valorarlas, una definición clara de la vida. ¿Aún poseía esa capacidad de indignación esencial para triunfar?

—Ahora los reporteros ya no van ni empotrados, los secuestran directamente.

—Es lo que hay.

Erin se encogió de hombros y se levantaron, pero antes de dirigirse al coche, Miriam le mostró sus manos.

—Por cierto, tú no podrás dejarme una lima de uñas, ¿verdad? La mía está gastadísima.

Un cielo azul claro de extraordinaria pureza se extendía sobre ellas, la visibilidad era excelente, y el todoterreno de Miriam avanzaba por la carretera hacia Be'er Sheva con la música de algún grupo local de fondo. Todavía le duraba el enojo por la multa que había encontrado en su parabrisas, que había disparado en su boca una metralla de insultos. Lo pagó luego un inocente conductor entre el tráfico de Tel Aviv, recibiendo una andanada de pitidos y blasfemias. El paisaje urbano fue progresivamente derivando en campos frutales, cultivos cítricos, sorgo, olivos, huertos que se iban alternando con otras zonas muertas. Cuando llegaron a la capital del Negev, la ciudad donde Abraham se había establecido tras abrir un pozo, el verde fue extinguiéndose y las llanuras amarillas, las colinas calcáreas, las pálidas montañas y las blancas casas fueron reemplazando las notas de colores frutales. Erin percibió cómo aquella ciudad, igual que cada hombre, recibía su forma del desierto al que se oponía. Una vez superada, el paisaje cambió bruscamente, entrando en un área desértica. Arena endurecida, agrietada, petrificada; Erin iba notando cómo el paisaje entraba en ella por ósmosis, quedaba atrapada en su acontecimiento. Aquél era un mundo vertiginoso en el que se vivía en varios siglos a la vez, lo sublime y lo ínfimo y lo sacro y lo profano y la confianza en el hombre y su irrisión y la fe y el caos. Todo aquello no podía traducirlo en palabras, por eso sacó la cámara y captó a lo lejos una línea de humo como un extraño árbol, de arborescencia negra en la base y blanquecina en las alturas; capturó a un hombre sentado como un profeta, solo y absorto, al borde de la carretera, una pequeña gasolinera vacía con un grafiti en rojo que decía No robarás, un niño corriendo detrás de una cometa, un carro de combate con sus orugas arrancadas que yacía semienterrado en la arena con ese fulgor de antiguo galeón hundido. La cámara hablaba de una tierra que se adaptaba tanto a la paz como a la guerra mucho más rápido que los hombres, de la violencia como signo exterior de una catástrofe moral, de la vida, en suma, que no eran cifras, sino indicios, de lo que está por llegar, de lo que viene. De lo que se fue.

En un tramo de la carretera fueron detenidas por un control; los soldados paraban los vehículos y dependiendo de la filiación de sus ocupantes, se llevaban los documentos a una garita y allí se desentendían de los papeles charlando con sus camaradas. Aquella no era seguridad, sino la simple aplicación de una geografía mental, un mapa psíquico, para que quien tuviera que enterarse supiera a quién pertenecía la carretera. El viejo *debellatio* romano, la ley de la fuerza aplicada espacialmente. Al cabo, lo único que deseaban los palestinos era *moverse*. Para ellas no supuso ningún retraso, Miriam sacó la documentación y los soldados se limitaron a un ligero saludo; luego le informó de que el control en que habían detenido a Viktor había sido colocado unos kilómetros más allá.

La carretera llaneaba hasta el horizonte, en línea recta, mostrándose y escondiéndose en varios cambios de rasante. Barrancos y uadis la atravesaban, la dividían, la cortaban. A veces Miriam conducía como si hubiera una tormenta, con las manos tensas sobre el volante y la cara pegada al cristal. Llegaron a una desviación indicada por una señal naranja en tres idiomas, Revivi, un antiguo kibutz, y Miriam le soltó sin más que aquélla era la única opción civilizada que habría tenido Viktor antes del siguiente control. Erin no lo discutió y torcieron; a medida que se internaban en el Negev el paisaje se convertía en una foto insólita, montículos arenosos, estepas, cañones, y el asfalto que iba desintegrándose para convertirse en una ruta de tierra bien nivelada, que las envolvió en una nube de polvo del loess y la piedra caliza, en la que los puntos cardinales se perdían y las nociones de arriba y abajo se dislocaban. A Erin le surgió la interrogante de si ésa sería la razón por la que tantas religiones habían surgido del desierto, paisajes en los que era necesario tener normas abstractas para orientarse y lidiar con ellas el infinito. De repente el vehículo entró en un cambio de rasante y luego en una ligera depresión para volver a ascender por una zona asfaltada de nuevo; más allá del parabrisas comenzaron a dibujarse las figuras alabeadas de unas palmeras, gradualmente, primero los filos, después su tronco. La impresión era la de uno de esos espejismos que brotan temblorosos a través del aire abrasado. A medida que se acercaban el color seco, ceniciento fue transfigurándose en colores frescos y tiernos. Revivi era un kibutz edificado en un uadi que había sido privatizado y transformado en una propiedad de recreo. De hecho todavía podían distinguirse construcciones arcaicas diseminadas por el paisaje, de clara utilidad agraria, almacenes, silos, granjas… Ahora era una urbanización de formas orgánicas, casi gaudinianas, que se mimetizaba con los colores paja y marfil que la rodeaba, un emblema de civilización en medio del vacío. Tenía un alambrado perimetral con garitas y cámaras que originalmente debían de estar controladas con seguridad privada, pero que se hallaban perturbadoramente desiertas. Las treinta o cuarenta casas separadas por muros vegetales también podían estar vacías o no, no había signos que pudieran decantarlas en una dirección u otra. Miriam detuvo el vehículo y apagó el motor; un silencio denso, sin ecos, se extendió desde el vehículo y refluyó hacia ellas. Se bajaron del vehículo y Miriam le ofreció un botellín de agua a Erin, que lo abrió y le dio un par de sorbos, enroscando el tapón antes de devolvérselo. Mientras se volvía para examinar las casas, Miriam aprovechó para desentumecerse y consultar algo en la pantalla de su móvil.

—No parece que haya nadie —subrayó Erin.

—Son quintas de fin de semana, hay unas cuantas por esta zona.

Erin soltó un sonido gutural de asentimiento y empezó a andar; su curiosidad errática verificó que las casas parecían haber sido clonadas a idéntica escala, cada una bautizada con nombres de diferentes flores: Jazmín, Petunia, Glicinia… Caminaron por las aceras que, imitando la extravagante caligrafía arquitectónica, no guardaban trazados lineales típicos; algunas terminaban en callejones sin salida en forma de rotonda, otras culebreaban en extraños e ineficaces diseños. La vegetación xérica había sido sustituida por árboles frutales, palmas datileras, macizos de flores. Curiosamente no se veían cables, ni de luz, ni de teléfono ni de televisión, todo debía de correr bajo tierra o se hallaba cuidadosamente oculto para preservar el entorno de tal contaminación visual. No lograron descifrar en cuáles de ellas podía haber gente y en cuáles no. El silencio era estentóreo, como la pregunta que se repetía Erin: ¿qué había ido a hacer Viktor al culo del mundo? Pero la interrogante parecía mal planteada, Viktor había viajado como un fantasma, y como tal deseaba lo que deseaba todo fantasma: un cuerpo, por lo tanto, ¿qué o quién se hallaba en condiciones de proporcionárselo?, ¿y por qué en aquel lugar? A partir de ahí, cualquier razonamiento que se sintiese tentada a realizar siempre parecía a punto de romperse. Estaba confusa, silenciosa, con el cansancio pintado en el rostro, que se iba ramificando por todos sus miembros, junto con el hambre y la sed. Además la temperatura había descendido, tenía frío, y la luz se había ido degradando, un horizonte de naranja y hollín que se iba apagando, llenándolo todo de sombras. Ya brujuleaba por inercia cuando a sus espaldas escuchó la voz contrariada de Miriam.

—Vaya, vuelve a funcionar.

Erin se dio la vuelta y la vio mirando la pantalla de su móvil mientras movía de un lado a otro el aparato.

—Aquí hay cobertura —añadió.

Erin se quedó inmóvil, en actitud expectante, como si aquello le hubiera sugerido algo. De repente su expresión se volvió perdida, absorta en cavilaciones, hasta que su mirada se intensificó.

—¿Cuándo perdiste la cobertura? —le preguntó.

Miriam la miró distraída.

—Pues no sé.

—¿Cuando salimos del coche la tenías?

—Sí, claro.

—¿Y mientras andábamos?

—También.

—Medítalo con calma. ¿Hacia dónde crees que se colgó el móvil?

Miriam se dio la vuelta para calcular los metros recorridos usando como referencia las casas.

—¿Cien metros más o menos? Hacia allí —apuntó con el teléfono.

—Bien, lo que vamos a hacer es volver sobre nuestros pasos y atentas a ese móvil —especificó Erin.

Miriam no acababa de comprender lo que pretendía, pero no puso objeciones y deshicieron lo andado; tras unos cuantos metros se interrumpió la conexión y Erin silbó largo y bajo, aunque sin aclarar nada. Conminó a Miriam a seguir andando y no volvió a haber cobertura hasta un buen trecho.

Establecieron más o menos las líneas divisorias donde ésta se terminaba y se situaron en su punto medio. Frente a ellas, un poco escorada hacia la izquierda, se levantaba una de las casas; no había nada que la diferenciase del resto, pero Erin la escrutaba con una expresión de alivio, como si hubiese sacado la cabeza de bajo el agua.

—Estuvo aquí.

Miriam enarcó las cejas y alargó las vocales con indulgencia.

—No me digas.

—El teléfono no funciona, y nada funcionará por la radiación electromagnética de los inhibidores. Esté o no esté, el dueño de esta casa no desea ser vigilado, y Ratko Zuric vino hasta aquí para tener una entrevista con esa persona.

Miriam no respondió en un primer momento, pero luego lo hizo con cierto fatalismo.

—Eso es estirar mucho la goma.

—No hay otra. Y además hay una manera de comprobarlo.

—No vamos a entrar ahí.

—No, no me refiero a eso, solo tienes que preguntar a tus amigos a quién pertenece. Si es alguien importante seguro que lo tienen vigilado. Y te prometo que cogeré un avión ese mismo día y todos contentos.

Miriam sopesó la oferta tímida y agresiva que le habían hecho.

—¿Tienes hambre? —dijo al cabo.

—Ahora que lo dices…

—He traído algunos bocadillos. Vamos.

Comenzó a andar hacia el todoterreno, Erin la siguió. Las sombras ya lo habían empezado a emborronar todo con tinta fresca, una tranquilidad expansiva iba apoderándose de la zona; algunas estrellas eran ya visibles, alfilerazos, puntos de luz arracimados en zonas de diferente intensidad fría. Se introdujeron en el vehículo, pero Miriam prefirió salir de la urbanización y conducir unos kilómetros antes de aparcar en la orilla de la carretera. Puso la calefacción, encendió la luz de la cabina y mantuvo prendidos los faros, el efecto visto desde lejos debía de ser el de un inesperado y refulgente árbol de Navidad en medio del desierto. Miriam sacó una bolsa de la guantera con emparedados y más botellines de agua. Siguió rebuscando y encontró una botella forrada de cordel o mimbre, para el frío, señaló. Fuera, la temperatura había descendido seriamente. Comieron y el apetito hizo que los sándwiches les supieran a gloria; mientras lo hacían distinguieron a lo lejos un vehículo que venía en su dirección, otro resplandeciente árbol de Navidad rodante que avanzaba a buena velocidad. Los bocados y las masticaciones se fueron espaciando entre la curiosidad y cierta desazón; el vehículo iba adquiriendo tamaño al mismo tiempo que su inquietud. Miriam abrió de nuevo la guantera y como de un pozo mágico sacó una Heckler & Koch cuyo cargador comprobó, colocándola en el borde de su asiento. No está de más ayudar un poquito a Dios, comentó para quitarle gravedad. Comprobó su maquillaje un segundo en el retrovisor antes de apagar las luces de cabina. Ambas tenían presente que allí, desguarnecidas en un yermo, cualquiera podría echar la culpa de dos cuerpos sin vida a un ataque terrorista. El coche siguió acercándose, aunque sin ralentizar su marcha, y cuando pasó de largo con violencia y fue tragado por la lejanía del desierto, no comentaron nada, pero se notó un relajamiento en sus miembros. Terminaron los emparedados sintiendo una pesadez agradable, y Miriam —tras guardar la pistola— abrió la botella, un fuerte licor de higos que podría utilizarse perfectamente en el quirófano más exigente. Erin consideró alegar sus problemas con el alcohol, pero optó por no parecer descortés. Allí, pasándose la botella una a la otra, se hizo evidente que el hombre no soportaba el vacío, las conversaciones más triviales no tenían en la vida menos importancia que las trascendentales. Entre trago y trago, tras los reflejos militaristas floreció una Miriam diferente, razonable, persuasiva, que definía las cosas con calma y ejercía la hospitalidad con entrega. Evitaron todo lo que tuviese que ver con la política y hablaron de páginas web donde se vendían los mejores esmaltes de uñas, de la dieta que seguía Miriam, de viejos conocidos y nuevos extraños, de un taller de teatro que seguía su hijo y sobre el servicio militar que había comenzado su hija, toda esa sensibilidad en personas acostumbradas a ver sangre que surgía en el recodo más inesperado. También hablaron del pasado, de toda esa sedimentación de máscaras que se habían sucedido en aquellos años; con algunas encarnaciones se identificaban con facilidad, como si hubieran sucedido ayer, de otras se distanciaban, ya no había comunión, todo se había desvanecido. A ratos parecían hallarse en una *hevruta*, esa antigua institución judía de estudio en comunidad en la que se reflexionaba, se discutía, se recordaba para mantenerse vinculados a toda la cadena de antepasados hasta los cimientos de la raza, para comprender el código oculto de tu identidad. Se notaban ya un poco borrachas, cuando Miriam, exaltada, echó un último trago del gollete de la botella y la guardó.

—Tenemos que volver —decretó—. Pero antes... antes tienes que ver una cosa, no puedes marcharte sin verla.

—¿Qué es?

—Algo importante.

Arrancó el todoterreno y volvió a la carretera con un resuelto volantazo. Rodaron en silencio por la llanura desértica mientras una luna amplia y luminosa se hacía cargo del cielo, arrancando brillos tornasolados al cuarzo de los salares. Miriam siempre tenía la sensación de que se podía cruzar aquella estepa indefinidamente, sin detenerse jamás. Cuando llegaron a Mitzpé Ramon, un pueblo construido sobre la autopista a Eilat, a pocos kilómetros de Be'er Sheva, los faros barrieron el damero de casas y se internaron entre ellas hasta llegar al borde del cráter sobre el que lo habían construido. Apagó los faros y dejó que la luz helada de la luna, tan onírica como la de un eclipse o un sueño, iluminase la hermosísima planicie que se extendía allá abajo, hasta los pies mismos del horizonte, hasta la montaña más alta del Negev. Aquél era un paisaje sobre el que verter toda la desesperación del mundo. Miriam esperó a que su invitada apreciase la majestuosidad del regalo que le había hecho, hasta que le desveló que aquello solo era el envoltorio.

—Vamos a bajar.

Arrancaron de nuevo y el todoterreno descendió por vueltas y contravueltas hasta el fondo del barranco. Luego abandonaron el trazado y giraron a la izquierda, abriendo surcos en el suelo áspero y calizo. Una nube de polvo alcalino envolvió el vehículo, fosforesciendo durante un intervalo indefinido. Cuanto más se adentraban en el cráter más retrocedían en el tiempo; sus grandes espacios en blanco, la terra incognita de los antiguos mapas medievales. Miriam terminó de cuadrar las distancias con el ordenador de a bordo y detuvo el motor. De inmediato, los poderosos haces de los faros congregaron frente al vehículo a pequeños animales, incluida una gacela, hipnotizados por el círculo de luz, en precaria tregua vital. Miriam cogió la botella de licor y la animó a seguirla. Caminaron unos cientos de metros, la sal crujía bajo sus botas, suspiraba sometida a los brutales cambios de temperatura de la noche desértica. Una claridad espectral lo iluminaba todo con nitidez. Cuando Miriam se detuvo, Erin la imitó; sentían escalofríos, pero el alcohol les proporcionaba un simulacro de calor.

—Mira —dijo Miriam.

Erin observó la llanura como cuajada en nata, un fogonazo blanco: la sensación era la de flotar en algún pastoso líquido amniótico.

—Somos astronautas.

Miriam sonrió, echó un trago.

—Mira bien —insistió.

Erin no entendía lo que Miriam deseaba de ella; las lejanas cordilleras, la planicie de mármol helado, las sombras alargadas que proyectaban en el suelo algunas piedras calizas, aquellos extraños surcos… Erin sintió cómo la adrenalina se ramificaba por todos sus capilares, se acercó hasta aquellas rayas trazadas en la cal que no eran tales, sino grietas largas y profundas en la vieja realidad. No se hallaban en un desierto baldío, sino en el mar, en el fondo de un mar, uno que había desaparecido millones de años antes, y que ahora la aplastaba con su ausencia.

—Son ballenas —susurró Miriam—. O algo que se le parecía.

O algo que se le parecía. Aquellas ilusorias estrías eran en realidad espinazos, gigantescos espinazos de animales marinos, monstruos abominables, impensables, que habían habitado y depredado un mar remoto y sordo. Fósiles, aquí y allá, sucesiones de vértebras, mandíbulas, dientes curvados, testigos de una oscuridad en la que durante milenios se devoraron entre sí en luchas feroces y perpetuas. En aquellas profundidades, lejos de colonos y laicos, de pacifistas y ultraortodoxos, de árabes israelíes, de inmigrantes rusos o etíopes, de palestinos, lejos de las contorsiones de la lógica y las acrobacias morales, de los helicópteros, ambulancias, disparos, lamentos, insultos, manifestaciones, retransmisiones en directo, lejos de tribus y formulaciones engañosas, de la rabia, la penuria, la piedra y el cuchillo, los recuerdos legendarios y los futuros heroicos, los francotiradores, lejos de símbolos, lágrimas, ofensas, sobre la sal reseca, lejos, muy lejos de la impertinencia del mundo, en un silencio petrificado, Erin sintió vértigo, y que aquella luz lechosa podía ser el sudario de sus ambiciones.

Antes, cuando le había dicho a Miriam que su marcha del país estaba condicionada a alguna respuesta, había mentido. No tenía la más mínima intención de abandonar la caza, obsesionada como estaba por aquella autocreación constante, la continua referencia a sí mismo de Viktor, su mitologización. Sin embargo, en aquel preciso instante, se sintió cansada, aquel abismo del tiempo se lo tragaba todo, implacable, no eras nada, en ninguna parte, y cuando Erin no fuera más que un puñado de huesos enterrados en sal, el resto también le seguiría. Eran lágrimas, lágrimas en las mejillas del tiempo. Y para combatir aquella certeza buscaba verdades, la Verdad —como ese trozo de papel que metían con la palabra Emet en la boca del Golem, poniendo en marcha a un zombi—, pero cada vez era más evidente que lo único a nuestro alcance era huir de las mentiras pequeñas, cotidianas. Tenía que pensar, ¿qué relación había entre aquel desierto, vaciado de cualquier dato histórico, responsabilidad o sentimiento, y su vida? El radicalismo, la persecución del absoluto ya la había enterrado una vez, sabía que únicamente conducía a lugares inhóspitos, infiernos interiores, secos, fríos y duros como aquella llanura, sitios a los que no se podían enviar ni a héroes, porque todos, absolutamente todos, se extraviarían. ¿Qué podría hacer entonces una simple fotógrafa? Tal vez lo mejor que podría hacer era perdonarse. Miriam permanecía en silencio mientras contemplaba el rostro de Erin debatirse entre el deseo de infinito y el temor gregario a quedar apartada del grupo; cómo intentaba dejar de darse mordiscos para compensar creando fuera de sí lo que aniquilaba en su interior. Erin decidió que debía dejar de despilfarrar energía en ir en su contra, dejar de retener todo lo que agudizaba sus contradicciones. Era un animal descontento, y podía dar por seguro que cualquier análisis de su realidad se le antojaría deficitario. Sencillamente algunas historias no necesitaban finales. Y echaba de menos a su familia. Era la roca sobre la que construir lo que le quedaba, una vida más corriente; el confort, cierta mediocridad incluso, la vida de cualquiera, donde sí se podían proyectar los sentimientos, los profundos anhelos. Y sobre todo, vivir para uno mismo, no definirse ante la mirada del otro. Quizá la verdadera sabiduría fuese así de estúpida. Se acercó a Miriam; su mirada fue tacto; sus ojos, manos.

—Muchas gracias.

Fue lo único que dijo. Miriam sonrió y murmuró acerca de que debía estar muy cansada y que estarían en Tel Aviv en un par de horas. Cuando montaron en el todoterreno, Erin echó un último vistazo a aquel cementerio y sintió ansiedad, porque se dio cuenta de que no podría retener aquellas imágenes, que desaparecerían, pero se forzó a no sufrir por ello. Miriam le dedicó una mirada confirmando si estaba dispuesta, y el viaje de regreso lo hicieron en silencio, Erin apoyada en el reposacabezas, viendo pasar kilómetros y kilómetros de paisaje furioso y resplandeciente, un paraje antiguo donde había fallado la ordenación del mundo, mientras el sueño iba acechándola con esa forma de aplastarse al suelo que tienen los felinos. Cuando llegaron a Tel Aviv ya llevaba su buena media hora durmiendo, y frente a la puerta de su hotel, Miriam se vio obligada a zarandearla reiteradamente ante el sueño profundo en que había caído. Erin se despertó con un sobresalto y levantó la mano.

Un cielo gris y malva iba elevándose como el decorado de una gran función, mientras numerosos pájaros se desgañitaban saludando al día, en frenético griterío, trazando trayectorias vertiginosas frente al hotel. La mañana estaba bien entrada cuando Erin se asomó al balcón y pudo disfrutar de uno de esos momentos en la vida en los que, a pesar de no ser una maravilla, te alegras de estar vivo. El aire cargado de salitre, el mar rompiendo contra la arena, su rumor continuo y poderoso. Aquel era otro país, otro idioma. Sobre su cabeza la mancha blanca de un avión pasando por el corredor aéreo hacia el aeropuerto; los primeros ciclistas y patinadores de cuerpos perfectos recorriendo el paseo marítimo hacia Jaffa. Al norte, Erin adivinaba la fortaleza de Acre. Y en alguno de los islotes frente al puerto, Perseo había salvado a Andrómeda del mal genio de Poseidón. Erin entró de nuevo en la habitación; no hacía falta avizorar demasiado para darse cuenta de que alguien la había registrado mientras estaba en el Negev. Ya no le importaba. A partir de ese momento ya no se consideraba una de esas personas que se sentían responsables de todas las catástrofes del mundo, sino una turista más. Era demasiado tarde para hablar con Nueva York, así que decidió esperar hasta comunicar su regreso a Alvin y pidió un desayuno abundante, se duchó, y consultó en el ordenador los periódicos locales y el *Times* —no obstante, todavía comprobó infructuosamente en los medios serbios si se había encontrado el cadáver de un tal Milo—. Chasqueó la lengua, se tomó dos cafés solos y abundantes y se vistió. La ciudad que habían fundado sesenta y seis emigrantes la esperaba con toda su decadencia y vitalidad, un lugar donde se vivía deprisa porque se era consciente de que siempre se estaba al borde de la tragedia.

Pasó la mayor parte del día flaneando por la zona vieja, recorriendo las galerías de arte, comiendo en pequeñas terrazas y haciendo compras por Dizengoff y Shuk Betzalael, la seducción, los halagos, los descuentos, las sorpresas... oler, saborear, degustar, rozar, contemplar, admirar... Andar por la ciudad la devolvía al anonimato, la obligaba a redefinirse y a la vez reinventarse como quisiera. Por la noche, tras hablar con su familia, cenó sola en un restaurante. En una mesa cercana, tres árabes gigantescos comieron de la misma manera que en las sagas medievales islandesas, cuyos héroes se disputaban el trono en una contienda gastronómica en las que terminaban comiéndose los huesos y hasta los platos. Es la diferencia lo que nos hace hermosos. El día siguiente también fue brillante y cálido, llamó a algunos conocidos, de esos que habían pasado casi diez años sin verse pero que la saludaron con la misma falta de énfasis que si se hubieran visto la noche anterior, comiendo y cenando con ellos. El tercer día lo pasó en la playa, leyendo un libro de Etgar Keret comprado en una tienda de segunda mano. Cuando regresó al hotel, en recepción le avisaron que alguien la estaba aguardando. Erin buscó por el hall la figura de Miriam, pero el conserje la guió hasta uno de los salones y le indicó a un hombre sentado en un sillón. Tenía el cabello rubio y luminoso como aceite de oliva, la mandíbula prominente, el tabique de la nariz algo desviado, y cruzaba los brazos con el pulgar bajo el mentón mientras observaba el enorme vaso de zumo dorado que tenía enfrente; le llamó la atención el abrigo con solapas de terciopelo que llevaba. El hombre sonrió educado, se levantó y le dio la mano. Erin Sohr, la definió más que saludó. No resultaba amenazador, solo circunspecto. Volvieron a sentarse y dejó la pequeña mochila que había llevado con ella.

—Miriam no puede venir —comenzó disculpándose; tenía voz de barítono—, pero le desea toda la ventura del mundo.

—Muchas gracias.

—Me pidió que ocupara su lugar, me llamo Uri, y no le robaré mucho tiempo. Veamos, usted quería saber de Revivi.

—En efecto.

—Bien, hemos hecho algunas averiguaciones.

—Se lo agradezco. —Erin fingió ansiedad, acatamiento.

—No me agradezca nada, porque nada va sin un cargo. Esa casa lleva tiempo vigilada.

—Vaya. —Suspiró.

—Pertenece a Yuri Abovian, uno de los jefes del crimen organizado en Israel.

—Vaya —repitió, ocultando su alivio por el acierto.

—Es un individuo de mucho cuidado.

—Lo sé.

—Miriam también me dijo que tenía que cumplir algo a cambio.

—Lo recuerdo, no se preocupe.

—Me tranquiliza, pero también me advirtió que usted tendía a hacer lo que le daba la gana.

Erin sonrió como una niña pescada en alguna pifia. No intentó desmentirlo. Uri se puso serio.

—Mire, no queremos —corrigió el plural—, no quiero tener que seguirla por todo el país, ¿comprende? Y sobre todo no quiero ser maleducado, me molesta. —Parecía sincero—. Por eso creo que su camino termina aquí. No sé lo que anda buscando, pero más allá de Yuri Abovian no hay nada. No hablará con usted, no le podrá ver, nadie querrá contarle nada. Es otra división, un jefe de jefes. Si insiste acabará enterrada en medio de ese desierto que ha visto. —No especificó si sería Abovian o él quien lo haría—. Enterrarían al mismo Mesías si volviese otra vez y les causara problemas, créame. Eso en el mejor de los casos. En el peor la acorralará legalmente, la arruinará y convertirá su vida en un infierno. Nada podrá impedirlo. Nadie. Y creo que usted ya conoce esa parte. Todo debe contextualizarse según el momento, ¿no piensa que ha llegado el suyo?

Se sostuvieron la mirada. Erin se desinfló un poco.

—Yo también lo creo.

Erin podía ver en el imperceptible rictus que había cruzado su rostro la mezcla de cálculo, conocimiento, experiencias e inspiración con la cual la estaba juzgando. Finalmente, pareció llegar a un resultado.

—Confío en que ésta sea la última vez que hablamos.

Su atención se desvió hacia el vaso de zumo, pero no hizo ningún intento de beberlo. Se pasó las manos por los pantalones, como limpiándolos de briznas invisibles, y se puso en pie; le sacaba una cabeza a Erin.

—Muchas gracias por su tiempo, Erin Sohr. Entiendo que la ciudad tiene mucho que ofrecer, disfrute del resto de su estancia.

—Lo haré.

Uri se despidió con un gesto seco de barbilla, muy militar —no podía esconder su condición—, luego estudió lo que le rodeaba sin preocuparse mucho por las cosas, con la desgana de un gato, y se giró para embocar el hall y después la puerta giratoria de salida. Erin se quedó mirando su espalda mientras se alejaba, allí, de pie, hasta que desapareció. En un grupo de butacas cercanas, una pareja discutía. Ella no podía oír las preguntas que hacía la chica, solo las respuesta de él: sí, sí, supongo que sí...

Regresó a la habitación. Tenía hambre y abrió el minibar; un par de refrescos, una bolsa de patatas fritas, una lata de aceitunas, barras de chocolate, minibotellas de licores... Cogió las patatas fritas, un botellín de agua y un pequeño lingote de cacao relleno de caramelo. Abrió la bolsa e hizo crujir las láminas curvas y estriadas en su boca, masticando lenta, pensativamente. Entremedias echaba sorbos de la botella, y cuando ya no quedaron más que grasientas limaduras en el fondo, se fue a lavar las manos y volvió a sentarse, abriendo la chocolatina. Sus mordiscos dejaban un brocado en la barra, y cuando dio el último, cogió la cámara de fotos, la encendió y fue pasando las imágenes, hacia delante, hacia atrás. Había sido una frenética búsqueda del aura, el alma de las cosas. Había estado cerca, pero esta vez tocaba quedarse del lado de los presagios, no formar parte de lo inexplicable. Aun así tenía material de sobra para hacer algo, no sabía qué, pero algo. Apagó la cámara. Tenía ganas de orinar; fue al baño. Se sentó en la taza, al acabar se limpió con papel higiénico y después se fue a lavar las manos. Dejó correr el chorro del agua caliente y pronto alcanzó un punto casi de ebullición. Se enjabonó las manos y las colocó bajo el agua, pero cuando se las limpió no cerró el grifo. El vapor comenzó a desprenderse en hilachas, creando a su alrededor una neblina que cegó la superficie del espejo. Pasó el canto de una mano por ella, despejando un húmedo rectángulo. Estudió su rostro. El amor, el trabajo, la amistad, la cultura, el carácter, todo había dejado un rastro sobre sus rasgos, todo lo que conformaba la identidad. Se miraba y a veces podía decir quién era y a veces no, soy yo, qué significa eso. Erin estudiaba obsesiva, minuciosamente su rostro, volviendo a pasar la mano por el espejo cada vez que el rectángulo se llenaba de vaho, hasta que de repente este comenzó a desdibujarse, como si se estuviese derritiendo. Al principio Erin no se asustó, observó el proceso con curiosidad, como si no fuese su cara; a veces el proceso se congelaba, otras su semblante fluctuaba, proteiforme, fluido, como si hubiese tomado un ácido. Pero su estupefacción fue creciendo, el semblante demudándose, un inicio de sudor frío; con cada húmeda pátina despejada su rostro sufría una nueva permutación, así hasta que empezó a sufrir interferencias, su cara se interrumpía, como si sufriera bruscos cortes de energía, un desquiciamiento de píxeles, una tormenta de nieve digital. Y un vacío en su interior que le consumía las fuerzas. Y la conciencia que se desdibujaba, y las imágenes que ya no eran los objetos, y ya no había seguridad de un mundo sólido, todo se debilitaba, titilaba, se volvía cada vez más fantasmagórico. Y entonces el pánico. A estar perdiendo el juicio, a quedar atrapada entre espectros. Salió corriendo del baño y fue al balcón. Allí se agarró con fuerza a la barandilla y aspiró con violencia, incluso rezó con esfuerzo pero sin devoción, solo para invocar un sentimiento adecuado que la protegiese. Al final por sus venas volvió a correr el sentido de la realidad. ¿Qué había sucedido en aquel baño? Qué. Había. Sucedido.

12

No tocarás a Caín

Nueva York, a todas las horas, todos los días, todas las semanas, todos los meses, todos los años

La nieve caída y la sal habían corroído las instalaciones eléctricas de la ciudad, produciendo fuegos espontáneos cuyas detonaciones hacían saltar por los aires las tapas de hierro forjado de las alcantarillas.

Fantasmas de los antiguos transatlánticos anclados en los amarraderos abandonados de troncos gigantes, fósiles.

Un mensajero en bicicleta trazando una geografía volátil entre los coches.

Negros y asiáticos que juegan al baloncesto en pistas con tableros sin canasta.

Restos inamovibles de carteles medio arrancados de antiguas campañas políticas y espectáculos.

Un dirigible iluminado cruzando la noche.

La opalescencia que baña las torres al amanecer.

Un hombre alto y espigado, con el cráneo al uno, junto a un grupo de turistas colombianos que rodeaban a su guía, un adolescente coreano que, con un micrófono enchufado a una caja que colgaba de su hombro, desplegaba una perorata, casi un alegato a favor del significado de la frontera en la historia americana. Tras su proclama nacionalista, hizo que el rebaño depositase su atención en un punto de la Quinta Avenida, y explicó que allí, en 1931, Winston Churchill había sido atropellado cuando cruzaba con el semáforo en rojo y estuvo a punto de perder la vida, con todas las implicaciones históricas subsiguientes. Lo inesperado de aquel discurso hizo que Daniel se fijase mejor en la caja que colgaba del hombro, una empresa de tours llamada En este preciso lugar, y cuyo logo era no miren hacia arriba, sino justo delante de sus pies. Eran lugares históricos que normalmente pasaban desapercibidos: el hotel Lafarge, donde en 1864 se hospedaron los simpatizantes confederados que complotaban para incendiar Nueva York; el bloque de la Avenida de las Américas desde el que en 1973 se hizo la primera llamada con móvil; el Kalustian's, en Lexington con la Veintiocho, el único edificio de la ciudad todavía en pie donde un presidente de Estados Unidos juró su cargo... Daniel pensó que Nueva York siempre te sorprendía, lo difícil era sorprender a la ciudad; frunció los labios, se embutió más en su abrigo y continuó andando.

Ator, atora, toratora... Finalmente las indagaciones que había hecho su equipo habían dado resultados hacía un par de días. Semanas de un trabajo minucioso, lento, acumulativo en la dirección que les había despejado Erin para, en un primer momento, leer lo que les decía el rastro, y más tarde desentrañar lo que quería decir. Ratko Zuric había bautizado a su mascota —una cachorra de lobo, como más tarde habían precisado— como Athor, el nombre de una deidad egipcia del amor, diosa nutricia de la alegría y la ebriedad, cuya representación tradicional, una mujer con cuernos entre los que se apoyaba un disco solar, localizó como el símbolo de la empresa Athor, una sociedad de inversión y bienes inmuebles sita en Liechtenstein, y perteneciente al antiguo conglomerado de negocios de Viktor. Si había sido primero el huevo o la gallina, si había nombrado a la mascota con el nombre de la sociedad o viceversa, carecía de importancia, lo realmente sorprendente no era aquella inocua compañía en el corazón de Europa, sin mayor interés que los otros cientos que radicaban su sede en Vaduz, sino descubrir que el antiguo testaferro había sido sustituido un par de años atrás por una vieja conocida: Olena Vodianova. A eso se le sumaba los correos de Erin sobre la probabilidad de que Viktor hubiera ido a entrevistarse a Israel con Yuri Abovian, el jefe de la Solsnetskaya, que en los noventa consiguió la nacionalidad israelí y se exilió para continuar dirigiendo sus empresas como un inocente y próspero hombre de negocios, y de repente, aunque las piezas estuvieran diseminadas en todas las direcciones, el conjunto había adquirido un sentido. Entre Sailesh y él habían ido tirando de aquel hilo suelto de la cuenta matriz que se iba conectando con otras compañías subsidiarias en la isla de Man, Chipre, Andorra… y de las que iban saliendo urbanizaciones, casinos, hoteles, cuentas de alta rentabilidad… una obra de ingeniería financiera en que partidas de dinero de la prostitución, las drogas y el juego se volvían a invertir gracias a un galimatías societario. Con aquel sistema habían lavado dinero hasta en Marte. En algunas de ellas también figuraba como testaferro Olena Vodianova, pero en otras muchas no.

Hasta allí llegaban los hechos constituidos, lo verificable; a partir de ahí, únicamente podían aventurar, crear su propia historia. Daniel podía imaginar cómo Ratko Zuric había hecho la guerra, generando estrategias, presionando, para finalmente encontrarse no con Artyom Zhivkov, un enemigo, sino con un gemelo, un igual. Soy yo, qué significa eso. Aquel espejo había iluminado otra vez sus sombras, sus necesidades, sus miserias; le había hecho nuevas y arduas preguntas sobre quién era, quién había sido, quién debería ser. Catarsis, combustión, nuevos nombres, nuevas máscaras. Lila. Lila. Y para alguien así solo era relevante la fortaleza como virtud de los que resisten, las largas jugadas existenciales. La derrota que estaba sufriendo le obligaba a preguntarse por las causas, a cegar aquel camino y abrir uno nuevo; como en la obra de Beckett, inventar una nueva historia que contar para aliviar su angustia, para eludir el vacío. Acosado por la ley internacional y por sus rivales, necesitaba no una salida, sino una solución: pertenecer a algo más grande, como había pertenecido hasta ese momento a una imagen idealizada de sí mismo. Los tatuajes de Zhivkov le indicaban el camino, era la memoria de esa pertenencia, un vínculo, una representación mágica. Y se orientó por ellos, realizó su particular peregrinación a Israel, a rendir pleitesía a su adversario, al jefe de jefes, Yuri Abovian. ¿Qué sucedió en aquella casa en el desierto del Negev?, ¿qué humillación o promesa o contrato en medio de aquella nada soberbia, tortuosa, insondable, hermosa y devastada? Nunca lo sabría, solo cabía especular, pero cuanto más misterioso resultaba todo más coherente: negocios de Ratko Zuric que pasaban a ubicarse bajo la égida de Abovian, la marca de ganado como forma de propiedad, elemento de linaje, la fuerza necesaria para renunciar a su familia, de nuevo la pujanza y el nervio para alterar un destino, otra vez el capitalismo en acción, una libre absorción de empresa. Viktor había trabajado para su amo o socio en un intervalo confuso, diversos testimonios de fidelidad. Era la guerra, como fatalidad, necesidad, solución, medio, y Viktor se movía en ella como uno de esos microorganismos adaptados a las condiciones infernales de la lava, porque no solo odiaba al enemigo, sino que entendía cómo le complementaba.

Hasta que en un momento concreto algo había sucedido en una provincia del imperio, un cónsul había elegido un camino equivocado, y entre los meandros munificentes y tortuosos de aquel sistema nervioso, se produjo una fuga de dinero. Presunciones, especulaciones, una conspiración palaciega, oscuras maniobras que implicaban a Ilya Mihailev, Chevengur, con Zakhar Yaponchik, ¿qué nos motiva a traicionar?, le dijo de nuevo Valeri Lomidze, el orgullo, la insatisfacción, el riesgo, el dinero… o quizá era todo a la vez, apuntalados por abogados ciegos y egoístas, atrapados entre los espectros de ideas legales, olvidando los efectos que tienen sobre las personas reales. Al final siempre es peligroso medir la realidad a través de nuestros deseos, repitió Valeri, a tus pies acaba llegando la resaca de actos cometidos lejos, en el pasado, y el nombre de esa consecuencia era Viktor. Poseidón había liberado al Kraken para limpiar la ofensa, para exigir su libra de carne, y lo había enviado a su lugar ideal, una ciudad en la que el valor de la identidad se medía por el éxito de la empresa acometida, una ciudad firmemente vinculada a la acción. Después de la ejecución frustrada del georgiano, Viktor había seguido golpeando aquí y allá, caza menor, pero aun así mantenía la presión sobre el equipo contrario. Y ahora la labor que les tocaba a ellos era seguir cortando las cabezas de la hidra, aun a sabiendas de que por cada testa seccionada saldrían dos más. Ator, tora, atora, el desvarío de aquel sicario agonizante les había dado una parte para llegar al todo, tal vez la empresa fuera la vía utilizada para extraviar dinero, tal vez fuese la conexión inconsciente establecida por un moribundo —al tanto de los pactos establecidos en el pasado— entre el advenimiento de Viktor y su antigua sociedad, tal vez… En fin, en cualquier caso no había certezas, y el proceso de reconstruir lo que había sucedido sería arduo; Daniel recordaba la respuesta que le había dado uno de sus asesores, especializado en banca privada para fortunas millonarias, cuando le preguntó qué dificultad entrañaba lavar dinero en la actualidad comparado con hace diez años: la principal diferencia, respondió con ironía, es que ahora los gestores cobran más. Tal vez los abogados aflojasen, tal vez alguien se fuese de la lengua…

Daniel llegó hasta el hall del 200 de Water Street, saludó al conserje disfrazado de general, y se detuvo para pedirle una copia de las llaves, charlar con él y comentarle lo que podía comentarle. Se montó en uno de los ascensores, subió hasta la planta dieciocho, y recorrió de nuevo el fastuoso pasillo enmoquetado hasta el apartamento de Olena Vodianova. Retiró la cinta amarilla jaspeada por negras advertencias y entró. Todo seguía exactamente igual a como lo habían dejado, muebles volcados, cajones por el suelo, estanterías desvalijadas… y los sucesivos registros no habían enmendado aquella perspectiva. El horizonte de Manhattan seguía enmarcándose en el semicírculo de ventanas del salón, mezclado con los cómodos sofás y butacas de tonos cálidos. Se quedó allí, frente al fantástico acantilado de torres, rascacielos, pináculos, con sus espejos fulgurados de luz. Nubes largas y planas los sobrevolaban. No sabía a qué había ido. Un último homenaje a una vida que de no haber mediado la muerte, posiblemente nunca se hubiera cruzado con la suya; una chica que ofrecía el cáliz de la vida eterna a viejos temerosos del tiempo. Acaso deseaba recibir sus últimos destellos, las migajas de estrellas. Durante toda la investigación, Daniel había albergado la ilusión de que Olena Vodianova tenía algo que aportar, que gracias a ella darían con una respuesta que incluso podría explicarles la vida, el mundo. Pero Olena había sido únicamente una víctima más, usada por unos, violentada por otros, inmolada en el ara de la equivocación y la crueldad. Se movió por el apartamento, el comedor, la cocina, hasta llegar a la habitación. Tenía soldada en la memoria la imagen de su cuerpo sobre la cama, y sintió la angustia clavada como una estaca, la vergüenza, la indignación. Y tuvo la impresión de que aquella muerte era una señal, como si se hubiera desequilibrado el fiel de la balanza del mundo. Y albergó la certeza de que quería ser un hombre decente. Era lo único que quería ser.

Sailesh había quedado con Brad Pitt en una cafetería del East Village. En efecto, se llamaba como el actor, como siempre respondía, pero no, no le gustaría conocerle, seguía adelantándose, y sí, sí le gustaría echarle un polvo a Angelina Jolie. Brad era un judío de Hoboken que había trabajado con Sailesh, un buen hombre que había decidido montar una agencia de detectives; todo en él era grande, cabeza, manos, pecho, y salvo sus pequeñas orejas, el tamaño era evidentemente lo que importaba. Se hallaban delante de dos de los quinientos millones de tazas de café que se tomaban al día en la ciudad, y la desolación apenas cabía en el espacio entre ellos. Brad, tras quejarse de que había vuelto a fumar después de tres años para compartir algo de la desgracia de su cliente, había empujado hacia él un sobre acolchado color naranja con el dossier, algunas fotos reveladas y un cedé con el resto, pero Sailesh no lo había tocado, se había limitado a mirarlo como si fuera una serpiente muerta y escuchar las palabras que Brad escogía con prudencia. Las desgracias sucedían así, sin anunciarse o actuar de forma previsible, como en las películas; no había olores que alertasen, no había advertencias, una llave inglesa caía en picado desde el andamiaje de un décimo piso y se enterraba en tu cráneo, un conductor borracho cambia de carril y se empotra contra el coche de tu hijo adolescente que vuelve de una fiesta, tu mujer lleva follando con otro desde hacía semanas, meses, y tú que te creías tan listo, tan macho. Cuando Brad terminó de hacer su exposición profesional, cambió el tono y adoptó un papel más privado.

—Sailesh, no eres el único, he tenido cientos de casos como este. Por eso quiero decirte que te tomes las cosas con calma, no hagas cosas precipitadas. Todo depende de lo que sientas por Kavita, y como puedo figurarme algo, te diría que tienes dos opciones: puedes dejarlo pasar, a veces son tormentas de verano, duran lo que duran, o bien puedes hablarlo con ella. Pero, sobre todo, tranquilidad.

Sailesh apretó la mandíbula —una vena vibró en su frente—, le miró con cansancio, con la fatiga adelantada de quien se pasará noches contraponiendo preocupaciones, miedos, esa fatiga que se renovará incluso mientras duerme. Ni siquiera recordaría lo que le respondió, pero sí que su tono indicaba que no se habría sorprendido si le hubiera indicado que el fin del mundo estaba a la vuelta de la esquina. ¿Cuáles son las causas para el adulterio?, el desamor, el aburrimiento, el castigo, la apreciación de la belleza, la rebeldía, el deseo de lo que no se tiene… nuestros cuerpos, con sus deseos extravagantes y sus rechazos perversos, con todas esas ansiedades hirviendo en los genes, como si tuvieran un pensamiento propio y dentro de ellos habitase un extraño. Las banales traiciones cotidianas. La política del deseo. Sailesh le dio las gracias a Brad, que le confirmó que sí, que estarían en contacto y que si necesitaba hablar con él se hallaría al otro lado del teléfono, a cualquier hora. Reprimió el impulso de abrazarle, de apretarle contra su pecho. Se levantaron, Sailesh descompuesto, como un boxeador medio noqueado por las evidencias.

Se despidieron con un apretón de manos y, con un gesto maquinal, cogió un taxi. El bangladesí que lo conducía pasó todo el viaje hasta su casa rezando un mantra inextricable por el micrófono de su oreja, conversaciones con su familia, colegas, novias… mientras la radio escupía una música exótica, inubicable. Pagó la carrera y entró en su casa; contemplaba las habitaciones como algo desconocido, como si ya no le pertenecieran. Fue a la cocina a comer un yogur y luego, en su despacho, se sentó, abrió un hueco en la mesa atiborrada, dejó el paquete y encendió el ordenador. Tras abrir el sobre acolchado, sacó los informes, que leyó por encima, y estudió las fotos, instantáneas tomadas con teleobjetivo en las que Kavita salía con aquel Lautaro, en diferentes actitudes. Eran íntimas, irrevocables. Un ojo de insolencia metódica, impúdica que, minutos más tarde, cuando el cedé comenzó sus revoluciones, registraba con profundidad de campo las manos entrelazadas, las sonrisas, cada mirada, besos livianos o profundos, abrazos. Y los celos, retrospectivos, presentes y pasados; se le escapó un sonido gutural, como de niño. Sobre todo cuando la cámara fijó su propio porche, su propia casa, el momento en que ella abría la misma puerta que él acababa de abrir, y entraba con aquel hombre en su hogar, cómo, cómo había podido. Las fotografías se sucedían en la pantalla, algo inhóspito iba engulléndolo, le era difícil ordenar sus ideas, como si le hubieran extirpado su capacidad de razonar. Devorado por la incertidumbre, intentaba recordar momentos en que Kavita parecía fingir, qué terrible no poder confiar en la persona amada, pensó, obviando su propia perfidia, su traición, todo, todo era un puñado de agua. Aquel Lautaro vivía en una dirección de Laconia, y era un simple representante de ropa deportiva; mucho de lo que hería su honor de Vira, de guerrero, era que no le hubiese traicionado con alguien especial, sino con un simple comercial.

Sailesh se levantó y fue hasta el cajón del armario donde guardaba la madeja y las agujas de tejer. Después puso música sedante y tomó asiento de nuevo frente al ordenador. Por unos instantes, las notas hicieron que el mundo pareciese organizado, pero instantáneamente un anticorazón generó tristeza de forma constante. Para aliviarla comenzó a chocar las agujas, había comenzado un jersey, un complejo entramado en el que estaba dibujando a Mahesamurti, una de las representaciones más hermosas de Siva, tal y como la habían esculpido en el templo de Garapuri, a diez kilómetros de Bombay. En sus tres rostros se mostraba la trimurti, las tres formas de la creación, preservación y destrucción. Estaba terminando la segunda, y en breve engancharía los primeros puntos de la tercera. Llevaba ya unos metros de hilo cuando sonó la llave en la puerta de la casa y entró Kavita. Sailesh detuvo el baile de agujas, guardó todo el kit en el cajón, apagó la música, se sentó de nuevo ante el ordenador y giró la pantalla de modo que ésta pudiese verse desde la puerta. Se limitó a esperar y oír los sonidos que Kavita producía en su deambular por la casa, el taconeo por los pasillos, el sonido metálico de las llaves al ser depositadas sobre la mesa de la cocina, los zapatos que golpean secos el suelo al quitárselos pasando la pierna izquierda por detrás de la derecha y tirando con esa misma mano para después repetir la operación a la inversa. La nevera al ser abierta, el chorro del grifo estallando contra el fregadero. Sailesh no tenía prisa, se limitaba a esperar con la certeza de que en cuanto su mujer entrase en el despacho, todo adquiriría un carácter irremediable. Kavita pasó por delante de la puerta, transcurrieron unos minutos hasta que volvió a hacerlo, pero esta vez se detuvo en el marco. Su marido la observaba desde su mesa, en silencio; en un principio no se apercibió de las imágenes que había en la pantalla del ordenador, y cuando lo hizo, primero sufrió un ataque de pánico, un sofoco que a duras penas pudo controlar. Las fotografías se barajaban automáticamente, e iban conmemorando momentos que ella había creído privados y fugaces. Tras unos instantes de desconcierto y zozobra, Kavita sostuvo la mirada de su marido. Adivinó su indignación, su nerviosismo, su decepción, su infelicidad, su tristeza, su aturdimiento, su necesidad de una explicación. Los nudillos blancos apretaban con fuerza un bolígrafo.

—¿De dónde vienes? —le preguntó Sailesh.

—Creo que ya lo sabes.

—Yo no sé nada. Ahora te aseguro que no sé absolutamente nada.

—Nunca has querido saberlo.

El tono irreductible de su mujer sorprendió a Sailesh, que había considerado que bastaría aquella puesta en escena para que estallase en lágrimas. De hecho había planeado ejercer de juez severo pero clemente, utilizar el sentimiento de culpa de su esposa para renovar una relación de sometimiento.

—Ahora sí quiero.

—Ahora ya no tiene remedio.

—¿Qué no tiene remedio? —Sailesh se reprochó un matiz de consternación que se coló en su firmeza.

—Todo, Sailesh. Esta relación, el futuro, cuando pienso en el futuro… ya no pienso en ti. Lo siento… tanto.

Sailesh no podía creer lo que acababa de escuchar, pero Kavita se iba sintiendo más firme, más entera a medida que su marido respiraba con progresiva dificultad. Sin embargo, éste se rehízo y exigió sus derechos.

—¿Qué significa ese hombre, ese... Lautaro?

—No es lo que significa, Sai, sino lo que puede significar.

—No puedes decirme esto. Yo te quiero.

—No, Sai, tú te enamoras, eso es cierto, pero ya no eres capaz de amar. En realidad ahora solo quieres que me siente en silencio, que haga café, que echemos un polvo cuando te apetezca, que planche, que cocine, que tenga limpios y alimentados a tus hijos. Por eso se ha acabado —señaló la pantalla del ordenador con desgana—, hemos dormido juntos, y en una época sí, nos quisimos, pero ya está, no es culpa mía que el tiempo lo devore todo, no tienes nada que ofrecer aunque lo desees, tus manos están vacías, debemos vivir otras vidas, ocuparnos solos de nuestras contradicciones.

Sailesh buscó en los ojos de su mujer el auxilio, la búsqueda de la seguridad, la negación del miedo que uno siente, sin resultado. Y Kavita fue testigo de los balbuceos de Sailesh, de cómo era invadido por una profunda y sutil vergüenza al no ser capaz de seguir luchando, de alegar que todas las parejas atravesaban crisis, de que ella hablaba así porque estaba conmocionada, de decirle que la amaba, que la necesitaba, que volvería a ser el hombre que fue. Sailesh reconocía así el fatalismo, la debilidad, su conciencia de que el amor no tenía arreglo, de que todo lo que merecía la pena nombrar era impronunciable. Su esposo escondió su rostro entre las manos y estalló en lágrimas, incapaz de decir palabra, negando con la cabeza, con rítmicos espasmos, ahondando en el dolor. Fueron solo unos momentos, Kavita no se movió, ni una brizna de miedo o arrepentimiento la acosaron, únicamente sentía confianza en sí misma, serenidad. En algún lugar de toda aquella necesidad, pérdida y mentira, estaba la verdad del amor. Sailesh no tardó en rehacerse, limpiarse la nariz y ponerse en pie; tenía que estar en pie para lo que iba a decir, aunque todo en él, la posición de sus hombros, la crispación de su gesto, la angustia, indicaba que donde debería estar realmente era a kilómetros de aquella desventura.

—Los niños llegarán en breve —dijo.

Como si con eso lo hubiera dicho todo.

Erin se sentía feliz. Desde el primer impacto del tren de aterrizaje en la pista del JFK se sintió feliz. El sueño profundo que durmió en casa, largo, tan confiado y feliz como el de un niño querido y bien alimentado que sabe que despertará en medio del amor y la risa; un sueño sin francotiradores o palabras mudas, limpio de pesadillas. Las horas haciendo el amor con Alvin, con hambre atrasada, envueltos en llamas. La asunción de que en la historia nada era necesario ni inevitable; los pequeños, humildes actos de cada día, elegir las verduras en el supermercado, separar la ropa blanca de la de color, condimentar la comida, ir a correr por el parque, todo lo que la alejaba del absoluto y le otorgaba un aquí y un ahora, un antídoto contra la avidez de gloria. Y el amor, tanto hacia su pareja como por Alex, un amor que requería fuerza, ilusión, ingenio, paciencia, ironía, ardor, cierto heroísmo, simulación, dualidad. Si la mitad del mundo perecía de tedio debido a la ausencia de emociones primarias, y la otra mitad por exceso de conflictos, ella debería aprender a habitar un punto medio, y en el futuro, limitarse a ser testigo desde su burbuja de clase media occidental de los cambios profundos que sin duda se producirían en el mundo debido al dolor sin precedentes que había en él.

Se hallaba en el mercado de Columbus Avenue con Alvin y Alex, era un día transparente y gélido, con la calle llena de puestos, un mercadillo caótico y populoso donde se vendía y se compraba todo. Vendedores envueltos en varias capas de ropa, golpeando el suelo con sus tacones y rodeados por el vaho de su respiración, exhibían muestrarios de libros, discos, carteles, bisutería, sombreros, planchas, camisas… mientras discurría entre ellos una coreografía de hombres, mujeres, adolescentes y niños pequeños con gozo e indolencia, muy lejos de ese mundo inabarcable que hervía aterradoramente de miseria e injusticia. Alvin iba señalándole con voz vaga y distraída diversas artesanías —el mismo Alvin que cuando le preguntó qué le había sucedido en la cara, simuló creerse sus mentiras— mientras Alex iba de acá para allá con la avidez de la extrema juventud, impaciente, exigente, necesitado de amor y poder sin tener nunca suficiente de los dos. En uno de los angostos pasadizos que dejaban entre sí los puestos, Erin se reflejó en la luna de cuerpo entero de un armario; estudió su rostro todavía dañado, su misterio indescifrable. Hizo una mueca en el espejo, que Alex captó e imitó, igual que Alvin, quedando los tres retratados en su pátina. Continuaron errando por el muladar; durante esos días también había dedicado tiempo a organizar todo el material que había recopilado, y tras un par de reuniones en la revista tenía un proyecto medio esbozado en el que había excluido el principal motor de las fotografías: Viktor. Había decidido dejar de intentar nombrar ciertas cosas, a veces era mejor que no tuvieran nombre, decantándose por una interpretación más comercial. En ese momento, Alvin les propuso ir a comer algo, y se dirigieron a una pequeña pizzería donde devoraron dos grandes y maravillosas pizzas con latas de naranjada, y de postre grandes buñuelos rellenos de chocolate. Por delante del escaparate desfilaban todas las posibilidades de la raza humana, que eran todas las posibilidades de Nueva York. Entre trago y bocado, Erin fue consciente de que había echado de menos la ciudad, aunque a veces casi le gustaba creer que le gustaba salir de ella. Pero no, aunque nos creyésemos muy cosmopolitas, siempre tratábamos de regresar a la corriente original. Y ella sentía que pertenecía a Nueva York, era algo hondo, intenso, íntimo, inexpresable; bajo su luz ella era real, y experimentó uno de esos instantes inolvidables en los que se ama a todo el mundo. Salieron a la calle y decidieron acercarse hasta The Strand; a pesar de la ausencia de pasiones bibliófilas en Alvin, ella deseaba que Alex se infectara con aquella enfermedad. Se perdieron entre sus tres plantas, largos pasillos en los que consultar los libros, pasando las hojas, señalando los lomos, acariciando ciertas letras o títulos amados con el cuidado con que se toca un ala de mariposa para que no abandone sus colores en la punta de los dedos. En algún tramo de su vida, Erin tuvo la tentación de escribir una novela, pero terminó siguiendo el lúcido dictamen de algún compañero acerca de que más valía escribir otro buen libro sobre queso que otra novela de mierda. A lo mejor en el futuro podría escribir unas memorias, o una parodia de memorias con las que justificarse, como se hacía habitualmente, escribir sin pasión para limpiar su nombre y criminalizar a los adversarios. Sonrió con cautela: lo mejor sería aprender a vivir fuera de la jurisdicción de los demás. En uno de los ángulos de los anaqueles perdió a Alex y se quedó a solas, curioseando entre antiguas ediciones de bolsillo. De repente, alguien la agarró por detrás y la inmovilizó con habilidad; Erin se resistió enconadamente.

—La palabra escrita está muerta, la literatura está muerta, los libros están muertos.

Erin se dejó llevar por el susurro de Alvin que, provocador, había hundido su rostro en la riqueza de su cabello.

—Eso crees tú.

—No sé por qué te gustan tanto estas antiguallas. Además puedes comprarlas en internet, si tanto vicio tienes.

—Soy una antigua, me gusta tocar las cosas.

—¿Sí? —Alvin se relamió con su afirmación y deslizó la mano de Erin hacia sus genitales—. Entonces puedes tocar esto.

—Pero si ya te lo he tocado un montón esta noche —comentó con inocencia.

—Hum, ¿y la próxima?, ¿y volverás a bailar para mí? —preguntó con la ansiedad de un niño pequeño.

En sus cabezas volvió a sonar Phil Collins, *I wish it would rain down*, mientras Erin se levantaba de la cama, exhalando un olor acre a sudor y a semen, y empezaba a moverse para complacerle, sin idealizarse, consciente de sus defectos pero con todo aún donde debía de estar, saliendo a borbotones toda la sensualidad y el placer del que habían disfrutado minutos antes, tocándose desde el cuello a los pechos como se tocaría las heridas más delicadas, jugando con su piel, sobrevolando los moratones en forma de pétalos, con la boca abierta, rodeando con la yema de un dedo sus lunares, sin prisa por llegar a ninguna parte. Y él, sumiso, apoyado entre las pequeñas ondas de la sábana, acariciándose la polla, la veía moverse, sutil, rítmica, ambos fingiendo que el mundo era suyo, no pares, no pares, dice él, porque aquello era ser fuerte, ser fuerte no era superar el dolor, sino aprender a vivir con él, no, no pares, así se supera el dolor, cualquier dolor, así estás superándolo, la vida inundando la habitación, su rotundo y constante palpitar, no pares, no te detengas, no interrumpas este hechizo, estamos abrazando el grueso tronco de la vida, lo estamos abarcando con los dos brazos, todo esto es hermoso, y todo lo hermoso vive, solo lo hermoso, lo demás muere.

—¿Qué estáis haciendo?

Alex les observaba con una mezcla de asombro y curiosidad, y ellos se ruborizaron como si realmente los hubiera pillado desnudos, estallando en risas ante la perplejidad del crío. Erin le miró, sus ojos, había algo en los ojos de los niños que desaparecía en la madurez y volvía a aparecer en la vejez. Allí estaba, justo allí, delante de ella. Y todo era justo, apropiado, correcto. Y ella se había abierto finalmente paso a través del sueño americano. Porque el sueño americano era aquello. Justamente aquello.

Erin se despidió de su familia a media tarde —te quiero como se quiere a la nicotina, como se quiere al chocolate, le susurró Alvin—. Tenía una cita con Daniel Isay, con el cual había mantenido un correo fluido desde su llegada, pero ambos requerían colocar un punto final a su relación epistolar. Erin se entretuvo mirando unas tiendas para hacer tiempo. En el ínterin fue testigo de cómo un crío se cogía un berrinche mientras su madre lo regañaba. El niño se había plantado en medio de la calle y no habría fuerza humana que le hiciera cambiar de opinión, parecía decir con su visaje fruncido. Una señora mayor que sería su abuela intentó comprar su voluntad a base de dulces y caricias. Unos metros por delante el padre los observaba en silencio, las manos en los bolsillos, al tiempo que su madre, cada vez con menos paciencia, comenzaba a gritarle, a ordenarle, a amenazarle con las penas del infierno si no se movía. Impertérrito, el crío se encastilló, y ni siquiera cuando su madre empezó a adelantarse gritándole un ahí te quedas, o cuando su abuela, después de intentar la seducción, el halago y la recompensa, copió su estrategia, el niño cedió un ápice. Se quedó allí, plantado, arrojando su obstinación sobre el mundo, con ese toque de desmesura característico de la infancia. Su padre se mantuvo quieto, únicamente observándole, sin proferir palabra, como si estuviera anclado allí, con dos o tres puntos verticales y profundos. Se midieron. Para calibrar quién era el más poderoso, quién era el jefe. El padre ni siquiera consideró cargarlo, utilizar la violencia para exigirle que se fuera con ellos o sencillamente darse la vuelta y empezar a caminar para que se viera obligado a alcanzarlos. Y el crío, allí, quieto, como un mundo independiente… Fue entonces cuando Erin sufrió un cortocircuito en la cabeza, igual que en el baño de Tel Aviv, y la escena vibró, tembló, se deformó, y en lugar del crío lo ocupó aquel tirador, de dónde había salido, de dónde. Era la primera vez que su pesadilla se manifestaba por el día, y mientras el *spez* le estaba contando entre airado y resignado que los soldados como él no existían, no recibían premios o alabanzas, e incomodaban al resto porque miraban a la cara de la persona que iban a matar, elegían cómo hacerlo y cuándo, dominaban sus emociones, apareció aquella niña que intentaba cruzar la calle con un bidón de plástico traslúcido. Y el tirador se calló abruptamente y se apretó contra su fusil, ajustando su ojo a la mira telescópica, vigilando a aquella cría inverosímil que había brotado de no se sabía dónde, y la siguió con un lento movimiento circular, y Erin sintió una pura acometida de energía en su interior, la sequedad de la garganta, el latido desbocado del corazón, la respiración entrecortada, y todo su cuerpo se convirtió en su cámara, absolutamente sincronizado, cada nervio, cada cutícula, en medio de aquel silencio que parecía haber sido hecho para que únicamente lo habitaran ellos tres. Era un instante puro. Y el tirador que se separó entonces de su arma, y la miró primero a la frente y luego a los ojos, y le dijo aquella frase, la clavó en su mente.

—¿Dónde estás, Erin?

Algo giró en el interior de Erin, como una llave, y súbitamente el hechizo se rompió: vio frente a ella a un hombre alto, con el cráneo al uno, y una cazadora de cuero cuyo cuello le llegaba hasta la punta de la nariz.

—Hola, Daniel, disculpa, no estaba aquí.

—Podría firmar eso —respondió con una risa fluida—. A pesar de ello, tienes el aspecto de poseer un millón de dólares.

—Gracias, la ciudad me sienta bien.

Erin todavía se hallaba algo desorientada; Daniel se dio cuenta de lo precaria y vulnerable que parecía, supo que algo no marchaba bien y tomó una rápida decisión.

—¿Sabes lo que me apetece con este frío? Un poco de chocolate con brandy, hacen uno estupendo aquí cerca.

Erin iba a decir algo, pero se le olvidó; asintió con una sonrisa que no se desplegó del todo. Mientras se alejaban, echó un último vistazo a su espalda, padre e hijo continuaban a la misma distancia, en silencio. Para los dos era una victoria que anhelaban, un triunfo que no podía ser comprado por riqueza alguna del mundo pero que sin embargo no valía nada. No obstante, era el padre quien todavía poseía esa destreza, esa dignidad, esa sangre fría y paciencia del león que yace entre la hierba alta. Y fue entonces cuando, poco a poco, le tendió la mano a su hijo, con tranquilidad pero inflexible, como dándole algo duradero, una manera de ordenar las cosas, de valorarlas, una definición del mundo. Fue un destello, algo que hizo que el crío vacilase, y ya sin parsimonia saliese corriendo en busca de aquella mano, agarrándola con fuerza, para caminar hacia el resto de la familia. Hacia su vida. Y todo lo que eran, el uno para el otro, de repente, quedó claro.

Entraron en un viejo bar que antes había sido *speakeasy*, salón de borracheras clandestinas durante la prohibición. Las tazas de humeante chocolate exhalaban un perfume denso, delicioso; agarraron la cerámica con ambas manos para calentarse y bebieron a sorbos cortos, disfrutando los matices del cacao mezclado con el oloroso brandy. Erin iba saliendo poco a poco de los turbios y peligrosos remolinos en los que se había extraviado.

—Bueno. Realmente bueno, muchas gracias —le agradeció a Daniel.

—No hay de qué. Y te reitero que te encuentro muy bien.

—Gracias.

Daniel sonrió y notó que se le estaba durmiendo una pierna. La masajeó un poco.

—Quiero agradecerte tu colaboración en este asunto. Mi compañero, Sailesh Mathur, te manda un abrazo y también quiere que tengas presente su reconocimiento. Nos has ayudado mucho.

—Las cosas salieron como salieron.

—En cualquier caso, tu colaboración ha sido inestimable.

Erin esbozó una sonrisa y guardó silencio; tocó la taza una y otra vez. Luego se interesó por los avances de la investigación y Daniel le contó. Cuando terminó, Erin se apartó el pelo sin mover la cabeza, con un gesto.

—¿Y ahora qué os queda? —se interesó más por cortesía que por curiosidad.

—Pues seguir analizando cientos de operaciones bancarias, esperar a que liquiden a Viktor o que cometa un error para capturarlo y, sobre todo, salvar a todas las Olenas que podamos.

—También puede que Viktor vaya a ver un partido de fútbol.

—Ah, eso… sí, puede.

Erin dio otro sorbo de chocolate, todavía hirviendo.

—Siempre volvemos a la corriente original —afirmó.

—¿Cómo dices?

—Que siempre volvemos a casa.

Daniel no supo cómo reaccionar, y dedicó unos momentos a asimilar lo que acababa de decirle. Por la misma lógica por la que a veces le había contado sus inquietudes y anhelos a un desconocido durante algún viaje, Daniel deseó confesarse con Erin, deshacerse de todo el negro sedimento que había en su cabeza. Asegurarle que no había comprendido quién era Viktor, pero sí algo acerca de él mismo. ¿Le había sucedido lo mismo a ella?, ¿podía entenderle? Le gustaría pedirle que se quedara un rato más, permanecer allí, sentados, quizá con una copa, para contarle que todo iba desapareciendo de su vida, el estereotipo, la banalidad, el egoísmo, todo recuperaba el vínculo con sus primeros pasos, y poco a poco se deslizaba hacia el ideal de la pareja exclusiva, porque lo que más le gustaba ahora era pasar las noches con Agnes, en la cama, con la televisión encendida, devorando comida a domicilio directamente de los envases. Contarle que cuanto más te daba la vida, más miedo tenías de perderla, le había ocurrido en aquel piso con Sailesh, le había pasado con Valeri Lomidze. Que él no era nadie extraordinario, pero que tenía el tesón suficiente par dar siempre un poco más de sí. Que a veces el dolor te hacía más lúcido, más consciente de ti mismo. Todo eso quería contarle, compartirlo con ella. Erin terminó por mirarle como si hubiera estado hablando en voz alta, puso su mano sobre la de él. Por la mente de Daniel cruzó el cuadro que ambos debían formar si alguien los mirase en ese momento, una pareja consolidada en un momento de confidencia, y asintió en señal de reconocimiento. Terminó su cacao;

posiblemente no volverían a verse en la vida, así que quiso hacerle una última pregunta.

—Erin, ¿puedo hacerte una última pregunta?

Erin pensó que iba a referirse a las marcas en su cara, aun así sonrió.

—Claro.

—¿Cuál es ese momento que tienes grabado, ese instante que no se te va de la cabeza y no sabes por qué?

Erin no se sorprendió y se mordió la cutícula de una uña. Lo tenía claro.

—Hace años tuve un perro, un samoyedo, se llamaba Lucky. Cuando tenía que hacer compras solía llevarlo conmigo, y lo dejaba en la parte de atrás del coche. Le encantaba estar allí, ¿sabes? Supongo que le gustaba mirar el mundo. Le dejaba la ventanilla algo abierta para que respirara y podía pasar allí toda la tarde. Una noche salí a tomar una copa y no quería que Lucky se quedase solo en casa, así que lo llevé conmigo. Le dejé como siempre, en el coche, aparcado cerca del local. Cuando regresé, me encontré una foto en el asiento, una polaroid. Alguien había pasado por allí y le había hecho una foto a Lucky, luego la había introducido por la ventanilla. De hecho, es la única foto que tengo de aquel perro, Lucky mirando a un fotógrafo anónimo, con la cabeza medio fuera a través de la ventanilla.

Permanecieron mirándose, concentrados uno en el otro, hasta que Daniel cogió su cucharilla, la lamió, exhaló el aliento sobre ella y se la colocó en la nariz, oscilante pero pegada. Él sonrió. Ella soltó una carcajada.

Coda

Era un día de frío transparente, con copos livianos planeando en el aire. Daniel Isay comprobó de primera mano el poco éxito que había tenido la convocatoria de aquel partido, aunque tampoco el tamaño del estadio donde jugaban los NY MetroStars ayudaba. No obstante, había los suficientes espectadores como para que ellos tuvieran la tarde ocupada. Todavía no se explicaba qué hacía en los suburbios de East Rutherford en lugar de entre las sábanas de Agnes; la probabilidad de que Viktor hubiese cometido la estupidez de ver al Partizan era tan minúscula como que impactase en la tierra un meteorito con la forma de la Victoria de Samotracia. No obstante, el soniquete de Erin concluyendo la posibilidad de cazarle por sus atavismos, por aquel siempre volvemos a la corriente original, semejante al diktat de Valeri Lomidze acerca de un posible eslabón débil basado en la improvisación, en la irracionalidad, le había impulsado a mostrar su documentación al encargado del estadio, aquel tipo rubicundo y con una nariz enorme. Incluso el hombre más inteligente tiene su punto de ingenuidad, se dio ánimos. Habían esperado casi a la segunda parte del partido, y dado órdenes a la seguridad del estadio para que nadie saliese de las instalaciones. Dio algunas instrucciones a los hombres que le habían acompañado, se abrochó bien su cazadora, se encasquetó un gorro, y salvando uno de esos escalones hijos de puta que hacen que tropieces al entrar en cualquier parte y casi te mates al salir, empezaron a peinar las gradas con disimulo, como si buscasen a algún conocido. A él le habían estropeado el día, pero Sailesh estaba peor. Mucho peor.

Sailesh recordaba el nacimiento de Khrisna en el décimo canto del Bhagavad-gita que su abuela le había recitado de pequeño junto con otros fragmentos. Últimamente se acordaba de episodios de su infancia que habían permanecido relegados en provincias lejanas de su mente y que ahora brotaban con la misma realidad con que recordaba fragmentos de su vida con Kavita. Le bastaba con extender una mano para tocarlos. Se hallaba encerrado en su despacho, a esas horas debería estar acompañando a Daniel, pero la mirada vidriosa, exhausta que su compañero le había descubierto hizo que le obligase a quedarse en casa. Nunca se lo agradecería lo suficiente. La última semana apenas había hablado con su mujer salvo para concretar los horarios de recogida de los niños y su destierro al pequeño sofá-cama de su despacho, mientras buscaba un apartamento donde mudarse. En ese tiempo había reflexionado mucho sobre su situación, se había interrogado para averiguar quién era ahora, sintiendo un respeto cada vez mayor por sí mismo debido a la firmeza con que iba aceptando una verdad tan dolorosa. Kavita tenía razón, ya no la amaba a ella, sino a su recuerdo, a su fantasma, y de pronto era como si estuvieran muy lejos, podía ser una perfecta desconocida. Le hubiera gustado que las cosas hubieran salido de otra manera, pero las cosas ocurren, negar esto te convertía en un mentiroso o en algo peor, un sentimental. Qué extraño era el modo en que se resolvían las vidas. El duelo todavía llevaría mucho, pero la tristeza de la situación ya la estaba afrontando. Y a pesar de todo, había merecido la pena; Sailesh haría todo lo que estuviera en su mano para que Kavita se encontrase bien, ella le hallaría siempre de forma incondicional. Y los niños. Dos días atrás había permanecido casi una hora viéndolos dormir. Lo había hecho como los creyentes rezan, porque contemplar a un niño durmiendo era lo más cerca que se podía estar de Dios. El mundo era para ellos, irían creciendo y acumulando información, con la adolescencia empezarían a superar los mitos, amarían y sufrirían a su vez pérdidas, y aunque finalmente afirmarían no creer en el amor, mentirían, porque éste seguiría causando incendios en sus vidas. Dentro de poco les darían las explicaciones pertinentes sobre que papá y mamá ya no podían vivir juntos, sería una separación amistosa, los abogados ya estaban en marcha, y ellos acabarían por ser ecuánimes, como terminarían por dejarlos de llamar papá y mamá y utilizarían sus nombres de pila, porque se igualarían, sus miedos y sus deseos serían ya los mismos. Seguirían queriéndolos, por supuesto, pero ya al lado del pedestal, no encima. Así debía de ser. Experimentaba un extraño consuelo al pensar que ellos iban a disfrutar de los misterios del mundo, de Lila, del Gran Juego.

Se levantó del sofá y echó un vistazo por la ventana; copos ligeros seguían bailando en el aire helado, la nieve sucia se apilaba en los bordes de las aceras y en los árboles. Los miró como si éstos pudiesen hablarle. Una ranchera acababa de aparcar frente a una de las casas y una familia bajó de ella y empezó a descargar cajas y más cajas. Aquél seguía siendo un buen barrio, uno para salir al jardín y disfrutar del sencillo ritmo de la tarde. De cierta invisibilidad. Pero él ya no obedecía a su llamada de moderación, su invitación a morirse lentamente de respetabilidad. Porque todo aquel orden, toda aquella armonía, toda aquella seguridad no era más que apariencia. Apariencia. Esa palabra tuvo un eco en su mente. Y con ella el desagradable recuerdo de aquel Dwight Hemon. Solo se ve lo que se está dispuesto a ver. De repente algo crujió en su interior. Algo que estaba y no estaba, una intuición, un impulso, que le llevó a sentarse ante la mesa de su ordenador, encenderlo y colocar de nuevo en la bandeja el cedé con los testimonios de la infidelidad. Éste comenzó a girar con velocidad, mientras Sailesh buscaba con el ratón las fotografías que le habían ido clavando alfiler tras alfiler hasta convertirlo en uno de esos corazones ensangrentados de las iconologías católicas. Fue pasando las imágenes metódicamente; en principio aquello podía interpretarse como una despedida, luego destruiría el material y su vida anterior. Kavita abrazada, Kavita besándose, Kavita entrelazando sus manos, Kavita paseando, Kavita sonriendo, Kavita introduciendo las llaves en la puerta de su casa. La cámara había buscado la elocuencia, decirle con sus instantáneas lo que no podía decirse de otra forma. Dolía, claro que seguía doliendo, porque ni siquiera podía mentirse a sí mismo, pero el amor no había sido tan pobre y avaro que no consiguiesen transformarlo en amistad. Se detuvo en una de las fotografías, Kavita y aquel hombre se hallaban en una terraza; estaban sentados uno enfrente del otro, haciéndose carantoñas. Era una foto especialmente dolorosa en cuanto le degradaba, le convertía en un simple conocido tras años de intimidad. Aun así utilizó el zoom para acercarse a ellos; fue congelando la imagen en infinitos puntos intermedios, en algún momento habían derramado el café y la mesa aparecía tapizada de servilletas que chupaban el líquido. Lautaro había alargado la mano para acariciar el lóbulo izquierdo de Kavita, y en ese movimiento la muñeca y parte del antebrazo habían quedado desnudos. Acercó el zoom. Fue entonces cuando lo vio, algo pequeño, conciso, cargado de significado. Fue entonces cuando sus convicciones se tambalearon, y su visión se volvió borrosa y su odio no fue odio, sino lo que hubiera sentido un Caín redivivo. Pero sobre todo la ira, el deseo de devolver el sufrimiento.

La ranchera de Erin embocó los últimos metros del camino de sirga que llevaba a casa de su madre. Había aterrizado hacía unas horas en Minot y alquilado un coche en el mismo aeropuerto, para conducir luego hasta Belcourt. A Erin siempre le había gustado conducir, echaba de menos esa sensación de soledad por las carreteras norteamericanas, sobre todo de noche, el borde fino como un alambre de luz mientras el sol se ponía, los enjambres de estrellas, los rosarios de luces de las poblaciones, los anuncios luminosos de los moteles, las fotos de exposición nocturna llenas de líneas luminosas, como balas trazadoras borrajeando la noche... El día anterior había llamado a Martina, la enfermera, advirtiéndola de su inminente visita. No había visto a su madre desde el viaje a Europa, y cuando bajó del coche miró a su alrededor con una especie de perturbado optimismo. Salvo por la nieve acumulada, la zona se parecía extraordinariamente al hogar de Ratko Zuric. Una casa de ladrillo rojo y madera, tejados a dos aguas, una escalinata, un seto delimitando el rellano... no había cuervos o chimenea con un hilo blanquecino, pero sí árboles, y el mismo orden limpio, la misma tranquilidad, similares dulces y té, una madre idéntica que, aunque en ocasiones no reconociese a su interlocutor, también le hablaría de una hija un tanto diferente pero igualmente amada, y que en un momento dado se levantaría para enseñarle la casa y mostrarle su habitación, conservada exactamente igual al último día que la utilizó, como si cualquier tarde una versión más joven de Erin pudiese regresar y ocuparla. Y Ratko reconocería a su vez el lugar donde el lenguaje no puede entrar, y se forman las máscaras, en el deseo y en la culpa, en los temores, donde se habían abierto los agujeros de su yo. Algunos copos de nieve, inconstantes, habían comenzado a caer. Erin subió la escalera hasta el porche y llamó al timbre. Su intención era quedarse una temporada larga para cuidarla, comprometer sus días con ella, cocinarle, pasear juntas, hablar, sencillamente ser testigo de cómo se acababa su tiempo. Volvió a llamar, pero no salió nadie. Algunos días ella la reconocería y otros no, le preguntaría cómo se encontraba, la peinaría, le diría lo guapa que estaba, le daría sus medicamentos. Insistió y al no obtener respuesta, buscó su móvil e hizo una llamada al fijo. Escuchó cómo sonaban al mismo tiempo el sonido intermitente en su móvil y el teléfono del salón. Nadie lo descolgó. A continuación marcó el móvil de la enfermera, lo dejó sonar un buen rato, pero tampoco lo descolgaron. Aquello no era habitual. Volvió a repetir una secuencia, llamó al timbre, al fijo de casa y al móvil de Martina, con idéntico resultado. Algo se despertó en su interior y provocó que recuperase los viejos tics: la búsqueda de accidentes en el terreno, el sentido especial del paisaje que puede salvar tu vida, la vigilancia de movimientos, sombras, contrastes de luz o modificaciones en el aire. Su cuerpo se tensó, se encogió; no había que tomar decisiones rápidas solo para salir de los problemas, y optó por dar una vuelta a la casa intentando vislumbrar el interior a través de las cortinas echadas. De ventana en ventana y hasta donde pudo vislumbrar, todo aparecía sin novedad. No había indicios de que hubiera sucedido nada malo. Quizá hubieran salido a dar un paseo, o su madre se había sentido indispuesta y Martina la había llevado a urgencias... Cada una de las explicaciones encontraba siempre una refutación razonable, por lo que el desasosiego aumentó. Aunque no era solo la zozobra, sino algo más profundo, un sentido primigenio del peligro. Completó una vuelta a la casa hasta volver frente a la entrada principal. Esta vez la puerta estaba abierta.

La gente extraviada en el conjunto colectivo, incrementando su energía, su placer, el frenesí de perder la identidad, otra manera de ocultarse de uno mismo, tan antigua como el hombre: una máscara común para enfrentarse al vacío. Daniel y sus hombres iban desplazándose de grada en grada peinando el estadio con pequeños binoculares; le llamaban la atención algunos espectadores que, a pesar de ser testigos del partido, tenían una radio pegada a la cara como si necesitasen oír la descripción de lo que tenían ante sus ojos para comprender su sentido. En el campo, el juego se dirimía entre la espectacularidad de unos y la efectividad de otros; los copos de nieve cayendo al bies iban depositándose lenta pero irrevocablemente sobre el césped. Había gente que con una mirada sacaba todo lo que quería ver, pero Daniel necesitaba ir cara por cara, asiento por asiento, escalón por escalón. De vez en cuando recibía en el pinganillo alguna indicación o vigilaba cómo se iba completando el cerco y por tanto concretando las posibilidades de que estuvieran desperdiciando aquel sábado. En el campo, algunos jugadores creían que tenían que correr, pero quien tiene que correr es la pelota, pensó Daniel, porque no se cansa. Hay que utilizar la cabeza, no los pies. En una de las gradas tropezó con uno de los espectadores y se disculpó. La nieve cayendo y cayendo, era hermoso ver flotar millones de livianos sellos impolutos que se derretían al contacto con la ropa. La secreta fuerza de su fragilidad. De repente, alrededor de Daniel comenzó a elevarse un rugido, como un lejano tsunami que fuese cogiendo velocidad y concentración; la gente se había puesto en pie, uno de los delanteros serbios había cogido la pelota y avanzaba decidido tejiendo madejas de pases con sus compañeros. El público sufrió una transformación, los rostros se crisparon, se desembarazaron de cualquier tipo de razón, gritaron hasta secar sus gargantas. Todo era viento en las velas de la emoción. Incluso Daniel se concentró en el campo, magnetizado por las evoluciones del jugador, que parecía tocado por algún ángel futbolista y rectificaba continuamente su avance dejando atrás a los adversarios. Entró en el área contraria por uno de sus ángulos, y curiosamente hubo una especie de mutis en el rugido de la multitud, como si hubiesen contenido la respiración un instante para concentrarse mejor en la jugada. El serbio embocó los últimos metros en una carrera resuelta y con un expeditivo vistazo a la portería, amartilló sus piernas e hizo un fulminante disparo a puerta que venció al portero y fue a romper violentamente contra el palo más alejado, saliendo rebotado hacia arriba. El bramido de rabia y decepción, todo el ruido que podemos hacer en nuestras pequeñas vidas condenadas a desaparecer se hizo en aquel estadio. Las manos al aire, las muecas apretadas de las caras, la inmediata polémica, los silbidos, los renovados cánticos de unos y el suspiro de alivio de otros, y el juego que se reanudaba, la eterna canción. Daniel sonrió con la prodigalidad de quien ve la seriedad con que juegan los niños y prosiguió la búsqueda. El pinganillo crepitó en su oreja y uno de sus hombres le avisó de que tenían algo, en el fondo norte, en las localidades de la esquina derecha. Daniel ajustó los binoculares a sus ojos y escudriñó aquella zona. Era una cuña de hinchas serbios, no muchos pero muy aguerridos; se habían puesto en pie durante la catarsis colectiva y ahora se iban sentando gradualmente. No obstante, escorado en uno de sus bordes, alguien seguía en pie. Tenía las manos en los bolsillos de un chaquetón de cuero oscuro, pantalón negro y un gorro gris. Ni siquiera con los prismáticos podía ver con detalle su rostro, pero su corpulencia, la barba, el aire le asemejaban a Viktor. Dio la orden para que todos los hombres convergiesen hacia allá.

Erin consideró que no sería inteligente entrar en la casa. El miedo le golpeó en el pecho con la contundencia de una patada, y los instintos desarrollados durante años se hallaban en esos momentos chillando desquiciados. Ardía en deseos de traspasar el umbral, pero también era consciente que no sería inteligente, lo lúcido era llamar a la policía y alejarse lo más posible de la casa. Pero también sabía que no resistiría la tentación, y que quizá alguien estaba seguro de que no lo haría. Estúpida, se dijo, estúpida. Entró en la casa.

Ahora Sailesh lo comprendía todo. El movimiento de Lautaro había descubierto parte de un tatuaje en su antebrazo, y mediante el zoom se acercó hasta que pudo distinguir con nitidez la parte inferior de un tattoo azulado que podía ser la empuñadura de una bayoneta o la base de una cruz, la marca de ganado de Viktor. Ahora lo comprendía todo. Todo. Pudo imaginarse a aquel siervo vigilándole, estudiándole, localizando su eslabón débil; notificando a su jefe la degradación de su matrimonio, las necesidades, las quejas, el infortunio. Y la orden siguiente de Viktor, y la tarde en que aquel hijo de puta había olido la fragilidad de Kavita y se había acercado y entablado una conversación intrascendente y las copas siguientes y las risas y la complicidad y finalmente la aquiescencia de su mujer, una mezcla de lasitud, venganza, tristeza y no sabía qué. Las siguientes citas, las risas, los besos, el sexo… Sailesh tuvo dificultades para respirar y se levantó para abrir la ventana. El aire gélido le heló el rostro y le despejó, pero no pudo limpiar su mente de las imágenes de aquel cabrón entrando en su casa, paseando por su salón, tocando sus cosas, follándose a su mujer, y su imaginación reconstruyó el momento en que mientras Kavita dormía, aquel esclavo recorría las habitaciones, manoseaba las fotos de la pareja abrazándose, en tiempos mejores, hasta entrar en su despacho y comenzar a buscar cualquier cosa que le permitiese bucear en sus planes, los datos para inferir cuán cerca estaban de Viktor. Registró su ordenador, hizo una copia de su disco duro, encontró el papel donde había dibujado las diferentes posibilidades del acoso. «El ojo no es ojo porque tú lo veas, es ojo porque te ve.» Por su debilidad, por su estupidez, por su ceguera, habían sido espiados, controlados, cazados cuando eran ellos los que creían batir el bosque. Ahora su mirada era negra, sentía una ira como el corte frío de un cristal; se contempló en el reflejo de la ventana abierta, no se reconocía, quién soy, se preguntó, quién soy. Sus manos temblaron por el desprecio, la desesperación, perdió el resuello y se concentró en respirar profundamente. Sentía el peso del dolor y la culpa, pero cuando tomó una resolución y fue hasta su mesa y abrió un cajón y sacó la funda con su arma, solo pudo sentir el peso del acero.

De nuevo el rugido, la marea, mientras Daniel y sus hombres se abrían paso por gradas y pasillos, deteniéndose para comprobar que su presa continuaba en el mismo sitio, dando y recibiendo órdenes y advertencias, aprestando sus armas, lo quiero de rodillas, sin opciones… primero de rodillas y luego sus derechos. Acompañándolos en su oleada iba también el equipo americano, que iniciaba un contraataque, lo que provocó que Daniel blasfemase: los espectadores se habían vuelto a poner en pie y además de dificultar la visibilidad y el avance, facilitaban una hipotética fuga del sospechoso. Los pitidos, las muecas vociferantes, los insultos y los ánimos, las ilusiones y el desaliento, en realidad aquellos muñequitos de colores que iban moviéndose por el campo no eran importantes, lo cardinal era la masa, su potencia, el número de los fieles a rebosar, la totalidad del rito. Terminaban de cercar aquel ángulo del campo cuando el delantero fue interceptado por la defensa del Partizan, haciéndose con el balón. En ese momento volvió a repetirse el profundo y consternado bufido de decepción y la afición se desinfló. Los hinchas serbios se sentaron de nuevo, gradualmente; el sospechoso también tomó asiento, ahora los únicos que permanecían en pie eran ellos y unos recién llegados: los sicarios de Valeri Lomidze. Daniel no se sorprendió, en cierta manera los esperaba, no eran los únicos que apostaban hasta la última ficha. Todos se pusieron rígidos, como si hubieran tocado algo caliente, las caras se tensaron, las manos de los georgianos se mantuvieron quietas pero pegadas a unos bultos bajo los abrigos. Daniel sintió el sudor en sus poros, el nudo en su garganta, esa sensación de pánico que precede al abandono del hombre que está a punto de perder la conciencia. Pero esta vez no estaba dispuesto a ceder, tenía miedo, pero retroceder le daba más miedo aún. Clavó los ojos en uno de los hombres que reconoció, había estado junto a Lomidze en el museo; éste elevó las manos en un gesto de respeto y miró a sus camaradas incitando a la inmovilidad. Luego Daniel indicó a sus hombres que ejecutasen lo establecido, y éstos, sin dejar de vigilar a los sicarios, se desplegaron en un círculo alrededor del sospechoso y desenfundaron sus armas. Todas las mirillas enfocaron una barba.

—Viktor —aulló Daniel.

Erin fue recorriendo los pasillos conocidos, la geografía de su infancia con los sentidos sobreexcitados, como si estuviera internándose en la niebla de la guerra, esa parte caótica y de incertidumbre. Salón, cocina, escalera, habitaciones... era el metabolismo de la batalla, te movías para combatir el miedo, con una presión en el pecho y la única sensación consciente centrada en la punta de su dedo. ¿Martina?, ¿mamá? Era una raíz indestructible que salía de ella, ver, tenía que ver, pero cuanto más veías más te arriesgabas, los montones de cráneos de Camboya, las fosas comunes de Bosnia, de Kosovo, las manos cortadas de Ruanda, las masacres del Líbano, retratar la guerra como si fuese la *Ilíada*, la belleza intolerable, la mirada indecente, ¿mamá?, ¿Martina?, e iba rezando, rezando por lo que más quería en el mundo, pero sin olvidar que cuando rezas por algo así, lo opuesto llegaba también. Erin acabó por entrar en la habitación de su madre, y lo que vio hizo que soltase un súbito gemido de escalofrío, su labio inferior flojo, envejecida diez años de golpe.

No hay criaturas terribles, solo hombres solos o desesperados. Sailesh conducía con toda la rabia en que se había transformado su vergüenza. Una rabia que anulaba toda creencia, convicción o elección, y que le hacía creerse en el derecho de limpiar la afrenta con cualquier acto. Los destellos oficiales de la sirena le permitían abrir canales en el imposible tráfico de Manhattan, y las estatuas quemadas a punto de volar en los vértices de las azoteas, envueltas en remolinos de nieve como túnicas de seda, girando, girando, girando hacia abajo, le observaban mientras imponía la urgencia de una inexistente misión. Acabó por entrar en aquella dirección de Laconia, frente al Bronx Park; la sabía de memoria, la había retenido desde el primer segundo en que la leyó en el dossier. Unos minutos antes había apagado las luces y aparcó en doble fila, justo delante de un inverosímil coche de punto, con caballos enganchados, ¿qué hacía tan lejos del centro? A Sailesh siempre le habían gustado, su misterio, el olor acre de sus excrementos, pero ahora no olía, no oía, no veía. Ni siquiera se había planteado por qué iba solo, por qué no había notificado sus sospechas al departamento y pedido ayuda. Dejó sus huellas como una caligrafía oscura sobre la ligera capa de nieve, subió los escalones de la casa; en ese momento salía del portal una chica con un enorme estuche con forma de violonchelo, le sonrió, le dejó la puerta abierta y ambos se pusieron de lado para poder pasar. Sailesh comprobó la dirección en los buzones, era un primer piso y subió a pie. Tenía el cuerpo en tensión, no era capaz de ordenar sus pensamientos, solo sabía que aquello les implicaba exclusivamente a ellos dos. Se plantó ante la puerta, la miró como si quisiese clavar sus ojos en ella; era consciente de su debilidad, de su cansancio, no le quedaba ninguna energía, ninguna capacidad de esfuerzo a sus miembros. Tocó el timbre y algo tranquilo, desbordante y dulce corrió por sus venas, como un narcótico relajante. Oyó pasos acercándose al otro lado. El amante de su mujer ni siquiera se tomó un tiempo en la mirilla o para preguntar quién era, abrió la puerta sin precaución. Cuando vio a Sailesh no le reconoció en un primer momento.

—¿Qué se le ofrece?

Ante el mutismo de Sailesh, repitió la pregunta, hasta que frunciendo el ceño acabó por desorbitar los ojos al reconocerle. Sailesh se limitó a lanzarle un puñetazo, al que siguió otro, y otro, y después rodillazos, cabezazos, haciéndole retroceder por el pasillo mientras Lautaro intentaba defenderse con los antebrazos, gritando, hasta que cayó al suelo y se ovilló para protegerse entre más gritos y cortorsiones. Sailesh se detuvo unos instantes, cubierto de sangre ajena, exhausto; contempló el cuerpo abrazado a sí mismo, gimiente, aquello ya no era una persona, sino algo prescindible, algo que castigar, que limpiar de su culpa. Sacó su pistola y cogiéndola por el cañón, se puso de rodillas y empezó a golpear el cráneo y el rostro. La sangre salpicando su abrigo, las paredes, el suelo. Así estuvo un tiempo indefinido. Cuando no pudo más, se sentó contra la pared y soltó la pistola; la cara rojiza del yacente estaba deformada, con los ojos hinchados y profundos cortes, de ella manaba un grueso charco oscuro que iba haciéndose más y más grande en el parquet. Sailesh miró todo el pasillo que habían recorrido hasta casi entrar en el salón, las húmedas huellas de sangre que habían dejado. Se sentía aturdido; logró enfocar los ojos y se miró las manos, pegajosas. Luego observó el cuerpo, era un cuerpo inmóvil, anónimo. Quería decirle que a un hombre se le puede reprender, traicionar, humillar incluso, pero nunca, nunca ridiculizar, quería chillárselo, hincarlo profundamente en sus oídos. Sailesh volvió en sí, a qué había ido, a qué, ah, sí, sí, claro… Se incorporó a medias hasta ponerse de rodillas, encharcándolas de sangre. Mira lo que has hecho, le repetía mentalmente al cuerpo, mira lo que has hecho. Agarró un brazo inerte, lo elevó flácido, tiró de la manga hasta dejar a la vista el antebrazo. La sorpresa, cierta aprensión le atenazaron: allí no había ningún tatuaje. Todo se desvaneció cuando cayó en la cuenta de que se había equivocado de brazo. Patinó con las rodillas y tiró del otro brazo, que estaba aprisionado bajo el cuerpo. Tiró hacia arriba de la manga. Allí sí, allí estaba el tatuaje, azul oscuro contra la piel blanca, marcas de escalafón, galones, un mapa de la vida y de la muerte. Era un *tattoo* de Mickey Mouse, abrazado a una enorme varita mágica, cuya base podía ser confundida con la punta de una daga, con cualquier cosa. Era Mickey Mouse, la puñetera rata. El puñetero Mickey Mouse. La rata. Mickey Mouse. Dejó caer su mentón sobre su pecho y sonrió. Qué otra cosa podía hacer.

Viktor, volvió a aullar Daniel, apuntando con su automática justo a la nariz del sospechoso. Su corazón palpitaba a un ritmo insoportable. A su alrededor, los diez mil sonidos del campo continuaban, los actos necesarios para la supervivencia o la autoafirmación de la tribu. La nieve se espolvoreaba a ráfagas todavía finas pero cada vez más violentas. El sospechoso se apercibió con estupefacción que se referían a él cuando comprobó el círculo de cañones que le cercaban, y su expresión reflejó el pánico, los nervios, la voz ligeramente gangosa, que le tembló como quien despierta de una hipnosis. De rodillas, le ladraban, de rodillas, ponga las manos en la nuca y de rodillas, y el hombre se quitó el gorro en un gesto automático antes de extender los brazos como si le fuesen a clavar en una cruz, se hincó de rodillas, primero una y luego la otra, no disparen, no disparen. Daniel se fue acercando con precaución, metro a metro hasta casi tocar con su arma la misma punta de la nariz que dividía con su mirilla. Pero mucho antes de cerciorarse que aquel hombre no era Viktor, ya sabía que se habían equivocado. El hombre que buscaban no temblaría, no se haría más pequeño como aquel que tenían delante, no suspendería su relato de una forma tan decepcionante: los mitos y los símbolos de la contrarrealidad que había creado debían mantenerse intactos a toda costa. Estudió la fisonomía barbada y concluyó que allí descansaban los escombros de sus certezas. Viktor no había cedido a sus atavismos. Bajó el arma y avisó a sus hombres de que no había peligro. Dedicó unos segundos a tranquilizar a aquel ciudadano atemorizado, y después vigiló a los hombres de Valeri Lomidze. Quizá aquel día no hubiesen tenido buena caza, pero aquellos cabrones no se iban a librar porque sí. Era una cuestión de respeto, el que no habían tenido aquellos sicarios, un asunto de territorios marcados. O simplemente le apetecía joderles el día. A Capone lo habían cogido por cuestiones fiscales, y aquellos capullos no iban a ser menos. Sus gestos fueron claros y enfáticos cuando ordenó a sus hombres que les pidiesen la licencia de armas a los georgianos. Su cara de sorpresa cuando los agentes se pusieron a la labor no evitó que se produjesen algunos forcejeos, incluso momentos de tensión, sobre todo cuando pretendieron desarmar a uno con cabeza de yunque y algo de barriga, que finalmente tuvo que ser persuadido por quien parecía el jefe. En la vida, uno no siempre logra lo que desea, pero a veces sí algo que le conviene; Daniel apretó los dientes cuando comprobó que la pesada y brillante automática que aquel tipo entregaba a desgana tenía la empuñadura envuelta en tiras de esparadrapo viejo. Recordó los planos insonoros en los que Dimitri era masacrada sin misericordia, y los últimos disparos ejecutados por un verdugo enmascarado. Al final, a tus pies acaba llegando la resaca de actos cometidos lejos, en el pasado… recordó las palabras de Valeri Lomidze y observó al *byki*, que no se percató de lo que le decía con los ojos. Lo mismo que susurró al oído de uno de los agentes, cerrando una cita en uno de los cuartos de interrogatorios. Él mismo se ocuparía de aquel trabajo, con una minuciosidad fría. A continuación ordenó que se los llevasen a todos a algún lugar bonito para que, al menos, gastasen una llamada a sus abogados.

Entretanto, el árbitro había pitado el final de un partido que había quedado en tablas, y los espectadores se iban levantando, abandonando el recinto en un estado casi místico, como si hubiesen asistido a un servicio religioso. Daniel aún se quedó unos minutos y se sentó en las gradas, contemplando cómo el estadio iba llenándose de un eco silencioso y de la extraña belleza que entraña el vacío. Se sintió como si se encontrase en la orilla de todo aquel océano de detritus y corrupción en el que debía nadar cada día. Palios de nieve descendían sobre el cemento como sobre una función. Los dioses nunca eligen multitudes, recordó que le había dicho Agnes una noche. Agnes. Hacía años, cuando Daniel había comenzado en su oficio, joven y obstinado, estaba seguro de que dejaría un profundo impacto en la ciudad, una huella. Pero, allí, sentado, no había ya ninguna parte segura de la vida a la que aferrarse, únicamente podía pensar en un pequeño espacio con Agnes, sentarse a cenar y alabar los platos, tomarse una copa, tener un revolcón y darse un último beso, intenso como la sal, antes de dormir. En otro momento se habría sentido un poco incómodo, pensaría en el infinito número de relaciones que podría tener en ese instante y en otro sitio, pero ya no. Removió con la bota un montón de cáscaras de cacahuete. Dejemos los cambios en el mundo para las generaciones que vienen, no quería hacerse más preguntas, quería sentir, confiar en sus instintos, que todo avanzase, que fuera serio. Ya no había espacio para el arrepentimiento, sabía que hacía lo correcto, era algo que valía la pena. Sacó el móvil y marcó el número de Agnes, tenía los ojos brillantes. Cuando ella contestó, él habló con timidez y orgullo.

—Creo que tengo la responsabilidad de acompañarte el resto de tu vida.

Agnes respondió. Daniel se sintió feliz. Y lloró. Qué otra cosa podía hacer.

Erin descubrió a su madre echada en la cama, fibrosa, con un ligero toque violáceo en el rostro, la mirada ida, como en estado de shock, con un aire de pura cosa arruinada pero viva. A su lado, de pie junto a la ventana, dejando que esta enmarcase por completo los copos que traían recuerdos de otras nevadas, estaba él. Su voz sonó remota, inesperadamente suave.

—Hace mucho que me buscas.

Viktor, logró vocalizar Erin. Allí estaba, el héroe, el asesino, la víctima, el fugitivo. Era incapaz de apartar sus ojos, incapaz de huir, incapaz de nada.

—Sí, hace tiempo que me buscas —repitió con aquella voz mansa—. Y hace tiempo que quería verte. Mira… —extendió sus brazos, como afirmándose— mira lo que el pasado le ha hecho al presente… —El arco de sus labios apuntó hacia abajo, afligido.

Erin logró rehacerse y se acercó a la cama con ansiedad. Su pobre madre, tan quieta, tan triste, como un hada madrina algo drogada, rota. Llevaba un camisón blanco y sus cabellos grises sueltos, cayéndole sobre los hombros, su cara enmarcada por aquella asombrosa cascada de pelo.

—¿Qué le has hecho?

—Nada, hoy ha elegido ausentarse.

Erin comprobó el pulso y las pupilas, su madre respiraba con normalidad, pero no estaba allí.

—¿Y Martina?

—Aquí solo estamos tú y yo, Erin.

Erin no insistió. Se levantó y volvió a situarse a la misma distancia de Viktor. Finalmente Ratko no había podido resistirse a Atila, a su necesidad de reconocimiento.

—Tu casa se parece mucho a la mía, pero creo que ya lo sabes.

Sí, el lugar donde el lenguaje no puede entrar, donde se forman las máscaras, en el deseo y en la culpa, en los temores, donde se abren los agujeros del yo. Erin guardó silencio.

—¿Tienes miedo? —preguntó Viktor.

—Sí.

—Pero te has tomado todo este trabajo para encontrarme.

—Sí.

—Te entiendo —concluyó—. ¿Y ahora?, ¿todavía quieres una foto?

—No tengo cámara.

—No la necesitas.

—¿Y cómo voy a hacerla?

Viktor la amonestó con la mirada.

—No la necesitas porque no estás aquí por mí.

Erin se asombró.

—Entonces, ¿por quién?

—Por ti misma.

Soy yo, qué significa eso. Soy yo.

—¿Recuerdas a Drazen? —preguntó Viktor.

—No, no sé quién es.

—¿Seguro? Pues él sí se acuerda de ti. Sobre todo del tiempo que pasasteis en aquel edificio de Sarajevo, hablasteis mucho.

Erin movió los labios, pero no salió ningún sonido.

—Drazen. ¿Cómo no te vas a acordar?

De repente, un fogonazo en su cabeza. Drazen, por supuesto, así se llamaba el francotirador, Drazen, ¿cómo podía haberlo olvidado todos estos años?

—Sí, ahora lo recuerdo.

Viktor sonrió satisfecho.

—Él sigue vivo, y te manda recuerdos. Mantuvo una charla con unos hombres en Pale mientras tú andabas por allá. Drazen se tomaba una copa y justo al lado alguien hablaba de una mujer y del contratiempo que había tenido en Grapko. Creo que el nombre de Milo también te suena... —Viktor comprobó cómo los rasgos de Erin se crispaban— sí, creo que sí. Pues ellos terminaron por entablar conversación y les contó una historia muy interesante. Qué pequeño es el mundo, ¿verdad?, y si el mundo es pequeño, imagínate mi país. Más tarde esos hombres le contaron esa historia a otros, y esos otros a conocidos míos, y aquí estoy, contándotela a ti tantos años después.

Erin permaneció callada, recordaba a Slavenka, su descripción de Viktor, lo retorcido de su alma, y cómo les había mostrado lo que eran, los había obligado a vivir por encima de las emociones, les había arrancado las máscaras para que comprobasen que no eran más que unos monos aterrados luchando por el siguiente plato de comida. Y ahora Viktor estaba trabajando sobre la suya.

—¿No dices nada? —le preguntó Viktor.

—No sé qué quieres de mí.

La nieve, llenando la ventana, cayendo suavemente. En el rostro de Viktor hubo orgullo, terror, deseo, poder. Cierta desesperación.

—Quiero que busques mi rostro, Erin. Quiero que lo busques, porque es el tuyo.

La nieve, descendiendo con levedad. Luminosa. Y su madre, tan quieta y tan sola como la figura de piedra de una tumba acostada.

—¿Qué te dijo Drazen, Erin? Dímelo. Dime la verdad.

Erin endureció la mandíbula.

—No me dijo nada.

—Dime la verdad. ¿Qué te dijo?

Erin negó con la cabeza.

—No lo recuerdo.

—No quieres recordarlo. ¿Qué fue lo que te dijo? Yo lo sé, Erin, ¿quieres saberlo?

Erin volvió a negar con la cabeza, recordó aquel rostro afilado, lleno de grietas, como un campo recién arado, sus miembros nervados, los ojos claros, luminosos, seis pisos por encima de Sarajevo. Qué te dijo, Erin. Y su manera de fumar echando cada poco un vistazo a la avenida por la mira telescópica, mientras le hablaba de la tensión de la soledad, de cómo para matar y que no te maten tienes que sintetizar tus cualidades esenciales, del talento para mimetizarse, de la primera y última luz en el visor, del instinto del cazador, de la emoción de la presa humana. Y la nieve que enmudecía el mundo, que seguía llenado el marco de la ventana.

—¿Qué te dijo, Erin?

Y de repente la realidad, que comenzó a temblar de nuevo, como en Israel, como en el parque, todo múltiple, fluido, en perpetuo devenir, y hubo un sopor cómodo en el que su mente acabó por liberarse de la gravedad y todo acabó descomponiéndose en bloques de luz y oscuridad, y ya no estaban en aquella habitación, sino en la ruina de aquel apartamento en Sarajevo, y Drazen seguía hablándole de los fantasmas que suelen aparecer cuando te acuestas y cierras los ojos, las sombras negras que pugnan por devorar tu moral, y Viktor también estaba allí, de pie, y su madre también estaba allí, acostada en el suelo de hormigón, y la nieve que entraba por la ventana del piso, blanqueándolo todo. Y entonces apareció la niña, con aquel bidón de plástico blanco traslúcido, intentando cruzar la calle, y Drazen se apretó contra su fusil y la fijó en su cruz telescópica con un lento movimiento circular, y Erin sintió un puro mecanismo en su interior, rezó una especie de credo, y todas las sensaciones del cuerpo desaparecieron, solo quedó la punta de su índice sobre el disparador de la cámara. Comenzó a sacar fotos, compulsivamente, buscando no el contenido, sino la tensión, pulsó, pulsó, pulsó, el arrastre automático iba fijando a la niña al borde del paso de cebra, a la niña mirando a un lado, mirando a otro, a la niña colocando su pie en la franja pintada, a la niña saltando a la siguiente en un juego privado, y Erin pulsaba y pulsaba cómplice y horrorizada, y fue entonces cuando Drazen se separó de su rifle, y la miró primero a la frente y luego a los ojos, la penetró con los suyos, y le dijo aquella frase, pero esta vez de sus labios brotó el sonido, las palabras salieron perfiladas, nítidas.

—Si usted me da los cien marcos, no dispararé.

Y Erin le devolvió la mirada, y Viktor esperaba, y su madre, que acababa de despertar, también esperaba, y la nieve caía delicadamente sobre la dureza del cemento, y entonces ya no hubo más máscaras tras las que protegerse, la última cayó de su rostro con un sonido seco, la huida se había terminado. Y Erin flotó en una nebulosa irreconciliable, parecía estar rodeada de nieve, todo iba y venía, sueño y vigilia, no podía detenerse en ningún sentimiento concreto, en ninguna imagen concreta. Su infancia, que fluía sin el obstáculo del miedo, niños persiguiéndose unos a otros entre chillidos y bromas, su madre queriendo verla siempre limpia, junto con el olor de los cadáveres quemándose en contenedores, el olor dulzón de la carne humana ardiendo, asfixiante, y todas aquellas fotos unidas a la sangre, a la violencia, el fruto de su miedo a la muerte, la creatividad uncida a la neurosis, la infección moral de los mitos, la herida de Sarajevo, y todos los vivos y los muertos del pasado, personas queridas y odiadas, informantes, víctimas, amantes, amigos, compañeros, Slavenka, Ivo, Alvin, Alex, Milo, Radomir, Olena… que iban pasando a su lado con indiferencia, susurrándose unos a los otros, una cabalgata de fantasmas sin sentido, y la búsqueda americana de la felicidad, las esperanzas que traía el sufrimiento, la lucha contra la desesperación, la intensidad de las pequeñas y simples alegrías. Había memoria, pero no secuencias, no había límites definidos y cómodos entre pasado y presente, y reía y lloraba, no podía calcular cuánto había ganado, cuánto había sacrificado, no sabía si era mala o buena persona, si sus actos nacían de la fe o del miedo. Todo un mundo de esperanzas ajadas, éramos lo que teníamos, pero también lo que no habían tenido, lo que nunca tendrían, todo el dolor que un cuerpo inflige a otro, todo el dolor que se siente al ver sufrir a otro, el sexo como brutalidad, como repugnancia, el horror como rutina, y se sintió desamparada y confusa, buscaba asideros en una mente infinita, algo reconocible, llevadero, cada vez más desesperada, hasta que oyó un susurro, como de olas en la playa oídas desde lejos, y una voz dentro de ella, la voz de Ratko, haciendo que todo aquel peso se desvaneciera.

—Todo está perdonado, Erin. Todo está perdonado.

El papel utilizado para la impresión de este libro
ha sido fabricado a partir de madera
procedente de bosques y plantaciones
gestionados con los más altos estándares ambientales,
lo que garantiza una explotación de los recursos
sostenible con el medio ambiente
y beneficiosa para las personas.
Por este motivo, Greenpeace acredita que
este libro cumple los requisitos ambientales y sociales
necesarios para ser considerado
un libro «amigo de los bosques».
El proyecto Libros Amigos de los Bosques promueve
la conservación y el uso sostenible de los bosques,
en especial de los bosques primarios,
los últimos bosques vírgenes del planeta.

Papel certificado por el Forest Stewardship Council®